通向正义之路

法律推理的方法论研究

司法文丛

编辑者
北京大学司法研究中心

主持人
贺卫方 张志铭 朱苏力

司法文丛

通向正义之路
——法律推理的方法论研究

解兴权 著

中国政法大学出版社

图书在版编目（CIP）数据

通向正义之路 ／解兴权著． — 北京:中国政法大学出版社，2000.4
ISBN 7-5620-1978-9

Ⅰ.通… Ⅱ.解… Ⅲ.法律 — 推理 — 方法 Ⅳ.D90

中国版本图书馆CIP数据核字(2000)第05879号

书　　名	通向正义之路
出版发行	中国政法大学出版社(北京市海淀区西土城路25号) 北京100088 信箱8034 分箱　邮政编码100088 zf5620@263.net http://www.cuplpress.com （网络实名：中国政法大学出版社） (010)58908325(发行部) 58908285(总编室) 58908334(邮购部)
承　　印	固安华明印刷厂
规　　格	850×1168　32开本　9.25印张　230千字
版　　本	2000年3月第1版　2009年6月第2次印刷
书　　号	ISBN 7-5620-1978-9/D・1938
印　　数	5001-7000
定　　价	16.00元

声　　明　1. 版权所有，侵权必究。
　　　　　2. 如有缺页、倒装问题，由本社发行部负责退换。

本社法律顾问　北京地平线律师事务所

编辑说明与志谢

北京大学法律学系司法研究中心成立于 1996 年 6 月，是一个以司法制度为主要研究领域的学术机构。该中心倡导对于司法制度进行跨学科、多角度的综合研究。在运作以及成果上强调学术研究与司法实践之间的沟通、对话以及互动，强调成果的多层次和多侧面，强调项目参与者的广泛性和多样性，力求通过中心的研究成果以及学术活动本身既推进司法研究领域的学术进展，又对中国司法制度的改进有所贡献。

中心的基本活动模式是通过各种课题组开展对司法制度某个特定方面的专题研究，不定期地举办讨论会和报告会，推进相关领域的国际国内学术交流。这套"司法文丛"则是展现中心的研究成果以及国内外司法制度研究成果的主要窗口。

"司法文丛"是一个开放的和持续性的园地，举凡国内法律界的研究专著和文集、外国著作的汉译、有关司法改革的调查报告和原始资料等，只要符合中心的学术旨趣和成果标准，均在采撷收入之列，入选作者并不以参与中心项目者为限。因此，我们欢迎来自海内外学术界与司法界的关注与参与。

我们研究中心的活动与"司法文丛"的出版均得到了福特基金会（Ford Foundation）的宝贵资助，得到了北京大学法律学系的热情支持,我们谨向上述两机构以及所有给予我们支持与关心的人士致以衷心的感谢。同时,我们也向中国政法大学出版社表示感谢,为着该社在学术著作的出版方面表现出的热心与恒心。

编辑者
1998 年 9 月

自 序

在大学的象牙塔中学习和研究法律十有余载，有时也很是得意于自己能熟练地把某些法律条文脱口而出，得意于自己了解许多法律外行并不了解的法律知识。然而，有一天我突发奇想：既然有那么多的法律全书和法律大典，如今又有电脑网络Yahoo的强劲搜索功能，我们又有何必要花那么大的气力去记忆这些我们可以轻而易举获得的东西呢？在法律外行可以凭借查阅而获得远比我们多的法律知识的时候，我们又凭什么说我们的决定就比他们的决定要高明呢？

在最近的阅读当中，一位法学家告诫式的警语给我留下了较为深刻的印象，也在某种程度上解答了我的上述疑惑。17世纪英国著名法官E.柯克爵士说，"法律是一门艺术，在一个人能够获得对它的认识之前，需要长期的学习和实践"。其言下之意在于强调法律实践中有许多只可意会而不可言传的精妙之处。它们像一门艺术，需要我们通过艰苦的学习和长期的体验才能习得。这段警语告诉我们，法律的教育远远不仅仅是对法律知识的宣讲和传播，法律的真谛永远不可能是翻一下法律全书、点一下Yahoo的"搜索"话框而发现的。使法律家区别于法律外行的，看来并不在于法律知识的多与寡；相反，它在于法律家法言法语背后独特的推理、论证和思维的方式。正是这些相同的独到之处，才使得法律家们形成一个相对独立和固定的职业共同体。在这个共同体中，只有法律家才知道什么是最重要的价值，什么是最合理的理由，什么是最有力的论证。有人说，法律教育的重心在于培养人们像法律家一样严密地进行思维，现在看来这种说法是确有其一番道理的。

长期以来，我国法学界一直把研究和关注的重心放在对法律概念和法律条文的说明和注解之上，原因很简单：因为我们是制定法国家，司法裁判就是严格地依法裁判，理解了条文就能正确地裁判案件。这种简单的推理最终把法学中最具有实践价值的部分——法学方法论——完全抹杀，也同时造成了法学研究无法深入和具体的学术顽疾。我想，法律是实践理性的产物，如果不重视或不正视这一点，法学研究将永远地停留在积累和传播法律知识的层面。这是法学的悲哀和不幸！因此，法学研究的重心应当实现一个大的转变，即从对抽象的法律概念的探讨转向对具体法律推理和思维的研究，从法律条文的注解本身转向法律自身的实现过程。这是现代文明社会"法律帝国"建立起来之后法治实践的现实需要。

这本书正是在做这样的努力尝试。然而，这种工作还仅仅只是一个开始。但我相信，这种转变将是 21 世纪法学研究的某种方向和趋势！

解兴权

1999 年 5 月 8 日于麦子店

目 录

导 论 法律推理的法治意义 …………………………… (1)

第一章 法律推理的本体论认识 ………………………… (11)
  第一节 法律推理的涵义 ………………………………… (12)
    一、推理 ……………………………………………… (12)
    二、法律推理的界说 ………………………………… (14)
    三、法律推理的涵义 ………………………………… (20)
    四、法律推理与法律解释的相关关系 ……………… (26)
  第二节 法律推理的性质、特征 ………………………… (28)
    一、法律推理是分析性的还是非分析性的 ………… (28)
      （一）分析性观点 ………………………………… (29)
      （二）非分析性观点 ……………………………… (30)
    二、法律推理的实践性 ……………………………… (31)
    三、法律推理的循环性 ……………………………… (34)
    四、法律推理的保守性 ……………………………… (36)
  第三节 法律推理的功能 ………………………………… (39)
    一、法律推理的功能分析 …………………………… (39)

二、如何认识法律推理的功能 …………………… (40)
　第四节　结语 ………………………………………… (46)

第二章　法律推理的历史学考察 ………………… (48)
　第一节　近代的法律推理观 ……………………… (49)
　　一、启蒙认识论的产生 …………………………… (49)
　　二、自由主义的兴起 ……………………………… (54)
　　三、法律形式主义及其批判 ……………………… (57)
　　　（一）法律形式主义 …………………………… (57)
　　　（二）法律形式主义之批判 …………………… (59)
　第二节　现代的法律推理观 ……………………… (62)
　　一、法律现实主义 ………………………………… (63)
　　二、自由法运动 …………………………………… (66)
　第三节　当代的法律推理观 ……………………… (67)
　　一、主流的法律推理观 …………………………… (67)
　　二、批判法学运动 ………………………………… (69)
　　三、法律实用主义 ………………………………… (71)
　第四节　结语 ………………………………………… (74)

第三章　形式的法律推理 ………………………… (78)
　第一节　逻辑在法律推理中的地位和作用 ……… (79)
　　一、逻辑的含义与意义 …………………………… (79)
　　二、逻辑在法律推理中的地位和作用 …………… (80)
　　三、逻辑至上论 …………………………………… (84)
　　四、逻辑怀疑论 …………………………………… (85)
　　五、法律逻辑的性质 ……………………………… (95)

第二节 演绎的法律推理 ……………………………… (97)
一、形式的法律推理 ……………………………… (97)
二、演绎法律推理及其特征 ……………………… (100)
三、演绎法律推理的基本过程 …………………… (103)
四、演绎法律推理的缺陷 ………………………… (112)
五、演绎法律推理的不确定性及其克服 ………… (115)
（一）不确定性问题 ……………………………… (115)
（二）克服办法 …………………………………… (116)

第三节 类比的法律推理 ……………………………… (124)
一、两大法系中的类比法律推理 ………………… (124)
二、类比法律推理的基本过程 …………………… (128)
（一）日常类比推理与类比法律推理 …………… (128)
（二）类比法律推理的过程 ……………………… (130)
三、类比法律推理的特征 ………………………… (135)
四、类比法律推理的不确定性及其克服 ………… (138)
（一）不确定性的产生 …………………………… (138)
（二）克服办法 …………………………………… (140)

第四节 结语 …………………………………………… (142)

第四章 辩证的法律推理 …………………………… (144)
第一节 法律逻辑体系的缺陷 ……………………… (145)
一、理想的法律逻辑体系 ………………………… (145)
二、法律逻辑体系的缺陷 ………………………… (147)
三、法律推理的独特性 …………………………… (149)
第二节 辩证的法律推理 …………………………… (152)

一、疑难案件的特征及其根源……………………………（152）
　　　（一）疑难案件的特征……………………………………（152）
　　　（二）疑难案件的产生根源………………………………（155）
　　　（三）疑难案件中的法律推理……………………………（157）
　　二、辩证的法律推理及其必要性…………………………（159）
　　　（一）辩证推理……………………………………………（159）
　　　（二）辩证法律推理之必要性……………………………（162）
　　三、辩证法律推理的具体方法……………………………（167）
　　　（一）辩证法律推理的六种具体方法……………………（167）
　　　（二）辩证法律推理方法的操作序列……………………（183）
　　　（三）判决书中如何使用这些具体方法…………………（185）
　　四、辩证法律推理的客观性检讨…………………………（186）
　　　（一）辩证法律推理客观性之否定论……………………（186）
　　　（二）辩证法律推理的客观性基础………………………（187）
　　　（三）如何理解辩证法律推理的客观性…………………（191）
　第三节　法律推理中的价值判断…………………………（195）
　　一、价值判断的必要性分析………………………………（195）
　　二、价值判断的性质分析…………………………………（199）
　　三、价值判断的基础：法律的信念之网…………………（201）
　　　（一）信念之网……………………………………………（202）
　　　（二）法律的信念之网……………………………………（203）
　　四、价值判断的体系化……………………………………（205）
　　五、价值判断的过程………………………………………（209）
　第四节　结语………………………………………………（213）

第五章　法律推理的张力及其缓解……………………（215）

目　录

第一节　法律推理的确定性问题……………………………（216）
　一、法律推理不确定论………………………………………（217）
　二、法律推理确定论…………………………………………（221）
　三、如何理解法律推理的确定性问题………………………（225）
第二节　法律推理张力产生的原因……………………………（230）
　一、法律要求与道德要求的冲突……………………………（231）
　　（一）法律效力的张力………………………………………（232）
　　（二）法律涵义的张力………………………………………（235）
　　（三）可适用性的张力………………………………………（237）
　二、规范与事实的冲突………………………………………（239）
　　（一）规范性权威……………………………………………（239）
　　（二）智识性判断……………………………………………（241）
　三、结构性要求与自主性要求的冲突………………………（245）
　　（一）法律思维的结构性要求………………………………（247）
　　（二）法律思维的自主性要求………………………………（251）
第三节　法律推理张力的缓解和协调…………………………（252）
　一、法律推理的和谐论模式…………………………………（253）
　二、法律论证…………………………………………………（258）
　二、法律理由和程序理性的制约作用………………………（264）
　　（一）法律理由的运用及其形式……………………………（264）
　　（二）程序理性的有效制约…………………………………（268）
第四节　结语……………………………………………………（271）

尾论　强化法律推理的制度条件………………………………（272）

主要参考文献……………………………………………………（277）
后记………………………………………………………………（285）

导论　法律推理的法治意义

> 判决理由是司法权合理化的最重要的指标，也是法官思维水平的最典型的表现。在学识性、合理性较强的法律体系下，判决书不阐述和论证把法律适用于具体事实的理由的事情是绝对不可想象的。
>
> ——季卫东

人类祈求和平与正义，却每每陷入冲突与纷争。社会的存在以化解这些冲突与纷争为前提，因而人类创造了多种纠纷解决机制，比如神明裁判、决斗、贤人裁断，等等。这些机制和方法都无可讳言地存在着极大的偶然性缺陷。依法裁判则以法律推理而区别于以往的各种擅断：它强调司法判决的理由说明和正当性证明。这使得解决纠纷机制摆脱主观任意和偶然随意的弊端，趋向于文明和科学。特别是当现代法治社会强调对人的价值的尊重，强调要说明强制决定的理由（即时下社会所说的"给个说法"）时，法律推理就更具有极大的法治意义。

现在我国的司法判决书一般先简述案件事实，然后根据某（几）个法律条文便宣布判决结论。这样的判决书一般都写得过于简单,鲜见把法律条文和案件事实加以结合分析,缺乏法律理由的说明和列举,判决结论缺乏充分的论证。正是基于这样的情况,不少法律研究者指出,"我国法院作出的判决书等法律文件,大多内容过于简单,尤其是推理部分往往下笔太少,对判决中引证的法律条文也未作阐释,有时令人不知其所以然"。[1] 还有的学者则直接指出,"我国的司法判决甚至缺少最基本的法律推理内容"。[2] 这一现实带来了两个方面的负面效应,即实践上的缺陷和理论上的缺陷。

首先,实践上的缺陷。由于法官没有承担强制性的推理和论证义务,因而他们的判决书一般写得比较简易和随便,经常会出现所援引的法条与事实和判决结论相互脱节与抵牾的现象,也就是说法条、事实、结论是三张皮,各不相关。这就根本无法形成具有说服力的法律理由,甚至缺乏最起码的逻辑强制力。现代社会的合法性要求使法官负有此项推理论证的义务。我国现行司法体制忽略了对这项重要法律行为的调整,这更便利了法官在司法活动中上下其手,以法律的形式掩盖其非法行为的本质。时下在地方保护主义下形成的各种非正义判决与他们的法律推理义务落空有很大关系,也给司法腐败埋下了祸根。有的学者指出:"在所有法律现象中最可能恣意泛滥而又无以限制的法律行为,当非推论莫属了"。[3]

其次,理论上的缺陷。美国法学家 F. Shauer 在谈到法律推理研究在法学中的地位时说:"哲学的很大一部分,有的哲学家

---

[1] 王利明、姚辉:"人民法院机构设置及审判方式改革问题研究(下)",载《中国法学》1998 年第 3 期。
[2] 朱苏力等:"关于司法改革的对话",载刘军宁等编:《市场社会与公共秩序》,生活·读书·新知三联书店 1996 年版,第 166 页。
[3] 孙笑侠:《法的现象与观念》,群众出版社 1995 年版,第 251 页。

则说是最重要的一部分，是对推理的研究。那么，毫不奇怪，法哲学的很大一部分就是对法律推理的研究。"[1] 由于我国司法实践中法律推理的缺乏，我国法哲学和法理学对此的研究近乎空白。法律推理理论研究法律命题的效力与推导，研究法律的渊源及其作用方式，研究司法中的法律评价，等等。这些都是法哲学的重大问题，对这些问题的研究必将促动法哲学、法理学的深入发展，尤其是带动司法中的法理学思考。这可以摆脱我国传统法理学科学性格不强，而仅仅停留在法律政治学的表层无法深入的弊端。贺卫方教授在评价这一现象时说："法律推理问题的凸现，可以说是中国的法律家群体的专业自觉或职业自觉的一个标志，他们不再满足于此前的政治话语或日常话语，正在寻求证明他们的职业以及行为合法性的更坚强的基础。"而且，从另一方面来说，法律推理是司法借助社会正义的重要手段。通过法律推理之方法论研究，我们可以提高法官运用法律推理的能力；同时又反过来促进法学的开拓与提高。因为法学家们可以通过对法官之推理的检证与批判，促进法律科学的成熟与发展。批判之可能性是知识增长的可靠途径。

正是基于上述两个方面的缺陷，我不同意一些学者的如下观点，即认为"中国现在还没有探讨法律推理问题的必要，大概也不会产生像西方那样的法律推理理论"。[2] 相反，我认为研究法律推理问题是法理学不可或缺的课题。其理由在于：其一，任何裁判的形成都要经过法律推理，这是现代司法的根本要求；其

---

[1] F. Schauer and W. Sinnoff-Armstrong, *The Philosophy of Law*, Harcourt Brau College Publishers, 1996, p. 117.

[2] 参见朱景文主编：《对西方法律传统的挑战》，中国检察出版社1996年版，第363页。

二，任何司法都有必要采用各种法律技术（如法律解释、法律推理等）来实现社会正义，以弥补制定法之不足或缺陷；其三，我国法学界以及司法实践部门都已提出法律推理的问题，大家普遍感到现行司法太缺乏法律推理，应当予以加强；其四，对司法过程（尤其是推理活动）的描述是任何时代的法理学都不可逃避的责任。所以，我国法理学应在吸收国外对此问题研究成果的基础上，加紧对这一课题的深入探索。

当今，众多法学家都力陈研究法律推理的重大意义。当今芬兰成绩卓绝的法哲学家阿尔诺（Aulis Aarnio）教授说："在法理学中大多数目前最激动人心、最直接的争论问题是有关（或直接处理）法律推理本质的问题。"[1] 而美国法学教授帕托（B. L. Porto）则坦言："正如一个想用意大利语交谈或者准确地做生物学试验的人必须学习和能够掌握一套独特的规则、原则和结构一样，一个人如果想了解律师和法官如何解决案件就必须熟悉独特的法律推理的方法论。"[2] 具体而言，这种研究的意义表现在以下几个方面。

首先，法律推理的研究有助于法律工作者之法律思维的合理化、科学化，而法律思维的科学化和现代化又是一国实现法制现代化的内在条件。法律推理是人们的一种思维活动，但这种思维活动又有着自己独特的内涵。在这种思维活动中，哪些因素是应该发挥其作用的，而哪些又是应该加以抑制的呢？比如说人的直觉意识、洞见在法律推理中的地位和作用怎样呢？哪些是法律特

---

[1] A. Aarnio et al., "The Foundation of Legal Reasoning", in A. Aarnio and N. MacCormick eds., *Legal Reasoning I*, Dartmouth Publishing Company, 1992, p. 233.

[2] Bran L. Porto, "Legal Reasoning and Review", in David A. Schultz ed., *Law and Politics: Unanswered Questions*, 1996, p. 11.

有的规律和原则？通过对这些问题的研究和回答便可以广泛吸收科学理论和科学哲学的研究成果，促进法律推理理论的完善和发展，促进法律思维和法制的现代化。[1]

其次，通过对法律推理的关注和研究，我们对法律的分析从制度层面转到了对主体行为的分析，从而实现法学研究的重大转变，即从法律条文本身转向法律的实现，从对抽象的法律概念的探讨转向对现实制度设计和具体操作技术的研究。长期以来，我国法学界关注的重点一直放在对法律概念和法律条文的说明和注解之上，原因很简单：因为我们是制定法国家，司法裁判就是严格的依法裁判，理解了条文就能裁判案件。这种简单的推理最终把法学中最具有实践价值的部分——法学方法论——完全抹杀，也同时造成了法学研究无法深入和具体的学术顽疾。17世纪英国大法官柯克爵士说："法律是一门艺术，在一个人能够获得对它的认识之前，需要长期的学习和实践。"[2] 其言下之意在于强调法律实践中有许多只可意会而不可言传的精妙之处，它们像一

---

[1] 瑞典 Lund 大学法哲学教授 Aleksander Peczenik 等人认为，二战以来西方对法律推理问题的研究热潮出现的原因有以下几个方面：①本世纪上半叶以来各种法律学派之间界线分明、相互独立，但一系列的社会和司法实践问题迫使它们开始相互借鉴，力图建构一个整体的或综合的法律理论；②科学理论（尤其是科学哲学）入侵法哲学的话语领域，尤其是波普尔和库恩之后，科学理论极大地适用于法律推理之研究；③从理论上说，法律推理理论为圆满地实现上述整体性法律理论的假设提供了一个框架；而从实践上说，通过对法学方法论和法律渊源论的探讨，法律推理增强了司法判决的一致性和合法性，可为法律问题提供健全而经充分论证的答案，从而满足了时代的要求。See A. Peczenik et al. (eds.), *Theory of Legal Science*, D. Reidel Publishing Company, 1984, Preface; Also See A. Aarnio and N. MacCormick eds., *Legal Reasoning I*, Dartmouth Publishing Company, 1992, pp. 233~236.

[2] 转引自张志铭：《法律解释操作分析》，中国政法大学出版社1999年版，第3~4页。

门艺术，需要我们通过艰苦的学习和长期的体验才能习得。这些东西才是真正的法律。法律推理是法律适用和法律实现的重要环节，但对这一问题的研究现在几近空白。因而通过对法律推理的研究，归纳和总结我国长期的司法实践经验，实现理论性和现实性的有机统一，就极具学术价值。这种研究方向的转变可以极大地丰富和发展我国法学理论研究的内容。同时，通过考虑法律判决之后法官的行为和活动动机，我们可以更为清醒地认识到法制实现的途径和障碍，从而有针对性地提出解决方案。

最后，通过法律推理，加强对司法决策合法性的追问，有助于加强社会合意的形成。法律推理往往要求对法律决策详列理由，使决策者负证明之义务。这就使他们与社会大众保持内在的一致性，而不至于远离社会，形成合法的不公，导致法律的专制主义。这样就可以避免为法所害：一方面是因为裁判案件不说明理由，不仅不能保证司法的公正，而且会掩盖执法不公甚至贪赃枉法的各种违法行为；另一方面是因为判决说理透彻，也会大大增强对司法审判工作的监督。这样，法官的判决必然会接受社会公众舆论的评判，进而会形成普遍的社会合意。

本书认为，法律推理是特定的法律工作者利用法律理由权威性地推导和论证司法判决的证成过程或证成手段。它既是一种法律思维活动，又是一种应受法律规制或调整的法律行为，是特定法律工作者的一项法律义务。本书从本体论、认识论和方法论的角度考察法官与规则的关系问题，对法律推理进行法哲学的反思，以建立和谐的法律推理模式，从而避免在形式推理与辩证推理之间作出简单的选择。

第一章是对法律推理的本体论考察。由于我国逻辑学欠发达，对"推理"一词作过狭理解，造成我国学者普遍把法律推理界定为"对法律命题运用一般逻辑理解的思维活动"。笔者提出要全面认识法律推理的内涵要素：①法律推理是运用法律理由的手段；②它由逻辑推导和经验论证两个方面所构成；③它还是一种权威性的法律行为，这赋予法官判决以最终性；④法律推理也是一种法定的证成义务，负责特定法律行为的合法性说明。故法律推理既是一种思维活动，还是一种应受法律调整的重要法律行为，是法律适用者所负有的特定法律义务。如果仅理解为前者，就无法把法律推理这一活动纳入法律调整的范围，因为法律所能规制或调整的只是人的思维活动的外化——外在行为。法律推理除具备客观性、合理性等特点之外，还有实践性、循环性、保守性以及不确定性等特点，因而它具有内在的矛盾性：法律推理既是分析性的，又是非分析性的，二者各有基础，发挥各自的作用或影响。法律推理除具备预测、劝说以及证成等功能外，还有批判功能和协调功能。

第二章是对法律推理观的发生学考察，结构上是对前一章的拓展研究。本书认为，一个社会的哲学、科学、政治、文化等因素都影响和决定人们对法律和法律推理的认识，因而，尽管法律推理问题表面上是一个技术问题，但实际上它首先是作为一个政治哲学问题提出来的：法律判决制作与论证的基础在于对法律推理前提的认识与假定。近代的法律推理观深受启蒙思想的认识论与政治思想的影响，极力地强调三权分立的古典法治理想，从而把法院的任务确定为客观地依法断案。然而法院发现法律的认识论任务使法律形式主义和概念法学面临方法论与政治现实的双重批判。现代的法律推理观则更强调利益权衡、政策判断以及目的考量等因素的必要性和重要性，因而主观的不确定性问题便对古典法治理想提出了挑战。当代的法律推理观力图为司法判决找到一个客观的基础。主流的法律推理观是一种修正的、缓和的法律形式主义，它认为多数纠纷可通过法律作演绎推理解决，而少数疑难案件的主观式解决无妨整体制度的合法性。批评法学运动则宣告司法判决客观性基础的终结，认为法律推理的客观性、中立性、确定性只不过是美丽的神话。实用主义法学则试图消解主客体之间的二元对立，把法律推理的客观性立基于法律解释共同体所特有的共识和传统之上。

第三章和第四章考察法律推理的具体模式与具体方法，可谓之为法律推理的方法论研究。法律推理基本可区分为形式的法律推理和辩证的法律推理两种模式。前者一般多适用于前提确定无疑的简易案件，后者多适用于前提无法明确确定的疑难案件。但笔者认为二者无法绝然二分，而应相互结合使用以克服各种模式本身所具有的局限性，实现法律推理的贯通、和谐。

形式合理性的法治要求决定法律推理必然严格遵循逻辑的形式和规则。这有助于法律推理的合理化，以增强法律推理的确定性与可预见性。这种逻辑形式在大陆制定法国家中多表现为演绎方法，在英美普通法国家则多表现为类比方法，而现代法制的发展使二者相互结合使用成为必然。本书并不认为形式的法律推理就完全可以等同于形式逻辑之操作；相反，它在事实认定、陈述，法条选择、解释以及二者的归摄等环节都存在着主体的价值判断活动，因而留下不确定性根源。演绎方法的不确定性问题可以通过诉诸具体化、解释规则、政策判断以及类比推理方法予以克服。类比方法的不确定性问题可以通过语言的具体化和政策判断的客观化来解决。

由于人类认识的非至上性和社会生活的纷繁复杂，法律的逻辑体系必然具有模糊的不可消除性、内在的不和谐性和体系的不完备性等缺陷；加之法律推理的独特性和疑难案件的出现，便决定了辩证的法律推理的必要性和重要性。辩证方法可以使用以下诸法源范畴来进行推理，即法的精神、衡平、政策、原则、习惯、法理、法律意识以及事物性质，等等。在具体运用时，我们可以先根据事物性质找出辩证推理之大前提，然后以诸法源范畴予以检验和确定，最后依价值判断作出最后的选择。辩证推理由于法律的信念之网、理想结果的不断检证和修正，以及价值判断的类型化、体系化而获得客观性基础，也使之区别于推理者之个人主观恣意。

第五章从认识论的角度探讨法律推理的内在冲突及其缓和和协调问题。在法律推理的运行过程中始终存在着这样一种冲突：一方面是要严格按照法律的规定进行逻辑的推演活动，以求维护法律的安定性，追求法律推理的确定性；而另一方面是要严格按照人之理性理解来为法律疑难案件建构合理的大前提，用辩证推理的形式追求案件的公平与正义，以求维护法律的妥当性，追求法律推理的可接受性。着重于前者的法律家们则力陈法律推理之不确定性，认为司法判决无非是法官的主观价值癖好的产物。法律推理的内在冲突是指在法律推理者利用法律理由过程中必然会碰到的一系列价值选择的冲突。这一冲突表现为法律推理的合法性要求与合理性要求之间、稳定性要求与灵活性要求之间，以及表现出的确定性与非确定性之间的矛盾。法律推理既是确定的，又是不确定的，两种属性同样存在，同时发挥各自的正面作用与负面影响，法律推理的张力因而形成。它根源于法律思维的以下三对矛盾：法律要求与道德要求之间的冲突，事实与规范之间的冲突，以及法律思维结构性要求与自主性要求之间的冲突。本书主张通过对各种法律理由的权衡和综合，依照程序理性进行法律论证，以实现法律推理的贯通、和谐，从而调和和缓解法律推理的内在张力。

本书最后提出完善我国法律推理在观念和制度方面需要解决的几个问题的建议，即加强司法判决的理由说明，发挥判例的参考作用，树立程序公正的观念，以及强化法官个人的推理功能。我国司法水平的提高有赖于法律推理理论的提出和完善，还有赖于我国司法法理学的兴起、兴盛。这正是法学研究深入的契机。

第一章　法律推理的本体论认识

> 法律推理是建设性阐释的一种运用，我们的法律存在于对我们的整个法律实践的最佳论证之中，存在于对这些法律实践做出尽可能最妥善的叙述之中。
>
> ——［美］罗纳德·德沃金

我国传统哲学一般重体悟、轻逻辑，重综合、轻分析。这导致我国逻辑学很不发达。它表现在对"推理"一词的理解上，我国仅把它界定为一般的逻辑推导，而忽视了其他广泛的推理形式，忽视了推理的内容与目的的探讨。我国法理学者在从西方法哲学界引入"法律推理"这一概念时深受这一局限的限制，因而把它界定为"一般逻辑推导在法律中的运用"。应当说这是对"法律推理"这一个概念所作的狭隘而片面的理解，如此界定将导致我们轻视——甚或忽视——法律推理问题的深入研究。从"推理"这一概念的涵义出发，探讨法律推理的内涵，揭示其一般特征，认识其所具有的特有功能，这些便是本文所面临的首要任务。

第一节　法律推理的涵义

一、推理

要了解法律推理的涵义及其性质，我们就必须先分析"推理"一词的具体涵义。首先，我们还是考察它在中外文化中的语源学含义。我国《现代汉语词典》对"推理"条的解说是："逻辑学上指思维的基本形式之一，是由一个或几个已知的判断（前提）推出新判断（结论）的过程，有直接推理、间接推理等。"可见，在现代汉语的习惯中，我们往往是把"推理"及其研究归属于逻辑学范畴，强调命题与判断之间的推导、传承。比如我国法理学教授沈宗灵先生认为："推理通常是指人们逻辑思维的一种活动，即从一个或几个已知判断（前提）得出另一个未知的判断（结论）。"[1]这里的界说显然都把"推理"的分析视为形式逻辑的主要问题，重视的是命题之间的逻辑推导（logical entailment）关系。

西方通用的《韦氏新大学词典》对"推理"（reason）一词的注释则较为详细。它把"推理"之内容归为以下几个方面：①按逻辑的方法而思维，或者依论据或前提之理由而推考或按断；②支以理由；解释以及辩论（argument）证明之，折服之，或感动之。因而"推理"（reasoning）便指：①讨论者之行为或

---

[1] 沈宗灵主编：《法理学》，高等教育出版社1994年版，第436页。

方法（process）；②所列或所表之理由，或辩论之程序。[1] 如果把这个界定与上述我国对推理的理解相比较，我们便可得知，西语中此词的涵义远较我国广延。它不仅包括了逻辑的推导关系，更强调了理由的列举与说明，突出了论证与论据的过程，着力于折服与感动的效果。当然这是与西方逻辑学研究的发达分不开的。[2]

古希腊哲学中亚里士多德早就对"推理"进行过专门的研究。他认为："推理"是一种论证，其中有些被设定为前提，另外的判断则必然由它们发生。同时他把推理分为证明的推理、论辩的推理以及争执的推理三种形式。当推理由以出发的前提是真实和原初的，或者当我们对于它们的最初知识是来自于某些原初的和真实的前提时，这种推理就是证明的。从普遍接受的意见出发进行的推理是辩证的推理。……从似乎是被普遍接受但实际上并非如此的意见出发，以及似乎是从普遍接受的意见或者好像是被普遍接受的意见出发所进行的推理就是争执的，因为并非一切似乎被普遍接受的意见就真的是被普遍接受了。[3] 在亚里士多德的推理

---

[1] Webster's New Collegiate Dictionary, G. & C. Merriam Company, 1973, p. 962.

[2] 不少哲学家都指出中国哲学欠缺西方较为发达的逻辑分析方法。例如成中英先生说："如果说，西方思维方式倾向于形式的、机械的、冲突的，那么，中国传统思维方式则倾向于整体的、辩证的、和谐的"。中国的这种思维方式更注重体验与感情，而忽略逻辑与分析。参见[美]成中英：《论中西哲学精神》，东方出版中心1991年版，第173页。雍琦教授亦坦言："我国传统上逻辑学（尤其是法学方面的应用逻辑）很不发达。"参见雍琦："关于法律逻辑性质及走向的思考"，载《现代法学》1997年第5期。

[3] 以上转引自郑文辉：《欧美逻辑学说史》，中山大学出版社1994年版，第29~30页。有关亚里士多德的逻辑思想可以参见[英]威廉·涅尔、玛莎·涅尔：《逻辑学的发展》，张家龙、洪汉鼎译，商务印书馆1985年版，第31~33页。

观中,我们可以看到,当代西方哲学中广泛探讨的形式推理、实践辩证推理以及对话(商谈)在这里都可以找到一些影子。

从以上的释义学分析中,我们可以得出有关"推理"的定义和解释的几个方面的结论:①推理是从已知到未知、从前提到结论的逻辑(理论的)思维过程;②推理是利用各种理由加以辩论的过程;③推理的目的在于论证、劝服以及影响他人。因而可以说推理是利用各种理由论证、劝服及影响他人的论证过程或论证方法。[1]

二、法律推理的界说

西方的法学家们在研究法律推理时,对法律推理的理解和界定是不一样的,这可能根源于目前较为全面的法律推理理论还没有形成和被接受。综合起来说,中外学者对法律推理的理解有以下几种不同的观点。

第一种观点认为,法律推理就是一般逻辑推理在法律领域中的运用,此观点可以称之为"逻辑推导观"。例如《牛津法律指南》说:"法律推理(Legal Reasoning)大体上是对法律命题运用一般逻辑推理的过程。"[2]这种观点认为法律推理是逻辑学中的推理理论在法学中的应用,它属于法律应用逻辑的范畴。[3]因此,法律推理是分析性的,法官在此过程中的作用是被动的。[4]这种法律推理的观点在19世纪初期曾被形式主义法学推

---

[1] 显而易见,这样的理解远远比目前逻辑学教材所列的"推理"涵义要宽泛,但这是全面理解"推理"和正确理解"法律推理"所必须的。参见吴家麟主编:《法律逻辑学》,群众出版社1983年版,第114~117页。
[2] [英] D. 沃克编:《牛津法律指南》,1980年英文本,第1039页。
[3] 王鸿貌:"论当代西方方法学中的法律推理",载《法律科学》1995年第5期。
[4] 信春鹰:"20世纪西方法哲学基本问题",载《法学研究》1993年第4期。

到了巅峰;由于其所带来的不正义,后人称之为"概念法学",以示贬抑之情。[1] 就法律的适用过程而言,法律推理"就是一个从已查证属实的事实和已确定适用的法律规定出发推论出判决或裁定的过程";[2] 就法学研究而言,法律推理就是法律逻辑,就是法律命题的推导规则和推导结构,力图通过法律推理研究来建立系统而纯粹的法律科学。[3] 因而,此观点把法律推理的研究不仅放在纠纷解决(裁判)上,而且更为关注作为法律科学基础的思维方法。

第二种观点则反对前一种观点,把法律推理视为裁判的工具或手段,此观点可以称之为"司法工具观"。英国法哲学家麦考密克认为,法律推理是关于作为判决及向法庭提出的主张、辩护的正当理由中所提出的法律辩论的因素。[4] 比利时哲学家Ch. 佩雷尔曼则说:"法律逻辑并不像我们通常所设想的,将逻辑应用于法律。我们所指的是供法学家,特别是供法官完成其任务之用的一些工具,方法论工具或智力手段。"[5] 按照他们的看法,法律推理不再属于法律应用逻辑的范畴,它本身就是法律哲学中的一个重要问题,因而它是与法律理论紧密相关、不可分割的。此种推理观在英美等国表现得更为突出。哈罗德·伯尔曼在论及法律推理时曾指出:"在像美国和英国等国家中,它们的法律推理就常常相当于法官在断案中用以得出结论的智力方法

---

[1] 参见梁慧星:《民法解释学》,中国政法大学出版社 1995 年版,第 65 页。
[2] 沈宗灵:"法律推理与法律适用",载《法学》1988 年第 5 期。
[3] 雍琦:"关于法律逻辑性质及走向的思考",载《现代法学》1997 年第 5 期。
[4] Neil MacCormick, *Legal Reasoning and Legal Theory*, Clarendon Press, 1978, preface.
[5] Chaim Perelman, *Justice, Law and Argument: Essays on Moral and Legal Reasoning*, D. Reidel Publishing Company, 1980, p. 140.

(intellectual processes)"[1] 而罗斯科·庞德则更为明确地指出："法律推理是一种非常重要的工具，运用这工具，人们可以在日常的执法实践中调和法律的稳定需要和法律的变化需要。也就是说，通过运用这一工具，人们可以使旧的法律规则和法律制度满足新的需要，可以在将外部破坏和对既存法律的歪曲限制到最低限度的情形下，使之适应日益变化的情况。"[2] "司法工具观"把法律推理视为法律适用的工具或方法，这一方法不仅为法官或律师所使用，而且为广大的公民所使用。N. 麦考密克极力地主张，研究法律推理的现象不应限于法官的推理，而且应研究公民的推理。因为"法律在法院外的作用就像在法院内的作用同样繁多和重要"；"法律是供普通的男男女女之用的，它被认为是他们对怎样生活而进行的某种结构。"[3] 同样，我国法理学家沈宗灵先生以为："法律推理在法律领域中是广泛运用的，从立法、执法、司法、对法律实施的监督以致一般公民的法律意识中，都有法律推理的活动。"[4] 显见这种观点否认了法律推理的权威性。

第三种观点认为，法律推理是为特定的法律行为举出理由，以论证其合法性和权威性（证成）的法定手段，此可以称之为"权威论证观"。美国学者弗里德曼认为，法律推论是为特定法律行为作"正式"的理由阐述，并且必须具备"权威性"。他强调

---

[1] Harold J. Berman, "Legal Reasoning", in David L. Sills ed., *International Encyclopedia of the Social Sciences*, vol. 9～10, The Macmillan Company & the Free Press, 1975, p. 197.

[2] ［美］庞德：《法律史解释》，转引自徐国栋：《民法基本原则解释》，中国政法大学出版社1992年版，第218页。

[3] ［英］N. 麦考密克："公民的推理及其对法理学的重要性"，转引自沈宗灵主编：《法理学》，高等教育出版社1994年版，第437页。

[4] 沈宗灵："法律推理与法律适用"，载《法学》1988年第5期。

了法律推理的权威性,从而认为公民与学者之推理因缺乏这一特征而不能称之为"法律推论"。[1]而美国爱渥华大学的斯蒂文·伯顿教授简单地把法律推理定义为:"在法律论证中利用法律理由的过程(或方法)。"[2]他们认为,在现代法治社会中,有些法律工作者必须负担"法律推理"的义务,从而使其决定和行为取得合法性,也就是说,必须把他们的决定与较高合法性和权力当局相结合。从这个意义上说:"法律推理也是为特定合法性所设计的标识,它表现出法官判决与规则本体或更高合法性权力之间的结合。"[3]

第四种观点则认为,我们不应该把法律推理仅仅局限于上述某一个方面,由于上述各方面紧密联系,所以应该使法律推理不仅包括形式逻辑规则的适用,而且也要用它来包括其他一些解释方法。此种观点我们称之为"综合论",其典型代表是哈罗德·伯尔曼和E. 博登海默等人。伯尔曼说,英美等国家的法律推理常常相当于法官在断案中用以得出结论的智能过程,而在法德等法典化国家中,法律推理则常常相当于维护和论证法律原理(doctrines)的合理性和一致性。他认为这两种类型的推理紧密关联,我们就可以从广义上来界定法律推理,以便包括这两者;同时他主张更进一步地扩展此定义,让它包括那些用于诸如制定法律、执行法律、审理案件(不仅仅是判决)、起草法律文件以及进行法律交易的谈判等其他法律活动中的推理类型。他认为这

---

[1] [美] L. M. Friedman:《法律与社会》,吴锡堂、杨满郁合译,台湾巨流图书公司1991年版,第118页。

[2] Steven J. Burton, *An Introduction to Law and Legal Reasoning*, Little, Brown and Company, 1995, p. 1.

[3] [美] L. M. Friedman:《法律与社会》,吴锡堂、杨满郁合译,台湾巨流图书公司1991年版,第120页。

是根源于"推理"所具有的含义：推理意即为其陈述给出依据（理由），劝说性地论证，或者进行对话（discourse）。因而法律推理不仅有它自己的逻辑形式，而且有它自己的修辞形式和它自己的对话形式。法律逻辑强调法律规则，而法律修辞则注重法律行为，法律对话则在于保存和发展整个政治—法律共同体的法律传统和价值，保存和发展该社会法律职业本身的传统和价值。法律逻辑本身就是法律修辞的一种形式，而法律修辞又是法律对话的一种形式。[1] E. 博登海默同样强调除了分析推理以外，辩证推理和法律修辞在法律推理中亦占有重要的分量。[2]这一观点强调法律推理的实践性和辩证性，主张法律推理是非分析性的。[3]

最后，我们不能不提及一种极端的司法推理观，它们认为世界上压根儿就没有什么所谓的"法律推理"的东西；[4] 法官的司法判决只不过是法官直觉意识的产物，法律推理则不过是"事

---

[1] Harold J. Berman, "Legal Reasoning", in David L. Sills ed., *International Encyclopedia of Social Sciences*, vol. 9~10, The Macmillan Company & the Free Press, 1975, pp. 197~204.

[2] Edgar Bodenheimer, "A Neglected of Legal Reasoning", 21 *Journal of Legal Education*, pp. 373~402.

[3] 应当指出的是，这里的"辩证"一词与黑格尔哲学意义上的"辩证"一词有不同的含义。它是亚里士多德意义上的"辩证"，即"谈话"或"对话"。参见[美]哈罗德·伯尔曼：《法律与革命——西方法律传统的形成》，贺卫方等译，中国大百科全书出版社1993年版，第159页。国内有些学者误解此词的涵义，造成对辩证法律推理的不正确理解，认为它即是"不依法律"的推理，进而主张要"慎用"辩证推理，以致否定辩证方法在法律推理中的重要地位。其实这一方法仍应是在法律框架和范围之内的"谈话"或"对话"，无所谓"慎用不慎用"的问题，而是如何正确使用的问题。参见沈宗灵主编：《法理学》，高等教育出版社1994年版，第445页。

[4] [美]波斯纳：《法理学问题》，苏力译，中国政法大学出版社1994年版，第576页。

后的逻辑训练而已"。[1]批判法学运动的代表人物戴维·凯尔瑞斯直接说："司法判决最终依赖于价值和倾向性而作出的判断，而这种判断因法官不同而改变（甚至同一位法官因环境的不同也会改变）。司法判决是社会、政治、制度、经验和个人因素的组合体〔导致〕的结果。"[2]他认为这些只不过后来用法律推理来加以遮隐罢了。

以上有关法律推理界定的大多数争议似乎都没有超出我们在上面所归纳出来的"推理"的内涵，只不过本着法律行为的特性而对某一个方面加以突出和强调，因而形成了分歧。在这些分歧中最为尖锐、对立的矛盾就是：法律推理到底是分析性的，还是非分析性的？也就是法律的逻辑推导方面和法律的合理论证方面的矛盾和冲突。除此之外，这些观念之间有很多是相互重叠、相互补充的。因而，我们在界定法律推理一词的涵义时，应全面吸收这些观点的合理性，同时又克服它们在某些方面的过激之处，以科学地定义法律推理。另外，我们在分析法律推理时还要注意到："在所有社会中，法律推理并不完全同一，以及……在所有社会中，它的差异程度亦不同一"。[3]这就要求我们以历史的、具体的方法来分析这一问题。

---

[1] Joseph C. Hutcheson, "The Judgment Intuitive: The Function of the 'Hunch' in Judicial Decision", in Edward Allen Kent ed., *Law and Philosophy: Readings in Legal Philosophy*, Prentice-Hall Inc., 1970, pp. 407～419.
[2] [美]戴维·凯尔瑞斯："法律推论"，王晨光译，载《中外法学》1990年第2期。
[3] Neil MacCormick, *Legal Reasoning and Legal Theory*, Clarendon Press, 1978, p. 229.

三、法律推理的涵义

综合上述各论,笔者以为法律推理是指特定的法律工作者利用相关材料构成法律理由,以推导和论证司法判决的证成过程或证成方法。

首先,按照法律体系的特征,利用相关材料构成法律理由是法律推理的基础。在前面我们已经说明,推理的含义之一便在于其利用各种理由加以辩论的过程。法律推理同样离不开"理由",只不过其所关注的是特定的法律行为,因而对构成理由的材料是有严格限制的。从这个意义上说,法律理由就是在一个法律体系内司法程序允许用来推导和论证判决的权威性依据。由于法律体系的封闭与开放程度不同,法律标准的来源亦不相同,在现代民主的法律体系中,法律标准可以包括法律规则、法律原则和政策、惯例等广泛的材料。[1]一个法律理由往往是由一个事实和一个法律标准所构成的。举例而言,有一个红灯,还有一个规定司机红灯停的法律规则,就构成司机停车的法律理由,构成法官认定闯红灯的司机违反交通法规的理由,也构成对该司机罚款或处罚的理由。无论是行为本身,给行为者提建议,还是判断行为者的行为,重要的是指明行为者应该做什么的那些理由。[2]法律规定的理由可能相互竞争,必须加以权衡,因而法官在裁判时

---

[1] 西方不少法社会学家根据法律标准的来源不同而划分出具有不同开放程度的法律体系,比如 L. M. Friedman 则把法律体系划分四种类型:神圣法律与其他封闭体系,法律科学,习惯法以及革命与福利法主义。正是这种差异决定了法律推理的不同特征。参见 [美] L. M. Friedman:《法律与社会》,吴锡堂等译,台湾巨流图书公司 1991 年版,第 121~126 页。

[2] Steven J. Burton, *An Introduction to Law and Legal Reasoning*, Little, Brown and Company, 1995, p. 79.

要考虑多种法律许可的理由,作出最佳的决定或判断。[1]

　　法律推理区别于擅断的一个主要特征在于,前者使裁判者不仅要依法律而行事,而且还要详列法律结论的理由,而后者则不讲结论的理由。[2] 在每个社会中,纠纷都有不同的解决方法,比如决斗、神明裁判等。与其他方法相比,依法裁判则具有以下几个方面的特征:其一,在裁判方面,要有事先业已公布的法律规范,纷争当事人以法律规范为根据而提出自己的主张。在法庭上,不允许任何凭借强力和实力并以此对裁判施加影响与干预。利用言辞和施展口才而展开的辩论是唯一的武器。其二,当事人双方所提出的主张要由第三者判断其是与非,而判断的标准就是法律规范。其三,为防备出现进行裁判的人所作的判断不被当事人自动地服从的情况,还有一个旨在确保判断之实效性的专门强制机关。[3] 依照法律解决纠纷比通过决斗、比武或世代争斗解决纠纷要和平些,比神明裁判、祈求神谕、投掷硬币或者让一个智者决断要公正些。[4] 法律和法律推理能使法官得到终局的、和平的和可证明为正当的纠纷解决结果。由此可见,法律推理首先是根据法律程序,利用多种相关材料,以构成和运用法律理由的活动过程。

　　其次,法律推理是逻辑推导和经验论证相结合的过程,前者保证了法律推理的形式合理性(逻辑一致性),而后者则保证了

---

[1] Steven J. Burton, *Judging in Good Faith*, Little, Brown and Company, 1992, p.5.
[2] 孙笑侠:《法的现象与观念》,群众出版社1997年版,第258页。
[3] [日]井上茂等:《法哲学》,日本青林书院新社1982年版,第256页。
[4] Steven J. Burton, *An Introduction to Law and Legal Reasoning*, Little, Brown and Company, 1995, p.7.

法律推理的实质合理性（合理的可接受性）。[1]但现、当代的一些法哲学家常常存在着把法律推理的这两面加以对立和分割的倾向或缺陷。

逻辑和经验在司法推理中是并重的，缺一不可。这首先是因为法律推理离不开逻辑的推导和证明，无论是大陆法系的法典法文化，还是普通法系的判例法文化，他们作出判决的最后形式都必须以逻辑的、必然的形式来作出，其中演绎推理的结构更为常见。法律规定是大前提，案件事实是小前提，结论就是判决、裁决。麦考密克认为："在提出正当理由的过程中，演绎推理有时是完全可能的，……这种推理旨在说明，一个命题（论证的结论）是其他某个或某些命题（论证的前提）中所默示的。一个演绎论证，不管前提和结论是什么内容，如果它的形式是它的前提事实上意味（或造成）结论，那么它就是有效的。任何人如果肯定前提同时又否认结论，那就成了自我矛盾。"[2]这种情况在被法学界和司法界称为"简易案件"的场合中更是多见。

逻辑在法律推理中发挥作用有利于确保法制原则的实现，最大限度地实现"规则治理的事业",[3]排除个人因素的司法负面效应。逻辑的法学方法论意义根源于它的可预见性和安定性，它能最好地满足人们稳定性的心理需要，所以法律推理必须要考虑逻辑学关于推理的形式、规则及其要求。这是司法公正的前提条件。任何企图完全排除司法逻辑在法律推理中的作用的做法都是

---

[1] Julis Stone, *Legal System and Lawyers' Reasoning*, 1964, pp.43～47, 301～303.
[2] Neil MacCormick, *Legal Reasoning and Legal Theory*, Clarendon Press, 1978, pp.21～22.
[3] [美] L. Fuller:《法律的道德性》，转引自沈宗灵:《现代西方法理学》，北京大学出版社1992年版，第69页。

有悖于法制的。

而从另一个方面来说,法律推理又并不仅仅是一种逻辑的推导过程,因为法律推理作为实践推理的一种特殊形式,其首要目的并不在于证明命题之真伪,而在于论证判决之结论的正确与否。我们之所以强调实践推理是因为"在法庭辩论等场合仅凭逻辑演绎法不能决定对立的议论中的哪一种主张是正确的,而科学观察法的应用范围也极其有限,唯有实践理性比较适宜于解决法律问题。实践推论不仅与逻辑证明同样可以产生出强烈的信念,而且也能回答伦理上的问题,而法律在很多方面恰恰涉及伦理问题。因此,必须承认法律推论是实践推论的一部分"。[1]而这种实践推理既不是单一的分析方法,也不是统一的方法体系,而是囊括了常识、想象、反思、经验、权威等东西。[2]

特别是当法官遇到下述情况时,法律推理则往往更具实践性、辩证性,论证说理的特色更浓,即:①法律未作规定的新情形;②一个法律问题存在多个可以适用的前提,必须作出真正选择的情形;③适用原有法律将会带来严重不义的情形。[3]这种实践推理每每诉诸社会正义、公平及惯例等广泛的前提标准。这些工作是单凭逻辑推导所无法完成的任务。因而只有同时发挥法律推理的这两个方面的功能,才能使法官们更好地通过裁判解决

---

[1] 季卫东:"追求效率的法理"〈代译序〉,载〔美〕波斯纳:《法理学问题》,苏力译,中国政法大学出版社1994年版,第6页。
[2] 正因为这一概念的多样复杂性,波斯纳把这种推论类型称之为"百宝囊"(grab bag)。季卫东:"追求效率的法理(代译序)",载〔美〕波斯纳:《法理学问题》,苏力译,中国政法大学出版社1994年版,第6、71~73页。
[3] 参见〔美〕E. 博登海默:《法理学——法哲学及其方法》,华夏出版社1987年版,第480页。

纠纷，得出令当事人双方和法律职业共同体所共同接受的法律结论。[1]

再次，法律推理指的是特定的法律工作者的权威性证成方法，这里我们必须强调法律推理的权威性。在这一点上我们认为弗里德曼的"权威论证观"是正确的。从这个意义上说，法律推理则成为一种法定义务：负责特定法律行为的合法性说明。[2] 不少学者以为法律推理的研究对象不应仅限于法官和法学家的推理，而且还应该包括公民的推理。笔者认为，这种观点实在是对法律推理所固有的权威性特点认识不足的表现，也可以说是一种误解。其错误在于忽视法律推理作为特定法律工作者之思维和裁判的工具、并进而作为判决合理化证成的工具所具有的特点，把法律推理等同于日常道德推理，以致把法律推理研究的对象泛化。负有推论责任的特定法律工作者（尤其是法官）是司法审判活动中的主体，只有他们作出的推理才是权威性的。因而也只有他们所作的推理才具有规范性意义上的价值。正是法律推论的权威性才赋予法官判决的最终性，避免了对判决结果正确与否的无

---

[1] B. Anderson, *Discovery in Legal Decision-Making*, Kluwer Academic Publishers, 1996, p.143. 德国哲学家恩斯特·卡西尔在谈到几何学精神和微妙精神时这样说："前者适用于所有可以精确分析的学科。它从某些公理出发，并且从这些公理推论出真理，这种真理可以被普遍的逻辑法则所证实。这种精神的优点在于它的原理的明晰性和它的演绎的必然性。……人之为人的特性就在于他的本性的丰富性、微妙性和多面性。参见［德］恩斯特·卡西尔：《人论》，甘阳译，上海译文出版社 1985 年版，第 15 页。笔者以为这种区分同样可以适用于法律推理中逻辑推导与经验论证的相互关系。

[2] 参见［美］L. M. Friedman：《法律与社会》，吴锡堂等译，台湾巨流图书公司 1991 年版，第 119 页。

限追究。[1]

最后，法律推理是一种证成过程或证成方法，这里强调的是证成（justification）的过程。在现代法治社会中，法律规范成为司法裁判的前提条件，裁判者之判断本身往往成为合理性评判的对象，这时法律推理在此过程中往往具有巨大的作用：它通过阐述"正当理由"而保持裁判过程中的一贯性、整合性。[2]这是法律推理的目的归宿。因为法律工作者"不仅要善于思考，而且还要懂得怎样使别人信服他说的话是真实可靠的，信服他的看法是对问题的适当解答，信服他的意见按照法律界惯常的评价是正确的"，[3]而这些只有通过法律推理才能完成。[4]

综上所述，法律推理应当包括以上四个方面的要素，即法律理由、推导与论证、权威性以及证成方法，因此，法律推理就是特定的法律工作者利用法律理由，权威性地推导和论证司法判决的证成过程（或方法）。

---

[1] 关于法律推理中合理性限度的探讨，请参见［英］麦考密克、［奥］魏因贝格尔：《制度法论》，周叶谦译，中国政法大学出版社1994年版，第227～248页；刘星先生对法院判决的最终性探讨亦是极具启发意义的，参见刘星：《法律是什么？——20世纪英美法理学批判阅读》，广东旅游出版社1997年版，第68～70页。

[2] ［日］井上茂等：《法哲学》，日本青林书院新社1982年版，第257页。

[3] ［波兰］齐姆宾斯基：《法律应用逻辑》，刘圣恩等译，群众出版社1988年版，第352页。

[4] 正是认识到法律推理的这一内涵，孙笑侠先生主张用"法律推论"来概括被指称为"Legal Reasoning"的问题和现象，从而使之与"法律推理"相区别，前者具有"理论性"——以说服人为本质；后者与理由的正当性无关，而仅与事实的真实性相关。应当指出这种理论倾向突出了法律推理的正当性论证的特征，但这种区分本身是人为的。《辞海》释"推论"条为："推论"即"推理"，此为佐证。笔者认为这里所指的第二种形式并不能称之为"法律推理"。参见孙笑侠：《法的现象与观念》，群众出版社1995年版，第259～260页。

四、法律推理与法律解释的相关关系

法律解释是解释者对法律文本的意思的理解和说明。[1] 法律解释首先而且主要是围绕法律文本所展开的工作，它是法律实施的前提，抽象的法律条文只有通过解释者的解释才能变得实际有效，才能与复杂多变的现实生活实现对接。法律推理是利用法律理由推导和论证司法判决的证成过程（或方法），它是使司法判决远离主观擅断和神明裁判的根本保证。法律解释和法律推理都属于法学方法论的范畴。近年来，法学界对法学方法论的研究愈来愈重视，这反映了人们对法律现象的研究和认识的深入，即从法律条文本身转向法律的实现过程，从抽象的法律概念的探讨转向对现实制度设计和具体司法技术的研究，从对外在的行为约束分析转向为对司法者内在的思维方式的分析。尽管法律解释和法律推理都是法学方法论的重要内容，有些内容甚至交叉、重叠，但二者之间又存在着明显的差异。

从二者的侧重点来说，法律解释和法律推理存在着明显的区别。学者们往往把法律的适用过程分为一种三段论的形式，其前提条件往往涉及对法律条文的理解，这里便需要有科学的法律解释规则，以保证法律的本来含义得到贯彻，使法制得以实现。因而法律解释就是对法律的理解；而法律推理则是为了使法律规则（大前提）和法律事实（小前提）结合得更加完美，使结论更加客观、更合逻辑、更加合理，从而使结论具有不可抗拒的逻辑力量。由此看来，前者强调的是客观地贯彻法律，实现立法者的意图；而后者则强调更合理地适用法律，探讨法律规则与法律事实

---

[1] 参见张志铭：《法律解释操作分析》，中国政法大学出版社1999年版，第5页。

的相关关系以及通过它们得出结论的过程是否合理、是否科学。

从二者的产生时期来说,法律解释和法律推理产生和出现的时间不同。法律解释伴随着法学(最初的法学即法律阐释学)的产生而产生,因为法律的适用从来都离不开司法者对法律的理解,以及对法律的说明。而法律推理则是本世纪以来才出现的一个话题,尤其是第二次世界大战以来,由于审判德国战犯时法律适用产生极大的困窘——法西斯的犯罪行径是根据法西斯德国的法律"依法"行使的,国际法学理论和国际法哲学理论才开始广泛讨论法律推理的理论和实践,以便克服"法律的不义",实现人类追求正义和和平的美好理想。

从二者的任务来说,法律解释的任务在于理解和说明法律,以构建法律推理的大前提;而法律推理的任务则在于按照逻辑的要求完成推理的所有前提,并推导出结论。因而法律推理的一个重要任务便在于论证和说理,尤其是在出现法律适用、法律解释的难题时,法律推理的运用就更是不可或缺的。所以,从某种意义上说,法律推理是法律解释的后续性工作,是实现法律解释最终目标的途径。除此之外,在判例法国家中,法律推理还有寻找和发现法律(discovery of law)的任务。

从二者与司法审判的关系来说,法律解释和法律推理也存在着区别。司法审判往往以法律理解和法律解释为前提,但这样的解释和理解是否妥当,司法者往往并不关注;而法律推理则是现代司法审判依法裁判的要求,是依法裁判区别于主观擅断的核心要素,换句话说,法律推理是司法者的一项法定的说明性和论证性义务——法律证成(justification)义务。二者这样的区别往往明显地反映在司法判决书中。判决书一般并不说明法律解释的过程,但一般都须详细地阐述判决结论的推导过程,说明结论的合理性和科学性。这一点在普通法系的司法实践中表现得尤为突出。当然,近年来在大陆法系的司法审判活动中也出现了加强司法推理阐述的呼声和要求,并渐渐显现这样的司法趋势。

第二节 法律推理的性质、特征

一、法律推理是分析性的还是非分析性的

在传统的自由主义社会中,由于受现代科学实验和数学巨大成就的鼓舞与启迪,法治理想对司法审判模式的设计就力图反映这些领域中的合理性要求。这一观念要求法官在适用法律的过程中要严格依法办事,绝对避免司法专断的局面。例如孟德斯鸠认为,法院判决应该是法规的翻版:"法官不过是重复法规语言的嘴巴,是一个没有意志的生灵"。[1] 发展到后来,机械法理学甚而认为,法律推理的三段论几乎就像数学上的"2+2=4"那样确定。然而,这种认识论在本世纪受到了批判和挑战,人们对法律推理的性质看法不一。首先争论的一个问题是,法律推理到底是分析性的,还是非分析性的呢?正如信春鹰教授所言:"这个问题表面上是技术性的,实际上是法官的作用问题",因而与"法治问题有密切的联系"。[2] 对此有两种相互矛盾、相互对立的观点,一种观点认为法律推理是分析性的,而另一种则认为它是非分析性的。

---

[1] [法]孟德斯鸠:《论法的精神》(上),张雁深译,商务印书馆1961年版,第163页。
[2] 信春鹰:"20世纪西方法哲学基本问题",载《法学研究》1993年第4期。

(一)分析性观点

前者仍坚持认为法官对法律的适用基本上是一个分析的程序,法官在这个过程中的作用是被动的,他不过是在阅读已公布的法律,他不能使某一法律更严峻或更温和。这也是现代的法治社会所要求的,是三权分立的基础。法官执法毫无自由裁量权,如果说有,它也只是法律的裁量。[1]当然,由于实际情况的复杂性,在司法实践中,为了裁判一个案件,法官经常不得不运用并不直接来自于一个立法的规则。所以表面看起来这一作为司法推理的前提根据的规则并不表现为条款形式,而是规则、习惯法或存在于公众意识之中的正义原则的综合。从这一前提出发对诉讼事实进行归纳推理,需要法官对其作出解释。有时法官还需要类推。但不管怎样,他必须把确定的前提作为司法正义程序的起点,这一起点将约束他的职业行为的始终。[2]尽管20世纪这种观点受到众多批判,但它坚信,通过辩证推理,演绎方法仍是可能的。[3]

---

[1] 在现代法理学领域中,法官的自由裁量权引起了法学家和法官们的激烈争论。哈特认为法官只有在疑难案件之中,在法律的"开放结构"领域内才享有自由裁量权,这里他的裁量权毫无限制;而德沃金则反对这一观点,他认为,即使是在疑难案件中法官亦无自由裁量权可言,法官必须受作为"整体性的法"的制约,找到唯一一个正确的答案。这是认真对待当事人权利的必然要求。参见[英]哈特:《法律的概念》,张文显等译,中国大百科全书出版社1996年版,第124~134页;[美]德沃金:《法律帝国》,李常青译,中国大百科全书出版社1996年版,第201~212页。

[2] 信春鹰:"20世纪西方法哲学基本问题",载《法学研究》1993年第4期。

[3] Ch. Perelman, *The Idea of Justice and the Problem of Argument*, The Humanities Press, 1977, pp.168~173;同时,德国法哲学家T. Viehweg说明了亚里士多德的topoi(命题或公理)学说和他对辩证推理的分析之间存在的紧密联系。See Edgar Bodenheimer, "A Neglected Theory of Legal Reasoning", *Journal of Legal Education*, vol.21, No.4, 1969, p.381.

(二) 非分析性观点

后者则认为法律推理从根本上来说是非分析性的,这种理论观点对法律推理的形式逻辑原理产生怀疑。这种理论观点在美国现实主义法学和批判法学运动中表现得尤为突出。他们认为人类所抱的法治理想只是一个美丽的神话,法官之三段论推理的被动式司法永无可能之日。事实上,法律概念的含义永远是含糊的、变化着的。美国法律现实主义法学家弗兰克认为,法律所要对付的是人类关系中最为复杂的方面,变动的社会不可能有固定不变的法律,法律的不确定性具有重大的社会价值,因为它使变革成为可能。这种变革是通过法官来实现的,法官不是分析适用已有的法律规则,而是创造和改变法律规则。法官一般在最后的判决书中都力图运用逻辑推理的形式,以此证明他们是依法判决的,然而这些理由并不是根据事实情况,而是根据社会传统的法治理论而写的。实际判决的形成不是根据分析和推理,而是根据感觉。法官的特性、习惯、爱好、偏见,都是影响判决的因素。丹麦法哲学家 A. 罗斯(Ross)以为,司法决策在逻辑与理性之外完全展现了一种"感情和意志",当逻辑推理在复杂的、活生生的案情面前力不从心时,法官便根据个人的价值观和喜好来判决。[1] 批判法学运动则从根本上否认法律推理的分析性质。他们指出,这不过是主流法律理论为维护"法治"的神话所作的宣传。法律是披着法律外衣的政治,同一法律前提,在不同的政治需要面前便可以推导出不同的结论。比如美国法学家邓·肯尼迪(D. Kennedy)说:"当教师说服学生法律推理独异于一般的伦理和政治论述(这就是说,不同于政策分析),是一种达到正确结果的方法时,他们是在说废话,……对一个法律问题,从来没有

---

[1] 参见信春鹰:"20 世纪西方法哲学基本问题",载《法学研究》1993 年第 4 期。

任何一种'正确的法律解决办法'不是正确的伦理和政治的解决办法。"[1] 因而法律推理不是分析性质的，而是法官根据政治需要的创造活动，所谓逻辑原则，是作出判决之后才硬套上去的。[2]

上述两种观点是尖锐对立的，那么到底应该如何认识法律推理的性质呢？我们认为，在认识这一问题时，我们必须把法律推理与日常道德推理、科学推理等加以比较，从而全面地看待其固有的特征，以克服认识上的偏执。基于这一点，笔者以为，法律推理的基本特征除它所应当具有的客观性与合理性之外，还应包括以下几个方面，即法律推理的实践性、循环性、保守性以及不确定性等四个方面。以下分述之。

二、法律推理的实践性

上述有关分析性与非分析性之争来源于双方各自突出强调了法律推理的某个方面，即人之理性分析与智识判断。其实，笔者以为人的思维活动或思维过程是一个相当复杂的过程，这两种作用因素同样在人的思维过程中存在着，甚而可以说，理性逻辑分析亦是人类智识选择判断的结果之一。基于这一原因，在现代法治社会中，我们就没有必要把二者对立起来，从而只着重法律推理的某一方面而牺牲其他方面。法律是实践理性的一种，法律推理的首要特征在于它是一种实践推理，因而它具有实践性。[3]

---

[1] D. Kennedy, "Legal Education as Training for Hierarchy", in D. Kairys ed., *The Politics of Law: A Progressive Critique*, 1982, p. 40.

[2] 参见朱景文主编：《对西方法律传统的挑战》，中国检察出版社1996年版，第297～300页。

[3] 参见［美］波斯纳：《法理学问题》，苏力译，中国政法大学出版社1994年版，第91～101页。

正是通过实践性这个概念，我们可以把上述分析性与非分析性两个方面的特征综合起来。美国法学教授帕托（Brian L. Porto）曾精彩地描述法律推理的这一特征。他说："法律推理是一种独特的纠纷解决办法。它部分是科学，部分是艺术，与科学探究一样，法律推理按照规定的规则和程序，根据仔细的观察和精心的证据权衡而尽力理性地获得结论。然而，与艺术一样，法律推理的结果亦反映了'艺术家'（即法官）的裁量选择。法官的选择与艺术家的选择一样，反映了个人的偏见、恐惧、渴望和公共政策的偏好。"[1]

这种实践性首先表现在与科学推理和数学推理相比较而言，法律推理有其自身的目的性。在马克思主义哲学中，实践的根本特点就在于，它是一种依照人的需要，依照客观世界本身的规律，利用自然界、改变自然界，从而满足人自身需要的活动。合目的性与合规律性的统一，这就是人类活动的本质。不合规律的活动，人类不可为之；不合目的的活动，人类不想为之。合规律是为了合目的。[2] 但是，随着科学事业的发展，人们越来越期望法律及法律推理能像现代科学事业一样地运作，人们强调人类活动合乎规律地、必然地进行，从而忽视了人之实践活动的合目的性。"物理和数学的巨大成功极大地激励其他领域的人们追随

---

[1] Brian L. Porto, "Legal Reasoning and Review", in David A. Schultz ed., *Law and Politics: Unanswered Questions*, Harvard University Press, 1996, p. 31. 此外美国 Puget 大学法学教授 James E. Bond 亦把法律的判决与推理比喻为艺术家的方式，强调法官的最优选择行为。参见 [美] James E. Bond：《审判的艺术》，郭国汀译，中国政法大学出版社 1994 年版，第 10～18 页。

[2] 参见冯平：《评价论》，东方出版社 1995 年版，第 2 页。

和采纳他们认为是这些最成功领域所具有的推理方法"。[1]

但事实上我们不能像科学家运用自然法则那样来运用社会法律,我们应当认真地区分科学推理和法律推理。科学推理的观点着重于科学命题中的词语或符号与经验领域中客观可观察的事实之间潜在的对应关系。命题往往用来表述自然事件发生的条件。它所探求的是自然现象之间的因果律。数学推理则利用算术演算规则,探求数字符号或命题之间的必然关系。法律推理与它们不一样,它所探求的是最佳法律解决办法,它必然受目的律的支配,受实践理性的指导。所以,尽管它们与法律推理的形式看来有些共同之点,但它们的实质性区别是巨大的。要想像美国大法官兰德尔(Landell)所宣扬的把法律推理建构于客观中立而又确定的规则之上,由此决定唯一正确的判决结果是不太可能的。[2] 正是出于此故,有人企图构建所谓的"结果论法律推理"(麦考密克)、"辩证的法律推理"(博登海默)等。他们的一个共同特色便是突显法律推理的目的性。

其次,这种实践性还表现在法律推理对社会现实的关注上。法律冲突往往是社会矛盾激化的表现。对它们如何排解和处理往往涉及诉讼双方当事人的切身利益,有时甚至会影响整个社会的局势或价值观念的转化。这样,法官在司法审判中进行法律推理就必须切实地关注现实的问题,切不可使其推导和论证活动完全

---

[1] Steven J. Burton, *An Introduction to Law and Legal Reasoning*, Little, Brown and Company, 1995, p. 80.

[2] See T. C. Grey, "Landell's Orthodoxy", *Pit. L. Rev.*, vol. 45, No. 1, 1983.

成为逻辑游戏或诡辩淫技。[1] 所以，法律推理在经过逻辑推导之后，其结论要经常地用社会的现实情况加以检验和考量。这种现实的标准一般可以包括以下几种评价标准：矫正正义的要求、对"常识"的考虑以及对公共政策的考虑。这些标准深刻地反映出法律推理的实践性。

三、法律推理的循环性

自然科学的研究强调科学推理的唯一性、逻辑性，它着力于建构语言词汇与物质世界的精确对应，着力于进行严密的推演。它强调结论的单一性、客观性、确定性。而在法律推理活动中，情况与此有较大的差异。也就是说当我们在使用法律语言或法律术语进行法律推理，使用法律理由进行论证时，法律推理往往具有明显的循环性特征：即法律推理在前提与结论之间、已知与未知之间来回地反复或摆动，结果缺乏明确的单一性、客观性、确定性。[2] 例如，当我们说，由于他人有"义务"把某物交付给他，那么他就对该物享有"权利"。此人的"权利"与他人的"义务"似乎仅仅是对同一事物的两种不同表述。同样："犯罪"

---

[1] 当然，目前有学者认为，我国的历史和现状主要是有法不依、执法不严的问题，因而不能以道德评价取代法律评价，否则中国法治无从确立。参见刘作翔："法律与道德：中国法治进程中的难解之题"，载刘海年等主编：《依法治国与精神文明建设》，中国法制出版社 1997 年版，第 271~293 页。但笔者以为，我们更应当强调这两种评价标准的共同性，以获得公民的自觉守法意识，从而要求司法判决不能不考虑社会的现实影响和法律的目的本身。参见解兴权："在传统和现代之间寻找共生点——论现代法意识"，载刘海年等主编：《依法治国与精神文明建设》，中国法制出版社 1997 年版，第 384~390 页。

[2] Harold J. Berman, "Legal Reasoning", in David L. Sills ed., *International Encyclopedia of the Social Sciences*, vol. 9~10, The Macmillan Company & the Free Press, 1975, p. 202.

和"法律"等词本身似乎仅仅为说"权利"与"义务"的另一种表述方式。针对这种反复性,英国哲学家边泌曾抱怨说:"法律术语似乎毫无'经验的指称'——即根本没有与它们相对应的'事物'"。[1]

法律术语多样化有助于法律推理的顺利进行,有助于对纷繁复杂的社会关系实现有效地法律调整。我们可以用许多相互关联的法律术语来表达同一个事物,这是因为法律术语并不是用来"指称事物",相反,它们是用来调整从事不同法律活动的人们之间的复杂关系的。比如说,在抚养法律关系中,从孩子的立场来看,抚养就是"权利";而从父母的立场来看,它就是"义务";而从法官的立场来看,不履行该义务便可能会构成"不作为的犯罪行为"。我们可以肯定地说,如果没有权利,就不可能存在义务,就不可能存在侵犯权利的犯罪行为;而假如没有犯罪行为,就不可能出现义务,也不可能产生权利。用这些术语来界定孩子、父母及国家之间的复杂法律关系乃是必要的;尤其是在要用抽象术语来描述这种关系时更是必要的。在实现了这种简单的关系描述后,法院就可以作出非常简单的判决:"每周付给孩子25美元的抚养费,否则就要予以刑事制裁"。[2]

法院或其他法律文书的作者在逻辑后果方面从权利到义务、

---

[1] Harold J. Berman, "Legal Reasoning", in David L. Sills ed., *International Encyclopedia of the Social Sciences*, vol. 9~10, The Macmillan Company & the Free Press, 1975, p. 203. 这种分析同时可以参见 [英] Dennis Lloyd:《法律的理念》,张茂柏译,台北联经出版事业公司1984年版,第277~282页。所不同的是,他强调了法律概念中的创造性因素。

[2] Harold J. Berman, "Legal Reasoning", in David L. Sills ed., *International Encyclopedia of the Social Sciences*, vol. 9~10, The Macmillan Company & the Free Press, 1975, p. 203.

再到刑罚角度的转换往往是毫不觉察地进行。不过人们常常会有意识地使用逻辑命题中毫不察觉的东西界定争议双方当事人的法律关系和争议的法律性质。因而这种多样化的表达方式具有极大的推理和论证功能。的确，在某些情况下我们对法律判决不说理由比说出真正理由还要好些，那么，正是这一司法赘语（tactology）和推理循环性使我们免于说出理由。正是这种可能性导致了法律拟制的产生。[1]通过法律赘语和循环这一手段，我们可以把法律关系的多个方面具体化从而使法律程序得以进行。因此，这种循环性就是类比逻辑、修辞学和对话形式的一部分，它本身具有特定的意义和作用。

四、法律推理的保守性

前面已经证明了法律推理的实践性，那么我们无法回避的问题是，这种实践性本身便包含有法官的主观创造性，以使法律推理合乎主体的目的性需要。用什么来制约司法，以防止过于任意而成为专断呢？这就是法治社会所赋予司法及其推理的保守性特征，尤其是司法判决遵循先例的原则更是把法官的判决束缚在法律秩序之内。[2]以上我们所谈的是法律推理的外在制约，即外

---

[1] 法律拟制是指在不改变法律文字的情况下却可以改变它适用的法律原理，这可以克服法律的严格性，同时又可以保持学说表面的一致性。拟制改变了法律规则的结果，但在大多数情况下法律赘语和循环却并未改变法律规则的结果。参见［英］梅因：《古代法》，沈景一译，商务印书馆1959年版，第17～18页。
[2] 美国法学教授 Brian L. Porto 认为遵循先例原则对法律推理具有极大的意义，其表现在：①节省律师与法官之时间和精力，满足人之惰性与便利渴望；②满足人类对法律之稳定性与可预测性的强烈愿望；③表现法官之依法判决，使其获得公众的信赖与支持。See Brian L. Porto, "Legal Reasoning and Review", in David A. Schultz ed., *Law and Politics: Unanswered Questions*, Harvard University Press, 1996, pp. 14～15.

在的保守性。除此之外,由于法律推理者自身的角度定位,使他们在法律思维活动中便自觉不自觉地具有保守化的倾向。[1] 我们把它们称之为法律推理的内在保守性。

首先,法律推理的这种内在保守性体现在法官头脑的意识活动中。法官的第一个意识活动是综合掌握法律制度的过程。从法的运动过程来看,首先是从个别中进行抽象和归纳得出"法律",所谓"法律"只是法的运动过程中从个别到一般这一阶段的结果,即通过立法者的立法行为把重复着的社会各个体类似的行为抽象成一般的成文法律。[2] 接着,抽象法律通过演绎活动(即司法)适用于另一些事实情况,从而恢复法之个性。"法律是普遍的,应当根据法律来确定的案件是单一的。"[3] 从现象学的角度来说,法律推理的这两个过程有如下特征:①它首先要求对各种社会情况用法律概念进行概括或抽象;②人为地赋予每一种情境以文化意义,以达到区分多种情境的目的。在这一法运行的过程中,法官是处于受动的地位,他不断地把社会上占统治地位的文化内化为自己的认识和感觉。因而法官的意识活动是对社会现状的认可,其对个案的判决总是以社会现状为标准,从而否定任何不同意见。同时法官始终倾向于否定世界所发生的各种偶然

---

[1] 美国法学教授 Peter Gabel 以马克思、弗洛尹德、海德格尔和萨特等人的思想为哲学基础,论证了法律推理维护现状的保守性特征。See Peter Gabel, "Reification in Legal Reasoning", in Piers Beirne & Richard Quinney eds., *Marxism and Law*, John Wiley and Sons, 1982, pp. 262~278. 中文译介参见朱景文主编:《对西方法律传统的挑战——美国批判法律研究运动》,中国检察出版社 1996 年版,第 285~296 页。此处,笔者以此为基础展开论证。
[2] 夏建武:"法律推理:大前提的空缺与补救",载《法律科学》1995 年第 6 期。
[3] 《马克思恩格斯全集》第 1 卷,人民出版社 1964 年版,第 76 页。

性，而力图把一切社会关系都纳入现有的法律秩序之中。[1]

其次，法官通过对法律规范的分析推导出各种概念，再通过演绎推理把这些概念运用于具体案件。法官从既定法律规范中推导出概念，使法官的活动本身具有了合法性，这一活动体现了法律推理的合法化功能；接着借助这些概念重述案件事实，借助抽象概念再现案情，从而由此得出结论。法官始终保持着对过去与传统的尊重，在无意之中把现行制度予以合法化。[2] 正是这种倾向成为法律推理实践性的有力制约因素，从而使之既不乏于人的主观创造性、主体性，又免于人之乖戾无常性的弊害。这些在某种程度上为协调和保障法律推理的客观性与合理性打下了基础。

由于这个原因，与日常道德推理相比，法律推理的前提条件受到法律（尤其是法律程序）的严格限制，所形成的法律理由必须是在现行法律体制中法律程序所允许的。这种法律理由是权威性的，它们有可能制约其他法律工作者的法律推理活动。与此相反，在日常推理中，人们在作出推理时往往没有较为正式的实体（或程序）的标准来规制，因而具有较强的个体化倾向。一个人在一种场合下所看重的推理前提（或理由）不一定被他人（在另一种场合下）所看重。一个人的推理或理由更不能规范他人、强制他人遵守。所以说，与其相比，法律推理更具权威性和保守性的特征。[3]

最后，值得人们注意的是，由于法律推理的实践性、目的性

---

[1] 参见朱景文主编：《对西方法律传统的挑战——美国批判法律研究运动》，中国检察出版社1996年版，第295页。
[2] 关于法律推理的历史主义倾向，参见[美]本杰明·N.卡多佐："司法过程中历史、传统和社会学方法的作用"，载《中外法学》1997年第6期。
[3] 参见解兴权："法律推理论纲"，载《新疆大学学报》（哲学社会科学版）1998年第3期。

等特征的影响,使得法律推理含有不确定性因素。这种客观性和合理性原本是法律推理的最突出优点,因为其内在地含有不确定性因素而受到了挑战。[1]

第三节 法律推理的功能

一、法律推理的功能分析

由于不同的学者对法律推理的涵义有不同的看法,对它的研究对象和内容亦有不同的理解,因而他们对法律推理功能的界定亦发生分歧。根据 J.W. 哈里斯的总结,对法律推理功能的界定先后有以下几种观点。[2]

1. 有的人认为法律推理的功能在于"预测"(prediction),例如美国现实主义法学即持此观点。他们认为那些为客户提供建议的法律工作者应该是我们考虑的重点,他们提出理由,以说明对方可能(或不可能)提出起诉,作出辩护,如何索赔;提出理由说明某个法官可能会(或不会)判你胜诉。可见这里就存在着辩护人的推理。他们试图作出预测,并力争说服法院作出裁决或判决,或者发布命令。法律推理的一切活动都是围绕预测工作进行的。

2. 有的人则认为法律推理的功能在于"劝说"(persua-

---

[1] 有关法律推理的内在张力问题的论述请参见本文第五章第一节。同时,这种不确定性的产生根源,参见王晨光:"法律运行中的不确定性与'错案追究制'的误区",载《法学》1997 年第 3 期。
[2] Harris J. W., *Legal Philosophies*, Butterworth Press, 1980, p. 193.

sion)。这主要是比利时法哲学家 Ch. 佩雷尔曼的见解。他认为法律是关于价值的学说,而法律推理只是一个法律的技术问题。在他看来,法律推理的全部功能就是它的劝说功能。它能帮助人们来"怎样提出各种价值的根据,怎样实现平衡,怎样达到各种价值的综合"。[1] 因此,它只是一种实现法律价值的方法论工具或智力手段,是一种研究法律、适用法律、填补法律漏洞的技术,是法官完成其任务之用的一种工具。

3. 大多数人则认为法律推理的目标在于"正当性证明"(justification)。法律工作者为其所主张的种种行为或判决在法律上是正当的提供理由。如当代英国著名法学家麦考密克认为法律辩论实际上是说服人,而说服的功能是指出"正当理由",至少表面上是正当理由。[2] 英国法哲学家哈里斯亦说:"论证必须至少是法官推理的表面上的目的,他们并不是从事预测或劝说"。[3] 美国法学家傅利曼则认为:"法律推理是为特定法律行为作正式的理由阐述,并且具备权威性。"[4] 可见,法律推理的功能便在于对法律行为作出权威的或正式的解释,从而进行合理化论证。

二、如何认识法律推理的功能?

那么,到底应该如何认识法律推理的目标和功能呢?笔者认为,上述三种观点都从某个方面揭示出一定的道理,因而具有一

---

[1] Ch. Perelman, *Justice, Law and Argument*, D. Reidel Publishing Company, 1980, p. 146.
[2] 参见沈宗灵:《现代西方法理学》,高等教育出版社 1994 年版,第 239 页。
[3] Harris, *Legal Philosophies*, Butterworths Press, 1980, p. 193.
[4] [美] L. M. Friedman:《法律与社会》,吴锡堂等译,台湾巨流图书公司 1991 年版,第 120 页。

定的合理性。客观地说，法律推理的功能应该是多方面的，对于不同的主体和不同的作用对象来说，它有不同的功能，这应该说是很自然的事情。下面我就从不同的角度对法律推理的功能予以说明。

1. 法律推理具有逻辑推导（logical entailment）的功能。由于对法律推理的研究始于对传统概念法学"逻辑至上论"的反动，所以这种批判性的研究更多地是强调直觉预感、非理性的偏爱等因素在法院审判中的作用，而对称为"逻辑"的东西表示怀疑。正是在这一背景下，理论家们或法官们常常把法律推理中逻辑和经验的关系对立起来。我们如果离开论辩的形势考虑，按求实的客观精神而论，法律推理的逻辑推导功能当属不容忽视之要素。正如美国法学教授博登海默所说："法院会被不可靠的证言引入歧途，并就该案的是非曲直得出错误结论，但是这种可能却不能否定这一事实，即法院是根据演绎推理而得出其结论的。"[1]

首先，法律推理的逻辑推导功能是法制原则的要求。"依据法律的同等对待"是法制的精义之一。它要求法官有责任按照某一明显应适用于一个诉讼案件的法律规则来审判案件。在这里："形式逻辑是作为平等、公正执法的重要工具而起作用的"[2]。它要求法官始终如一地、不具偏见地执行法律命令。可见，法律推理的逻辑推导功能发挥着重要的法制机能。的确，否认或缩小形式逻辑在法律中的作用是不恰当的。

---

[1] [美] E. 博登海默：《法理学——法哲学及其方法》，邓正来等译，华夏出版社1987年版，第478页。
[2] 参见 [美] E. 博登海默：《法理学——法哲学及其方法》，华夏出版社1987年版，第478页。

其次，正是这种逻辑推导的功能才使得社会和当事人对法律问题的预测成为可能。"法律是使人的行为服从规则治理的事业"。[1] 这种事业要求可以预见的稳定性，要求对法律规则的极大尊重。这种规则所构筑的体系使我们在解决简单的法律问题时有逻辑推导的可能。演绎推理在法律中大量适用。比如选举法规定，年满18岁的公民有选举权和被选举权。如甲某已年满18岁，则依此规定他便有选举权和被选举权，这当是不争之结论。而这种适用一般发生在法院可以获得表现为某条规则或原则的前提的情况下。尽管该规则或原则的含义与适用范围也许在所有情形下，并非都是确定无疑的，而且调查事实的复杂过程也必须先于该规则的适用，但这些规则或原则的适用仍是演绎推理的过程。这些前提条件的存在可以规制推理者达到一个经由人类理性设计的结果，从而满足当事人的稳定性需要。

2. 法律推理还有辩论说理的功能。法律推理是对法律理由的运用，以之论证法律决定的合理性，劝说当事人或其他法律工作者接受或认同此法律解决办法。现代西方法理学家大都认为法律推理的目的是进行论证，从而为其所主张的种种行为或判决在法律上是正当的提供理由。有些作者（如佩雷尔曼）认为劝说和论证是有区别的，应加以分别对待。我们认为，作此区分是没有必要的，因为所谓的劝说或预测都是建立在论证的基础之上的。英国哲学家 T. D. 佩尔瑞（Perry）亦认为，在法律领域如同在道德领域一样，劝说听众接受你的观点正是"论证"的意旨。[2]

---

[1] L. 富勒语，转引自沈宗灵：《现代西方法理学》，北京大学出版社1992年版，第69页。
[2] See Thomas D. Perry, *Moral Reasoning and Truth*, Oxford University Press, 1976, pp. 93~110.

正是在这个意义上说,法律推理具有辩论说服的功能。

由于受社会环境的影响,法律争议往往是极为复杂多样的。单凭有限的规则和逻辑推导,法官往往无法应付众多纷争。特别是:"当在两个或两个以上可能存在的前提或基本原则间进行选择成为必要时,对于一个问题的答案是否正确就会产生疑问,因为各方都有强有力的论据"。[1] 一旦发生这种情况,我们便须对各方提出的各种理由进行权衡,看哪一个更为重要,哪一个更为有理,哪一个更有说服力,而这只有通过辩论或对话才能达到,以此求得"最佳的答案"。这便是亚里士多德称之为"辩证推理"的形式。这种情况在法律领域中是大量存在的。前面我所介绍的"结果论辩论"、"辩证推理"或"非分析推理"等形式都有一个根本的目标,即论证说理。

法律推理的论证说理功能还表现在另外一个方面,即通过法律推理,把法律判决中所依据的法律理由悉数列出,有助于审判公开,同时也促使法律审判者尽量使自身的判决合理化。这对法官的个人因素(诸如个人偏好、政党组织、性格等)有极大的制约作用,从而有利于法律的稳定性。[2] 法官在判决书中明言据以立论和判决的根据,可以让诉讼参与的各方明白自己所举主张被采信的多少或程度。这样就真正做到"让当事人输得明明白白,赢得堂堂正正"。[3] "它保证有关当事人都有机会凭借各种

---

[1] [美] E. 博登海默:《法理学——法哲学及其方法》,邓正来等译,华夏出版社1987年版,第478页。
[2] [德] K. 茨威格特、H. 克茨:《比较法总论》,潘汉典等译,贵州人民出版社1992年版,第463~465页;(台)蔡墩铭:《审判心理学》,水牛出版社1980年版,第729~738页。
[3] 王怀安:《论审判方式的改革》,人民法院出版社1996年版,第38页。

论证和推理的辩论来谋求有利于自己的判决"。[1] 这样做出的判决会增强社会对法院判决合理性的信心，又能解决判决执行难的实际问题。

可见，法律推理既发挥着逻辑推导的功能，又发挥着论辩说理的功能，二者相辅相成、并行不悖。正如孙笑侠先生所言："法律推论不仅仅是法律适用的一种基本方法和技术，它还是一种具有更多实质内容和意义的活动。法律推论的实质内容和意义应当是对于法律裁决理由的论证。"[2]

3. 正是法律推理为我们提供了何为法律的明证，为他人学习、了解一个社会起作用的法律提供了可能。而从另外一个方面来说，法律推理亦为社会批判法律判决留下一条途径。正是在这种批判与反批判中，在详细陈述其法律推理的过程中，法律科学便迅速地成长和发展起来了。

吕荣海律师认为："科学就是批判的可能性，或至少批判可能性是科学的起点。科学活动的目的，就是为了提高批判的可能性，透过批判使人类了解更精确的知识"，[3] 这一原理同样适用于法律科学活动，对法律推理的研究与批判因而成为法理学的中心课题。佩雷尔曼则说："法律推理是研究辩论的理想场所。法律推理对修辞学，正如数学之对于形式逻辑和论证的学说一样。"[4] 这就要求法官认真地撰写判决意见书，以使其具有说服力。美国法学家 P. M. 沃尔德说："对一个认真的法官来说，撰

---

[1] 美国法学家富勒的主张，转引自[美]简·维特尔："战后关于制作司法判决的美国法学"，载《法学译丛》1984年第5期。
[2] 孙笑侠：《法的现象与观念》，群众出版社1995年版，第264页。
[3] （台）吕荣海：《法律的客观性》，蔚理法律出版社1987年版，第264页。
[4] Chaim Perelman, *Justice, Law and Argument*, D. Reidel Publishing Company, 1980, p. 7.

写一项有说服力的阐明一个案件结局的意见的单纯责任就是一种对司法自由裁量权的深切的抑制因素。"[1]

4. 法律推理可以作为协调社会变革与法律稳定性之间的关系的工具，从而可以使旧法在新的内容下起作用。佩雷尔曼就认识到法律推理的这一功能，他说："法律推理表明了由以下因素所产生的所有张力，即调和稳定性与变革的渴望，调和连续性和变更活动的需要，调和安定性与衡平、与共同的善的需要。"[2] 美国法学家 R. 庞德则认为通过运用法律推理这一工具："人们可以使旧的法律规则和法律制度满足新的需要，可以在将外部破坏和对既存法律的歪曲限制到最低限度的情形下，使之适应日益变化的情况"。[3] 同时，法律推理有助于综合多种争论，以克服争执不下的弊端。关于这一点，美国大法官弗兰克福特说："在纷乱的争论中，在缠结在一起的各种见识中，……法官必须通过判例、政策、历史……找到通向最佳判决的道路，这种判决是可怜的易犯错误的人们在所有困难任务中那个最困难的任务中所能得出的，这是人与人之间、人与国家之间的裁决，通过称作法律的推理进行的。"[4]

---

[1] [美]帕特里厦·M. 沃尔德："《哈佛法律评论》所刊载的有关司法判决的思想"，载《法学译丛》1988 年第 1 期。
[2] Chaim Perelman, *Justice, Law and Argument*, D. Reidel Publishing Company, 1980, p.134.
[3] 转引自徐国栋：《民法基本原则解释》，中国政法大学出版社 1992 年版，第 218 页。
[4] 转引自[美]帕特里厦·M. 沃尔德："《哈佛法律评论》所刊载的有关司法判决的思想"，载《法学译丛》1988 年第 1 期。

第四节 结 语

综上观之:"推理"不仅指从前提到结论的一般逻辑推导过程,而且指利用各种理由进行论证,以说服及影响他人的论证过程或论证手段。同理:"法律推理"则不仅指对法律命题运用一般逻辑推理的思维活动,而且指法律适用者运用各种法律理由论证特定法律行为的证成过程或证成手段。尤其应当指出的是,法律推理是一种权威性的法律行为,它应当而且可以受法律的调整和规制,因为它并不仅仅是一种思维活动,它还表露与实现于法律活动领域,引起一定的法律后果。更进一步地说,法律适用者适用法律必须经过推理,这是他对其特定法律行为所必须承担的法定义务,因而法律推理还是一项合法性证明的法定义务。

法律推理到底是分析性的还是非分析性的,笔者以为二者兼有:法律推理既是分析性的,因为依法裁判是法治的一项基本要求,法官必须把确定的前提作为司法正义程序的起点;法律推理又是非分析性的,因为司法活动离不开法律适用者对法律事实的收集与陈述,离不开对法律的判断与选择,简言之,人本身的各种因素深刻地影响和制约着法律的推理活动,这也正是需要用法律对之加以调整和规制的原因。法律推理的这两方面都在各自的范围内发挥着作用或影响,相互补充,可以很好地完成法律适用的任务。法律推理除具有客观性和合理性等特点之外,还具有实践性、循环性、保守性以及不确定性等特征。这些都是相互牵制和平衡的力量,法律推理就是要达致最佳的协调。

鉴于上述法律推理之界定,我们认为法律推理具有预测、劝说和论证的功能,这几个方面是统一的、不可分割的。法律推理包含逻辑推导之必然性的一面，这是法制的要求，是人性对稳定性渴望的结果；同时法律推理还包含有理由权衡、论证说理的一面，可以吸收各个法律主体的创造性意见，以求得"最佳的法律答案"。除此之外，法律推理还具有批判功能，即通过法律推理提供何为法律的明证，人们一方面可以通过它而学习、了解法律，而另一方面则为社会批判法律判决留下了一条途径。最后，法律推理还具有协调功能：它可以作为协调社会变革与法律稳定性之间的关系的工具，从而使旧法在新的内容下起作用。

第二章 法律推理的历史学考察

> 我们在习惯上不承认气质是理由，所以哲学家为自己的结论辩护时，只是极力提出一些与个人无关的理由。其实他的气质给他造成的偏见，比他那任何比较严格的客观前提所造成的要强烈得多。
>
> ——[美]威廉·詹姆士

前一章我们已经分析了法律推理的涵义及其特征，对它作了一般性的界定。然而我们必须注意，对法律推理的认识和界定从来不是一劳永逸的，相反，它是一个发展的过程。"一个国家对法律推理前提的确立和认识往往反映了人们有关个人与社会的关系、人类认知的可能性等深层观念。也就是说，哲学、宗教、科学、政治、文化等都将影响和决定我们对法律及法律推理问题的认识"。[1] 因此，我们把今天所拥有的法律推理观看做历史发展的产物，从这个意义上说，历史的考察方法有助于揭示这一研究

---

[1] Kenneth J. Vandevelde, *Thinking Like a Lawyer: An Introduction to Legal Reasoning*, Westview Press, 1996, p. 109.

的内涵。[1] 本章将从主导各国每个时期司法判决的法律理论的发展来探索法律推理观念的发展与流变。

第一节 近代的法律推理观

近代欧陆的启蒙思想对各国的法律制度的形成与发展起着重要的作用，因而它也是我们理解各种法律推理观念的基点。启蒙运动所构想的理想蓝图就是三权分立制度，司法只是由一个专门的机构机械地运用事先就制定完备了的法典（或规则）而已。形式主义法学或概念法学由此而兴起、兴盛。过去我们对此的分析大多都集中在政治考虑方面，如反对宗教神学的专断，以保护公民个体的权利的政治需要。笔者以为，更为重要的是，我们必须深入地探讨这种法律推理观的认识论原因和方法论基础。

一、启蒙认识论的产生

18世纪，英美以及欧陆的法律制度是建构于启蒙运动的哲学基础（包括认识论和方法论）之上的。这一哲学的基础决定了

---

[1] 德国哲学家恩斯特·卡西尔（Ernst Cassirer）说，我们在进行人性研究的时候，往往是用发生学的问题来掩盖系统的问题。他认为："我们必须经常在发生学的问题和系统的问题之间划一条鲜明的分界线。"笔者以为，对于像法律推理这种问题进行系统研究和历史研究都是必需的，二者并行不悖。参见[德] 恩斯特·卡西尔：《人论》，甘阳译，上海译文出版社1985年版，等151页。同时需要说明的是，本章的考察将主要以欧美法律思想的发展为中心。

当时人们对法律推理的理解。[1] 所以我们考察法律推理之历史发展就须从启蒙运动的产生与发展说起。

一般说来,启蒙运动的根源在于文艺复兴、宗教改革和科学革命三个方面的原因。14世纪意大利的文艺复兴以对经典的古希腊作品的"重新发现"而出现,以复归对世俗的关注为特征,它一反中世纪思想的神学传统。1517年马丁·路德掀起的宗教改革对罗马天主教的传统权威提出挑战,他宣称个人能够通过他们自己对《圣经》的解释而获得宗教的真理。16世纪开始的科学革命则极力地主张通过科学的(即理性的和经验的)方法来观察真理。[2] 宗教改革和科学革命都共同承认,个人能够运用理性(而不是被动接受传统权威)来发现真理,追求真理。[3] 很大程度上这两种运动都关注认识论,即知识是如何获得的理论。他们都强调怀疑论、个人主义以及理性,从而表现出明显的世俗化倾向。[4]

在十七八世纪这些思想汇合形成了两股哲学思潮,一是自迪卡尔以来的理性主义,二是自洛克以来的经验主义。首先,我们分析一下理性主义及其对立法与司法观念的影响。法国理性主义的代表人物笛卡尔采取了极端的怀疑论立场,他主张怀疑一切,反对任何权威的东西。他试图确定是否有某种我们确切知道的事情,最终他发现了一个:我们能确切地知道我们在怀疑。从我们

---

[1] 澳大利亚法学家斯通说:"在每个世纪之交都有有关法律推理问题的争议。"
See Julis Stone, *Legal System and Lawyer's Reasoning*, Stanford University Press, 1964, p.129.
[2] 参见[德]文德尔班:《哲学史教程》(下卷),罗达仁译,商务印书馆1993年版,第469～473页。
[3] 参见朱德生等:《西方认识论史纲》,江苏人民出版社1983年版,第96页。
[4] See K. Vandevelde, *Thinking Like a Lawyer*, Westview Press, 1996, p.110.

在怀疑这一事实推论出我们自我的存在——"我思故我在"。笛卡尔的认识论模式是数学式的，是从某些直觉真理开始，通过演绎推理获得更多真理的体系。笛卡尔认为："只要遵循数学推理的演绎方法，从几个简单自明的公理出发，经过一步步的严密推理，就可以获得关于事物的确定有效的知识。"[1] 自笛卡尔以后，理性主义大受张扬。理性主义就是主张张扬理性，主张科学精神，追求绝对普遍的、确定的知识。具体而言，它具有以下几个方面的特征：[2]

（1）认识论的绝对主义特征。这种理性主义的特点表现在他们注重的是知识的普遍必然性和绝对精确性的追求。理性主义者随着新的科学事业的发展，对人的认识能力的至上性无比地确信不疑。法学与神学、形而上学、数学和逻辑学等都是属于必然之真理的，可以通过发挥人类的理性认识来确定它们的真理性。[3] 这种思想认识方法皆受到了牛顿机械观的限制："根据这种哲学，整个过去和未来，在理论上都是可以计算出来的，而人也就变成了一架冥冥之中的必然性所完全支配的机器"。[4] 这种绝对主义的认识论便相信，人类可能通过广泛而系统的立法活动来概括和调整所有的社会关系；法官将来无论遇到多么复杂的情况都能在庞大的法典中像查字典一样检索到现成的解决方案。

（2）人性研究的科学主义。理性主义者力主把人文系统纳入

---

[1] 参见张汝伦：《意义的探究——当代西方释义学》，辽宁人民出版社1988年版，第7页。
[2] 转引自徐国栋：《民法基本原则解释》，中国政法大学出版社1992年版，第168页。
[3] 参见［德］文德尔班：《哲学史教程》（下卷），罗达仁译，商务印书馆1993年版，第600～602页。
[4] 徐国栋：《民法基本原则解释》，中国政法大学出版社1992年版，第169页。

自然科学研究的系统内，从而把包括哲学在内的所有知识都予以自然科学式的改造和衡量。表现在人性的认识和分析方面的是，理性主义者极力把人性中非理性的因素，即想象、意志、感情和顿悟、直觉等，都视为科学之大敌。这些无法用数学工具加以分析和描述的东西都是导致人之谬误认识的根源。因而他们"将几何学方法捧上王座"。理性主义者醉心于以严密的数学推理，从简单自明的公理出发，凭借自身的逻辑演绎运行，得出确定无疑的客观结论。这种哲学认识论在法律方面的影响甚剧。在立法方面，法典绝对地排除了法官在司法活动中的衡平、自由裁量等现象或权力。在司法方面，法官的作用仅仅在于依法办事，他要尽力给人们留下保守、机械的印象，或者说，这毋宁是优点。与"人是机器"相对应的司法信条是："法官是机器"。勒内·达维德指出："一个拉丁文格言指出，在民法法系国家中，如果一个法律家不能依据成文法规则来支持他们的观点，那么他应感到羞耻。"[1]而法国民法典的首倡者拿破仑则认为："将法律简化成简单的几何公式是可能的，任何一个能识字并能将两个思想联系起来的人，就能作出法律上的裁决。"[2]这些观点极为准确地反映了人们对科学化趋势的认同和渴望，反映了力图实现法律推理机械化的愿望。

其次是经验主义，尤其是以十七八世纪英国哲学家洛克、贝克莱和休谟等人为代表。洛克从怀疑论出发，认为知识并不能通过笛卡尔式的内省来获得，相反，它是从感官的体验而来。在他

---

[1] [法] 勒内·达维德：《英国法和法国法》，潘华舫等译，中国政法大学出版社1984年版，第22页。
[2] 转引自徐国栋：《民法基本原则解释》，中国政法大学出版社1992年版，第175页。

看来，我们之所以知道一个事物，乃是因为我们经验地了解他们。[1] 贝克莱和休谟则更是把洛克的怀疑论往前推进。贝克莱提出"存在就是被感知"的唯心主义命题。按照这个命题，根本不存在任何独立于感觉观念的事物，所谓事物无非是被心灵所感知的一组观念。抽象观念由于不能被感知，所以它们不可能在我们的心灵之外而存在，换句话说，一切观念都是特殊的，没有抽象的观念。休谟也持这样的观点。他认为因为我们仅能体验孤立的感觉，所以我们不能通过归纳了解任何原则，不能肯定地建立现象间的因果联系："因果联系是习惯性的联想"[2]。我们所了解的一切都是我们所经验的个体，那种认为这些个体说明了一个统一原则或者一系列因果联系的观念仅仅是一种心理学的先前预想，一种习惯性的假定。

与理性主义相比较而言，经验主义具有如下几个方面的特征：

（1）认识论方面的怀疑论。经验主义者不相信通过人的观察能认识事物的本质，能够抽象出具有普遍有效性的普遍命题，从而获得确定无疑的客观知识。徐国栋先生认为："这种不可知的认识论，否定了法律所由以建立的一定行为与一定后果之间因果关系的基础，否定了制定普遍性的法律之可能"。[3]

（2）归纳法的法律思维方法。由于对人类认识能力的怀疑，经验主义者只相信感觉中的事实，强调社会生活中个人与事件的差异性。在法律上他们强调案件的个案处理，具体对待。

（3）进化论的法律观。这种法律观将法律视为一定环境所决

---
[1] 参见朱德生等：《西方认识论史纲》，江苏人民出版社1983年版，第147页。
[2] [英]休谟：《人类理解研究》，关文运译，商务印书馆1957年版，第60页。
[3] 徐国栋：《民法基本原则解释》，中国政法大学出版社1992年版，第206页。

定的产物,并随着环境的不断发展变化而发展变化。

尽管在有关知识的起点到底是直觉还是感觉印象的问题上,笛卡尔和洛克之间存在着分歧,前者强调人类的直觉是认识世界的有效途径,后者则强调人类的感觉体验才是知识的真正起源。不过,理性主义者和经验主义者都有着从笛卡尔以来的共同信念:其一,笛卡尔和洛克都把形而上学归属于认识论,这便意味着他们要从所描述的实在来开始他们的知识论;其二,二者都是从个体开始他们的研究的,前者是个体的直觉,后者则是个体的印象,个体是二者哲学的重心;其三,从个体开始,理性主义者和经验主义者都承认个体的主观意志和外在于个体意志的客观世界之间的差别。[1]

启蒙思想的这两股思潮都认为,只有通过理性或者经验,运用科学所使用的方法,摆脱传统、权威以及神的启示等,我们才能有所知,才能把握世界。这样启蒙运动就代表了把科学方法运用到所有知识形式上的企图。这种企图根源于牛顿以来就把宇宙视为一个由物质规律所支配的机器,一只钟表那样的观念。[2] 18世纪的启蒙时代有时被称为"理性"的时代,这表明理性主义在一定程度上战胜了经验主义,而在政治哲学中则表现得更加明显。

二、自由主义的兴起

启蒙思想的认识论还伴随着政治哲学的发展,其中最为突出的表现便是自由主义的出现和发展。自由主义对个人的自由抱有坚定的信念,坚信社会能够安全地建立在个性的自我指导之上。

---

[1] K. J. Vandevelde, *Thinking Like a Lawyer*, Westview Press, 1996, p. 111.
[2] 参见朱德生等:《西方认识论史纲》,江苏人民出版社1983年版,第164页。

自由主义政治哲学认为，个人有自由和平等的自然权利，个人仅为了保护这些权利的目的才通过社会契约组成政府。而唯一合法的政府则是人民同意的政府。[1] 自由主义经济哲学则认为，自由的市场经济将允许个人自由地追求他们合理的自我利益，它们将产生更大的财富。[2]

在洛克看来，政府的目的就是对个人自由的保护。而政府的形式应当采取分权的形式，不允许哪个部门拥有绝对的权力。此后，孟德斯鸠又具体地把政府分为立法、行政和司法三机关。洛克之自由主义的根本前提是个人具有自然法所赋予的权利。自然法支配着人类社会，这样的信念很适合启蒙思想的宇宙观，即世界是由牛顿的物质规律所支配的精密机器。因而，欧美各国法律宣布：人天生平等，具有平等的生命、自由和追求幸福的权利，这是"不证自明"的真理。不过，在笛卡尔的传统里，这种自然法的发现是通过直觉和理性的作用，而不是通过宗教的启示所能发现的。因而，自然法也就具有了世俗思想的基础。[3]

启蒙思想的认识论和政治理论的结合在18世纪晚期产生了一系列的人权观念和宪政理论，宪法性文件大量公布。归根到底，它们都以适用理性保护自由为特征。通过发挥理性的作用，人们能够发现他们的自然权利，其中有些则在《权利法案》等文件中被法典化了。这样的信念是如此地强烈，以致许多人都认为《权利法案》等规定都成为多余的了，甚至是危险的，因为它们

---

[1] 参见上海社会科学院法学研究所编译：《法学流派与法学家》，知识出版社1981年版，第308～309页。
[2] 参见顾速："当代西方新自由主义理论"，载《哲学动态》1995年第3期。
[3] 参见黄少游："自然法思想之史的变迁与发展"，载刁荣华主编：《中西法律思想论集》，台湾汉林出版社1984年版，第412～424页。

可能使法院认为只有法典化的权利才是可以强制执行的。[1] 在资产阶级革命以后，法院都宣称有合法审查权，从而不承认与自然法相违背的法律规定的法律效力。18世纪美国法哲学认为普通法同样是基于这样的原则，即通过理性的发挥而能为法院所发现的原则。这样的案例法原则包括自然权利，由于普通法并没有把人的权利固定下来，所以说普通法对自由没有威胁，而制定法则有损及自由或权利的威胁。权力分立是能够确保运用理性保护自由的宪政结构。法官受理性的引导，而不是受政治激情所左右。他将审查立法的合宪性，运用法律。作为理性的判决制作者，法官将保证自由的存在。这样，理性通过法治来保护自由。法院并不会依据法官的个人偏见来裁判案件，相反，是根据通过理性而发现的法律的宣示来裁判案件。

但是，在19世纪早期，大量的事实使法官明确诉诸自然法的行为不再是合法的。民主政治开始强调人民主权，赞同把法律观念视为是由人民的同意而不是理性发现所创造的东西。自由主义呼唤市场经济，而市场经济的兴起削弱了人们对客观价值的信念。价值不再是永恒固定不变的，而是通过市场中人们的认同而不断确立的。因而自然主义（naturalism）受到英国哲学家边沁和密尔的功利主义哲学的挑战。功利主义强调大多数人的最大利益，它所关注的是整体社会的福利，而不是个人不可剥夺的权利。这样，功利主义哲学击倒了自然主义者对个人权利的信念。个人权利也会受到保护，但并不是因为个人权利本身的价值，而是因为这样做将整体推进社会的利益。功利主义认为法院不应向后看，从而来看存在什么先验的权利；而是向前看，来追问每一个可能的争议解决办法的后果。这样，法律中的自然主义逐渐为

---

[1] K. Vandevelde, *Thinking Like a Lawyer*, Westview Press, 1996, p. 113.

实证主义所取代，后者认为法律是主权者的命令。权利和义务简单说来都是由法律所创设的。尽管自然法可能仍会作为一个道德范畴继续存在，但只有由主权者所采用的法律才能形成司法判决的基础。法律不再根源于上帝或本性，而是人民的同意。

三、法律形式主义及其批判

（一）法律形式主义

在启蒙思想认识论和古典自由主义政治理想的启迪之下，法学界产生了一股被称之为法律形式主义的思潮。法律形式主义或概念法学均要求通过机械地适用一般规则而裁判案件。在英、美等国多称为法律形式主义，而在法、德等国则多称为概念法学。他们主要强调：

（1）法律体系具有逻辑的自主性，即认为无论社会生活中发生什么案件，均可依逻辑方法从现在的法律体系获得解决，不承认法律有漏洞。

（2）法官之法律推理活动应严格按照形式逻辑的要求进行，极力地避免主观个人的价值判断之侵入。

（3）否定法官的能动作用，将法官视为适用法律的机械，只能对法律作三段论之操作，遇有疑义时或以立法者意思为依归，或以先例中的原则为根本，否定司法活动的创法功能。

（4）认为法学系纯粹的理论认识活动，不具有实践的性质，无须价值判断。[1]

形式主义或概念法学极好地说明了启蒙思想在法律思想领域中的表现。例如美国的法学家兰德尔认为"法律是科学"，这就

---

[1] 参见梁慧星：《民法解释学》，中国政法大学出版社1995年版，第196页。

是与启蒙思想试图把科学方法适用到所有知识形式的努力相互一致的。兰德尔把归纳和演绎两种方法结合起来，就把启蒙思想之认识论中的经验主义和理性主义两派都带入到了法律推理之中。

形式主义也是与启蒙思想的政治自由主义相吻合的。尤其是形式主义肯定法治之原则，坚持所有的司法判决都是规则的机械适用。这种规则可以是由立法机关制定的，也可以是先前案例中已经宣示的。实际上它不允许法官有任何裁量余地，它受早已存在的法律所制约。这样，法律制约法院从而保护自由。这种形式主义同时亦肯定人的自然平等的信念。在把大量的一般规则适用到交易活动中，形式主义否认交易活动中人们的差异的重要性、相关性。也就是说，形式主义否认社会的或经济的等级差别之相关性。规则的机械适用也带来了司法判决的可预见性，从而可以促进贸易和投资。它允许个人发挥他自己的才能，以最大限度地实现他的作用，从而与自由竞争的经济政策（即经济自由主义）也是相互吻合的。[1]

然而，形式主义与启蒙哲学还是有些不同的地方。例如，形式主义一般都力图使现存的财富和权力分配合理化、合法化，这就失去了启蒙哲学反叛的性格。形式主义的根本前提是，存在着一个唯一正确的法律规则，它是由先前立法或判例所确立的，法官的唯一任务就是发现它从而适用它。这种制度就暗含有先前的制定法或判例是正确的，现行秩序是绝对公正的观念。任何从现行规则的偏离的裁决都将是错误的。同时，形式主义也明确放弃了自然主义。法官并不是通过笛卡尔式的理性而发现法律，相反，应通过阅读法律文本或法院的判决而经验地发现法律。法院

---

[1] 参见［美］伯纳德·施瓦茨：《美国法律史》，王军等译，中国政法大学出版社1990年版，第82～87页。

无权宣称立法因与自然法相冲突而无效。尽管如此,形式主义还是继承了自然主义的唯实论(realist)的形而上学,因为它认为,诸如自由或财产之类的概念是抽象存在的,并且具有确定的内容。一旦法官确定一个特定的概念可以适用于一个案件,则法官就应从此概念的本质作演绎的推理,以确定案件的正确结论。[1]

(二)法律形式主义之批判

时代进入20世纪以后,由于社会形态和哲学观念等一系列的变化,人们开始检讨19世纪所形成的法律思想,法律形式主义和概念法学都受到了批判。这种批判一般是从其方法论的假定前提和它的政治结果开始的。

1. 方法论批判。由于哲学和科学的极大发展,形式主义从方法论上来说是极易受到攻击的。同样怀疑主义现在亦最终化解了先验范畴的存在。[2] 怀疑主义既可以是认识论方面的,又可以是形而上学方面的。方法论上的怀疑主义怀疑人类准确感知实在的能力,而形而上学的怀疑论则对是否存在这样的实在提出疑问。更为具体地说,启蒙思想中经验主义开始战胜理性主义,接着自身又受到挑战。同时形而上学中的唯名论取代了唯实论。最终这些就认为,并不存在什么先验范畴;即使有,我们也无从认识它们。这种主张发展到20世纪中叶便蔚然成风,被称为后现代主义。[3]

---

[1] See Frederick Schauer,"Formalism", *Yale Law Journal*, vol. 97 (1989), p. 509.
[2] 参见[美]波斯纳:《法理学问题》,苏力译,中国政法大学出版社1994年版,第523页。
[3] 有关后现代主义的内涵及其对中国法学和法制的影响问题,请参阅苏力:"后现代思潮与中国法学和法制",载《法学》1997年第3期。

后现代主义的怀疑观并非是和过去的决裂,相反,它是自文艺复兴、宗教改革和科学革命以来的批判研究的继续。早在18世纪,德国哲学家康德就曾提出对启蒙认识论之经验主义和理性主义的质疑。他同意经验主义者认为单靠理性并不能告诉我们任何事情,知识必须从感觉经验中产生。而同时,感觉印象除非用某种先验范畴去组织它,否则也将是毫无意义的。因而只有经验主义也是不充分的。这样造成的结果是人类永远无法了解和把握世界之本质。我们所了解的一切仅仅是"外象"——即事物的外部特征。[1]

在科学领域中,达尔文《物种起源论》之发表,把人类重新放回到动物王国,对人类所拥有的理性地认知世界的特权地位提出了质疑。几十年后,奥地利精神分析哲学的代表人物弗洛伊德开始研究潜意识的功能,进一步对人类所宣扬的理性和自由提出了挑战。19世纪晚期和20世纪早期大量的社会科学兴起,尤其是行为主义心理学、社会学以及人类学等,他们把人的行为视为是由生理的、社会的、文化的因素所决定的,而并不是理性或自由选择的结果。所有这些结合起来,形成了这种人性观:人类并不是笛卡尔传统上的自治而理性的行为者,而仅仅是对其环境作出反应的高级动物。

语言哲学的发展则更进一步削弱了人类的理性思想的观点。瑞士语言学家索绪尔(F. Saussure)认为词语仅指其他的词语,而并不是指称世界中的具体对象物。这就是说,语言是一个封闭

---

[1] 参见朱德生等:《西方认识论史纲》,江苏人民出版社1993年版,第266~274页。

的自我指称的系统,而并不是精确对应实在的系统。[1] 到20世纪中叶,沃尔夫(Benjamin Lee Whorf)则提出这样的假定,认为语言实际上决定着个人对实在的理解。人们并非发明词语去反映世界之物,而是根据他们所拥有和掌握的词语去理解世界。这样,知识就是由语言所界定的,它是一种文化现象。知识的来源并不是个人的内省,而是集体探究,因为我们以社会共同建构的范畴去进行思维。

此外,后现代思潮中的历史主义一反启蒙时代自由主义的传统,认为社会并不是由受永恒普遍规律支配的理性个人所组成的。相反,他们强调人类生活中历史的、环境的、非理性的方面。个人不再被视为世界之自治的市民,相反,是由该时该国的信仰或信念所影响的成员。而达尔文的著作更进一步地证实:人的存在本质随着环境的演进而发生变化;科学理论则提出"不确定性原则",一下子摧垮了传统的理想观念:即人类能够通过理性或者经验观察而理解终极的实在。相反,他们证明,所有的知识都是视角性的或者场景性的——因为观察者的环境不同,世界就有不同的理解。[2] 由此可见,法官将不可能是完全客观的或理性的观察者。尼采曾宣称:"上帝死了,并没有事实,只有解释。"[3] 这些都直接地批判启蒙思想的认识论和方法论,从而使形式主义法学的理论基础受到严重的动摇。

2. 政治批判。随着时代的发展,社会发生了翻天覆地的变化,有些人开始对形式主义的社会观、法律观进行批判。他们认

---

[1] 参见郑杭生主编:《现代西方哲学主要流派》,中国人民大学出版社1988年版,第324~326页。
[2] 参见王治河:《扑朔迷离的游戏——后现代哲学思潮研究》,社会科学文献出版社1993年版,第124~130页。
[3] K. Vandevelde, *Thinking Like a Lawyer*, Westview Press, 1996, p. 120.

为形式主义不符合世界的现实情况。形式主义否认社会等级差别的存在及其意义,从而把所有的情况都归之于一些一般规则之下,形式地、机械地、平等地对待一切人。因而,这就要求法官不论合同的双方地位多么悬殊,财富多么不均,他们始终应该坚持采用同样的法律规则来处理他们的合同和交易。这种形式主义的社会观根源于社会的自由主义的观念,他们把社会视为是由理性的、自治的个人所组成的。所有的人都是天生平等而自由的。人们自身在经济社会活动中都会平等地追逐利益的最大化,他们的法律地位是平等的。这样,由于这些前提条件的设定,根据各种具体情况而具体地予以区分对待就显得不太合理了。

但是各国工业化进程所带来的剧变是激动人心的,现实最终摧垮了洛克式的自由社会观。社会财富、权力和机遇是多么地不平等,工人、农民、妇女、儿童等的弱小是不容否认的事实,他们作为社会的弱小群体更需要保护也是不争之事实。[1] 形式平等的背后往往掩盖着经济社会法律地位的巨大反差。洛克的假定前提丧失了现实基础,时代呼唤着新的法治理念。

第二节 现代的法律推理观

19世纪末叶以来,法学思潮往往开始反对形式主义的机械推理、司法观,呼吁和揭示法官的自由裁量权,换言之,开始对概念法学发动攻击。这一批判在欧洲大陆表现为"法律的自由探究运动",而在美国则表现为法律现实主义,尤其是以霍姆斯为

---

[1] 参见徐国栋:《民法基本原则解释》,中国政法大学出版社1992年版,第230~237页。

首的批判使形式主义最终走向衰落。

一、法律现实主义

美国大法官霍姆斯（Holmes）认为，作为人类的创造物，法律的观念性范畴（例如所有权和自由）并非自己界定的，相反，它们是可以受人操纵的，因而它们常常不能决定问题的结果。换句话说，霍姆斯否定了形式主义的核心前提：抽象的规则不能机械地用于裁决个人间的纠纷。他说："一般命题不能裁决具体的案件。"他认为法官实际上并不是通过从规则的形式演绎，而是参照政策考虑而裁判案件的。他在《普通法》一书中说："法律的生命不是逻辑而是经验。可感知的时代必要性、盛行的道德和政治理论、公共政策的直觉知识（无论是公开宣称的还是无意识的），甚至法官及其同胞所共有的偏见，在确定支配人们所应依据的规则时，比演绎推理（或三段论）具有更大的作用。"[1] 在他看来，法律并不是具有本体论存在的固定的规则体系，而是历史环境演进的产物。

半个多世纪后越来越多的法官和律师接受了霍姆斯的观点，认为形式主义并未描绘出司法判决的实际过程。R. 庞德要求法官要对世界的实际事实相当敏感，强调把"行动中的法"（law in action）和"本本上的法"（law in book）区别开来，他指出司法判决要通过政策判断和利益权衡来作出，从而他把法官称为社会工程师。[2]

---

[1] O. Holmes, *The Common Law* (Howe ed.), Little, Brown and Company, 1963, p.5.
[2] 参见沈宗灵：《现代西方法理学》，北京大学出版社1992年版，第302～304页。

法律现实主义在批判法律形式主义的过程中逐渐形成。逻辑实证主义宣称只有能加以经验证实的命题才是真的。因而,只有通过科学才能接近真理。同样,该时代的法律现实主义亦认为,只有社会科学才能把法律从概念论的昏溃中解救出来。在求助于科学方面,人们往往会认为现实主义与形式主义拥有相同的方法论。然而实际上美国形式主义法学派的代表人物兰德尔在科学方面看重笛卡尔的演绎的理性主义,而法律现实主义则倾向于经验主义。这样,从法律形式主义到法律现实主义实际上代表了从演绎科学向更重经验的科学认识论的转变。科学将会为法律现实主义揭示出实践中法律实际如何运作,从而为健全的判决提供一个基础。

同时,法律现实主义也代表了美国法律思想形而上学方面的转变。现实主义实际上代表了从启蒙运动中的唯实论的形而上学向唯名论的形而上学的转变。法律现实主义认为法律概念是由个人作为空泛的标签贴在现象上的。诸如所有权概念没有什么内在内容。宣称某些利益是所有权并不必然地说有关该利益的任何具体事情。我们不能从诸如所有权的利益名称中推演出任何具体结论。

对规则确定性的怀疑论往往伴随着法律范畴的再概念化过程。形式主义者把法律视为在创造严格界定的范畴,从而把实际情况置入此范畴中。每个范畴都与一具体的法律结果联系在一起。这样,把一具体情况放入一特定的范畴就可决定适用于该情况的权利或义务。基于20世纪科学的发展,现实主义者不再相信世界万象可置入自然范畴(比如物质和能量,或者空间和时间等)。实在的主导模式不再是范畴,而是族相(Continua)。例如强制和自由意志界定了一个族相的相对两极,而并不是相互排斥的范畴。这样,事实并不适合于一范畴,而是属于一个族相。[1]法律推理并非是把不同现象范畴化的过程,而是划分界线的过程,以在本质上不可分现象之间创造差异。这种过程并不是像形式主义构想的司法审判方式的机械适用。它必然包含(价值)判断的活动。[2]

在政治上,法律现实主义则强调保护社会的弱者,他们更主张利用法律制度加强对商业活动的调整。现实主义者对形式主义力图以高度普遍性来表达法律规则的做法表示反对。他们认为,除了这些范畴的空洞以外,还因为社会中有大量的不平等存在,在法律上同等地对待每个人,事实上就是给强者以偏爱。现实主义者更乐意按它们对社会的实际作用来评价司法判决,而不是根据它们是否与前例或抽象规则相一致来判断。

但是,现实主义并未提供一个足以替代形式主义法学的理论。他们只是赞同某些技术。他们认为,适用规则的过程要求对规则背后的政策或目的进行检查和考量。他们所偏好的司法判决方法是个案式(case-by-case),要根据具体案件中的事实权衡政策,要考虑规则实际如何运作。他们反对抽象规则的宏观表述。但他们希望用社会科学来取代形式规则,以作为建构法律权利和义务的基础。[3]

---

[1] 德国哲学家维特根斯坦提出了"家族类似"的反本质主义的核心概念,强调世上各种现象之间不存在绝对的普遍本质,而是像一个家族的成员之间那样显示出各种不同的相似形。实用主义所提出的"族相"概念与此有着相同的理论基础。参见张志林、陈少明:《反本质主义与知识问题——维特根斯坦后期哲学的扩展研究》,广东人民出版社1995年版,第2页。
[2] See K. Vandevelde, *Thinking Like a Lawyer*, Westview Press, 1996, p.123.
[3] See W. Friedmann, *Legal Theory*, 5th ed., Columbia University Press, 1967, pp.53~55.

二、自由法运动

自由法运动是对欧洲大陆概念法学的反动。与后者相较而言，它具有以下几个方面的特征：[1]

1. 概念法学独尊国家制定的成文法，认为国家的实证法是唯一的法源。而自由法学则强调法律应当实行"科学的自由探究"，法源除了法典等实证法以外，还有实际社会生活中的"活的法律"（living law），而且它们才是真正有效的法源。比如埃利希曾断言："法发展的重心不在立法、不在法学、也不在司法判决，而在社会本身"。[2] 社会之中的内在秩序便是"活法"之所在。

2. 概念法学对于法律的解释与适用偏重于形式逻辑的操作，排除法官对具体案件的利益衡量及目的考量。而自由法学则强调探求活的法律形式，法官对于具体案件除运用逻辑的演绎方法外，亦应作利益衡量及目的考量。这就意味着法官可以而且应当在制定法没有覆盖的领域，运用"自由探究的方法"去发现法律，并把它们适用于当前的案件。比如法国法学家惹尼（F. Geny）认为："在所有那些当事人间没有足够的有效协议的案件中，必须以有关利益必须均衡的原则引导法院，以便使建立行为的权威性规则成为必要。……估量他们各自的力量，在正义的天平上衡量它们，以便将优势给予他们中由某种社会标准证明

---

[1] 参见（台）杨仁寿：《法学方法论》，台湾三民书局有限公司1994年版，第85~90页。
[2] 转引自张文显：《20世纪西方法哲学思潮研究》，法律出版社1996年版，第132页。

为最重要的一方并最终带来一种均衡。"[1] 这就要求法官超越法典的规定，充分行使自由裁量权处理社会纠纷，干预社会生活，而不是机械地适用法律条文。[2]

3. 概念法学禁止"司法造法"活动，而自由法学则予以肯定。前者主要是认为法律本身是理性的化身和产物，具有完美无缺的优点，因而法官不能有任何的"目的考量"或"利益衡量"，让法官自行价值判断。自由法论认为这仅仅是古典三权分立的迷梦，法律不可能尽善尽美，法官价值判断活动在所难免。这便决定判例在大陆法中亦发生事实上的拘束力，尽管在法律上它们没有拘束力。"随着法典的老化，判例在司法中的重要性也就不断提高。今天谁也不否认，无论对法国或是对德国来说，法律的广大领域实际上都是法院判决的结果。"[3] 为了实现创造性地司法，自由法学广泛地借助诸如利益权衡、价值判断、法律情感、事理等象征性的概念，从而建立其理论支点。

第三节 当代的法律推理观

一、主流的法律推理观

"二战"以后，法学家们对自由法学、现实主义法学所造成

---

[1] W. Friedmann, *Legal Theory*, 5th ed., Columbia University Press, 1967, pp. 262~263.
[2] 参见徐国栋：《民法基本原则解释》，中国政法大学出版社1992年版，第276页。
[3] 转引自徐国栋：《民法基本原则解释》，中国政法大学出版社1992年版，第272~273页。

的司法专横给予了众多的批判和揭露，因而对它们进行了修正。当代的法律推理观就是某种修正的形式主义。我国民法学者梁慧星教授称："经由概念法学，超越概念法学"，这反映了对前两个时期以来的法律推理理论与实践的总结和吸收。这一时期的法官大多数既不是形式主义者，又不是现实主义者。对他们来说，形式主义所提供的法律推理观不足为信；而现实主义则一味地从事批判，从来就未提出合适的替代方法，因而它完全无法替代形式主义而成为主导的法律推理模式。

德国著名法律社会学家韦伯曾对形式主义法律的合理性所带来的良好效果进行了很好的说明。他认为：司法的形式主义使法律体系能够像技术合理性的机器一样运行，保证个人和群体在这一体系内获得相对最大限度的自由，并极大地提高预见他们行为法律后果的可能性，程序变成了以固定和不可逾越的"游戏规则"为限制的特殊类型的和平竞争，从而实现了经济的可计算性。[1] 因此，作为修正的形式主义，主流法律推理观并不把一切案件都视为可通过机械的规则适用而裁决的；而同时，它们也并不认为司法判决就完全是无拘无束的。规则有时直接表明了判决的结果，但有时又并不清楚该如何判决。前者被人们称之为"简易"案件，后者则被称之为"疑难"案件。在简易案件中法律规则似乎就可以确定该案的结果；但在疑难案件中该规则似乎就并未确定某个特定无二的结果。遇到简易案件时，法律工作者就希望能以完全机械的方式适用该规则；遇到疑难案件时，则往往会要求适用该法律规则所体现或包含的政策，或者通过诉诸公

---

[1] 参见苏国勋：《理性化及其限制——韦伯思想引论》，上海人民出版社 1988 年版，第 270～273 页；徐国栋：《民法基本原则解释》，中国政法大学出版社 1992 年版，第 288～289 页。

平、正义等法外因素予以裁决。

当今社会，人们一般都接受法官在司法判决中进行必要的政策、价值判断，并视此为获得合理判决的基础。这也表现在法院往往愿意以此为基础来修正先前的规则或判例。法律形式主义在理论上要求严守规则，遵从先例，但是它同时又承认这样的现实：即当代各国法律思想都给予法官某些裁量权，以适应社会之公共政策、正义感等的要求，从而保证法律的发展。[1]

通过政策、正义等的司法自由裁量权的依据在于以下假定：即法律是确定的，足以保证大多数交易活动不会产生争议，保证大多数争议在未采用司法判决时就得以解决；在大多数情况下，法官所作出的司法判决都是受法律制约的，少量的司法裁量权往往是在少数疑难案件中发挥作用，这是法律赋予法官这一角色的独特功能。因而法官在法律保持沉默或者模糊不清时行使自由裁量权裁决纠纷，并不会导致整个法制的破坏。[2]

二、批判法学运动

批判法学运动最直接的表现是对法律文本解释确定性的怀疑与左派政治倾向的相互结合的产物。就其根本而言，它深受后现代法学的影响。批判法学运动对法律推理理论和实践的批判在当代法学思潮中影响巨大。[3]

在后现代主义者看来，世界上并不存在什么根本原则，以供

---

[1] 参见［英］Dennis Lloyd：《法律的理念》，张茂柏译，台北联经出版事业公司1984年版，第262~263页。
[2] See K. Vandevelde, *Thinking Like a Lawyer*, Westview Press, 1996, p. 126.
[3] 参见朱景文主编：《对西方法律传统的挑战——美国批判法律研究运动》，中国检察出版社1996年版，第291页。

我们从它推导出其他的判断。也就是说,我们不能从所感知的"第一原理"进行演绎推理,或者通过经验观察而获得知识。个人并非是自主、自立的存在,相反,他是社会的产物,他的所言所行都是社会所决定的。这样,无所谓知识,只有信仰——由社会所建构的信仰。[1]

批判法学者主要是从对不同法律规则的前提基础开始分析,以努力地证明该规则就是我们在一系列具有内在冲突、且不可调和的价值的不同系列之间作出选择的产物。这种态度根源于法国哲学家列维-施特劳斯(Levi-Strauss)以来的结构主义。他认为人类的认知或理解取决于二元对立的"深层结构",双方的每一方只有通过另一方才能得到理解和说明。[2]法律的结构主义分析是从法院所必须在不同结果之间作出选择的前提开始的。这种不同的结果中的任何一个都可以通过相互冲突的价值而得到论证。因为法律制度承认这两种价值都是有效的,因而我们可以形成一个和谐的论证来支持每个结论。[3]但如果我们连续不断地选择支持一种价值的结论,就将导致完全否定另一方的有效性。这样每一种情况都重新提出在该情况下哪种价值更应当加以促进的问题,必须判断重要程度的问题。[4]

法院往往避免两种极端,在大多数情况下他选择一种折中的

---

[1] 参见王治河:《扑朔迷离的游戏——后现代哲学思潮研究》,社会科学出版社1993年版,第120~125页。
[2] 这种深层结构的具体内容,参见郑杭生主编:《现代西方哲学主要流派》,中国人民大学出版社1988年版,第329页。
[3] 参见[美]戴维·凯尔瑞斯:"法律推论",王晨光译,载《中外法学》1990年第2期。
[4] See Steven J. Burton, *An Introduction to Law and Legal Reasoning*, Little, Brown and Company, 1995, pp. 98~100.

政策，但这并不否认在下次相反的政策会取代它的可能性。法律并不是客观中立的，它是政治的。法律推理则同宗教一样是麻醉剂。[1] 批判法学者试图揭示出法官们在写意见书时往往掩盖其司法判决的政治本质，并力图论证其判决，说明它是与共同的正义原则或良好的政策相吻合的，是其必须得出的结论。

批判法学者对法律文本的分析则依赖于法国文学评论者德里达（Derrida）的解构主义。德里达认为，章句的解释必定要依赖脉络情景，而脉络情景本身是无限的。既然脉络情景不能确定，章句的意义就无法明确。法律规定和法律现象如果可以看成一种章句，那么它就不可能是客观确定的事物。这种情况在法律规定采用开放性的字眼（例如正义、合理、公平、正当、诚实信用等）的时候，最为明显不过。即使一些表面上不是含混抽象的字眼或标准，在界说时也会出现含义不明的情况。[2] 解构一个理论就是要表明，支持这一理论的证据往往也可以论证其他（甚或相反）的理论。批判法学者利用这一技术，认为一种政策论证了某一规则，但它同样也和另外一些不同的规则相吻合。因此之故，法律及法律推理便不可能是确定性的。

三、法律实用主义

实用主义是美国自皮尔士以来逐渐兴起的一个哲学派别。而霍姆斯法官则把实用主义和法律推理理论完好地结合起来了。美国当代的实用主义有两个核心的命题，即反基础主义和工具主

---

[1] 转引自朱景文主编：《对西方法律传统的挑战——美国批判法律研究运动》，中国检察出版社1996年版，第298页。
[2] 参见（台）黄维幸：《法律与社会理论的批判》，时报文化出版企业有限公司1991年版，第239页。

义。

反基础主义简单地说就是指没有所谓的先验真理的后现代信念。它认为所有的知识实际上都是社会所建构的信念。尽管社会成员都把此信念视为真理，并依之行事，但其本身不过是社会的假定而已。因为社会的不同，所以知识就是视角性的。[1]

由于实用主义立基于反基础主义，故而实用主义法学就在效果上明显地区别于批判法学。批判法学者及其后继者们认为，后现代主义已摧毁了法律客观基础的最后痕迹，从而揭示出司法判决的纯粹主观性；而实用主义则把主观性判决和客观性判决的区分视为错误的选择。实用主义寻求其他的途径来代替那种认为法律要么是客观为真、要么是完全主观的观点。最后，他们用"解释性共同体"来作为这种替代办法。这一概念来源于德国哲学家维特根斯坦的思想。[2] 维特根斯坦认为任何实在都不能脱离观察而存在。而语词并不对应于柏拉图式的本质；它们并没有什么核心意义："意义即用法"，它们的意义是由解释它们的共同体来赋予的。由此可见，一个单词的意义并不是完全不确定的，因为解释共同体对该词意义的共同信念（或假定）已经限定了该词所表意的界域。

由此看来，法律的解释共同体制约着法律文本的意义。尽管法律文本并没有柏拉图式的本体论存在意义上的客观意义，但它们的意义也并非就是主观认定的。解释共同体整体地给予法律文本以意义的能力推翻了法律推理是主观的断言。从意义是由共同

---

[1] K. Vandevelde, *Thinking Like a Lawyer*, Westview Press, 1996, p. 135.
[2] 参见张志林、陈少明：《反本质主义与知识问题》，广东人民出版社 1995 年版，第 29~31 页。我国学者亦开始利用这一概念来说明一些法律问题，参见贺卫方："异哉所谓检察官起立问题者"，载《法学》1997 年第 5 期。

体（而非个人）所建构的角度上说，法律文本可以说有"客观的"意义，也就是说，意义不是主观的，而是主体间性的（intersubjective）。[1] 这样，法律实用主义便找到一些确定的基础以制约司法判决的制作。它认为启蒙运动所要求的客观确定性是错误的出发点，是不可能实现的任务，因而应予放弃。因此，它便不再为法律推理不能机械地解决纠纷而烦恼。

实用主义的另外一个核心概念便是工具主义。实用主义的工具论是这样一种信念：行为应当根据其结果而评断，而不是根据其是否与第一原则相一致来判断。实用主义并不力图维持与任何单一原则或者价值保持一致。因而在一个场合决定采取什么行为时相当重要的价值，在下一次可能就不太重要了。[2] 实用主义者往往把它们的方法论追溯到亚里士多德所提出的"实践理性"（practical reason）概念。它的含义是，人们能够在具体的情况中决定正确的解决办法，但没有有关何为正确的普遍理论。任何一个原则不可能总是压倒其他一切考虑因素；任何一种方法不可能总是完全足够的。相反，案件都是通过研究每一结果的可能后果而个案式地予以解决的。实用主义反对把任何单个价值或方法视为是绝对权威性的。实用主义可能选择在一种情况下最有效的结果，而在下一次可能会否决它。由此可见，实用主义与普通法

---

[1] 科学哲学家波普指出，科学经验的"客观性"只是科学家的主观性的主体之间暂时达成的协议；它们是观察实验的主体间性同表述公式的逻辑语言的超验的跨主观性的结合。自此以后，"主体间性"这一概念得到了广泛的运用和阐发。参见（台）高宣扬：《哈伯马斯论》，台湾远流出版公司1991年版，第49页。
[2] [美]波斯纳：《法理学问题》，苏力译，中国政法大学出版社1994年版，第10页。

法官的办案方式是很相符的。[1]

尽管实用主义认为它们的方法论论证了它们所获得的结论，但它们一般并不宣称那就是必然得出的结论。也就是说，实用主义通过列出相关的政策，说明它所得出的结果促进了其中某种政策，从而论证其结果。然而，这一过程并不是机械性的，其他的法官会发现，相同的考虑往往会使他们得出不同的结论。[2] 对于实用主义而言，不能认为法律就决定了具体的结果，但可以认为它制约和论证了其决策。

第四节 结　语

以上对欧美法律制度中法律推理问题所作的考察表明，这一问题首先是作为一个政治哲学问题而产生的。法律判决的制作与论证的基础在于对法律推理前提的理解与假定。启蒙运动的自由政治哲学坚持政府的目的就是要保护个体的自由，而其途径便是法治，用法律限制政府的权力，从而保障个体的自由。这样自由政治理论就把法院的任务确定为依法断案。依法办案必须以法院首先对法律的认知为必要条件。因此法律执行人员服从法治的政治工程就有一个潜在的认识论任务：发现和理解法律。[3]

启蒙思想的认识论有两种，即理性主义和经验主义。尽管二者有许多差别，但它们都相信主观个体意识和客观外在世界之间

---

[1] 参见［美］波斯纳：《法理学问题》，苏力译，中国政法大学出版社1994年版，第571～574页。
[2] 参见沈宗灵：《现代西方法理学》，北京大学出版社1992年版，第449页。
[3] See K. Vandevelde, *Thinking Like a Lawyer*, Westview Press, 1996, p.137.

的笛卡尔式的二元对立。按照这一前提假设,依法裁决的司法判决任务就等于要依据客观的而非主观的基础来断案。理性主义使资产阶级革命后的法官们相信存在着客观的法律。这种客观法律首先是指自然法,而人们能够通过理性来认知自然法,自然法制约着法官。这样,理性主义为依据法律的判决提供了一个客观的基础。经验主义则一开始便对仅通过理性就可以认知自然法的真实性表示怀疑。它们的民主转而要求依靠人们更广泛同意的法律理论,它们认为法律是在人民的同意中发现的,而不是直觉的感悟。最终自然法为实证法所取代。[1] 到19世纪晚期形式主义法学实现了二者的一种综合:实证法可以通过归纳方法而发现,又可以通过演绎方法适用于个体纠纷。这样法律要通过考察制定法或案例而被经验地发现。这一时期的观点认为法律推理就是一门科学,是与物理学、生物学一样的科学,这一科学帮助法官找到法律。因而18世纪晚期的自然法论就发展成19世纪晚期的实证主义的概念法学。[2]

经验主义所具有的怀疑论不仅贬低自然法论的价值,而它同时也开始着力于削弱概念论的根基。因而现代的法律推理观主要表现在法律现实主义和法律的自由探究两个思潮上。前者认为法律概念只不过是作为标签的空洞物,从这些名称中我们推演不出任何具体的结论。由于人为因素的介入,法律和事实都是无法确定的东西,从而司法裁量权可以任法官发挥。法律现实主义者再次把法律视为一个经验的过程。律师和法官们应当研究和注重法

---

[1] 参见梅仲协:"欧陆法律思想之演进",载刁荣华主编:《中西法律思想论集》,台湾汉林出版社1984年版,第282~283页。
[2] 参见(台)李肇伟:《法理学》,台北东亚照相制版厂1979年版,第87~90页。

律在实践中是如何发挥功能的。自由法运动则强调法律推理中政策判断、价值判断以及目的考量的必要性和重要性，提倡法官"自由地科学地探究法律"。同时，它强调进行"司法造法"，以弥补法典所天生就具有的某些无法克服的缺陷。[1] 自由法学利用利益衡量、价值判断、法律情感、事理等象征性概念来建构自己的理论基础。

从启蒙运动以来，近代的法律推理观便强调客观地（而非主观地）裁决案件。而现代之法律推理观则渐渐看重判决中政策、价值判断的作用力量，主观的不确定性问题便对古典的法治理想产生了挑战。那么，怎样为司法判决找到一个客观的基础呢？当代各种法律推理的理论便是对这一矛盾的不同反应和评价。

首先，当代主流的法律推理思想是某种修正或缓和的法律形式主义。它们认为：社会生活中的大多数纠纷可以通过制定法规则，或者在先例中找到原则，从它们作演绎的推理便可获得解决。在少数疑难案件或者个别场合中这可能并不符合人们的印象，但是都是例外，而且它们在整体上并不会削弱制度的合法性。[2]

其次，美国当代批判法学运动宣告了司法判决客观性基础的终结。在它们看来，司法判决本身就是主观的，因而近代启蒙思想的法律观念本身就是一个失败。自由的个人主义必定会被合作的福利主义所取代，法律推理因而会成为目的性的。[3] 所以法

---

[1] 参见［美］罗斯科·庞德：《法律史解释》，曹玉堂、杨知译，华夏出版社1989年版，第134页。

[2] See Steven J. Burton, *An Introduction to Law and Legal Reasoning*, Little, Brown and Company, 1995, p.176.

[3] 参见［美］诺内特、塞尔兹尼克：《转变中的法律与社会》，张志铭译，中国政法大学出版社1994年版，第18页。

律推理的客观中立性、确定性都是些美丽的神话，都是欺骗人民的工具，是麻醉剂。

最后，实用主义法学则表现出对以上观念的综合。实用主义者把笛卡尔以来的主客观二元对立视为错误的选择。在他们看来，笛卡尔把个人置于知识的中心是错误的。知识是共同体建构的；真理是共同体特定时期所相信的东西。在永恒静止的意义上说，真理并不是客观的；但在个体建构的意义上说，它又不是主观的。实用主义努力地去发现已出现的具体案件的解决办法，并不是首先去建构用以支配所有案件的牛顿式规律体系。因而它在简易案件中是形式主义者、概念论者，而在疑难案件中它又是现实主义者、自由法论者，从而试图利用两个理论中最好的东西，而又不完全采用其中一个立场。20世纪晚期以来，司法判决越来越多地关注政策、价值判断，尤其是在疑难案件中则更是如此。而法律推理的客观性的基础则在于法律解释共同体所特有的共识、传统等。[1]

究竟应该如何认识法律推理的形式主义观与现实主义观之间的关系，应该如何认识法律推理中逻辑推演与价值政策判断的关系，法律推理的运行到底如何进行，这些看来还是需要进行专门探讨的问题，而这正是本书下两章的主要任务。

---

[1] 参见［美］波斯纳：《法理学问题》，苏力译，中国政法大学出版社1994年版，第161页。

第三章 形式的法律推理

> 我们寻求的不是结果的统一性而是活动的统一性；不是产品的统一性而是创造过程的统一性。
>
> ——[德]恩斯特·卡西尔

前两章是对法律推理的本体论探讨，我们对它作了一个大致的界定，并从历史发展（发生论）予以考察和论证。然而应当指出的是，在不同的国家、不同的时期，法律推理具有不同的表现和运作方式。根据法律推理的前提和内容的不同，它大致可以分为形式的法律推理和辩证的法律推理两种。前者指法律适用者可以确定明确的法律推理的权威性依据而为推理；而后者则指缺乏这种前提时所作的法律推理和法律适用。本文接下来的两章将分别对这两种形式予以剖析，以着力于从法律推理的运作模式上加以深入研究。

这一章我们首先来谈谈形式的法律推理。形式的法律推理的基础在于形式逻辑有助于思维活动的合理化、有助于人类活动的可预测性。然而，由于对法律推理的研究活动一般都具有批判色彩，形式逻辑在法律推理中的地位和作用一般受到批评和指责。那么到底应当如何认识这一问题，形式法律推理的两种基本方法

(即演绎方法和类比方法)的特点及其关系怎样,它们的具体操作方法怎样,这些是本章所要探讨的问题。本文并不认为形式的法律推理就完全等同于形式逻辑的机械操作;相反,形式法律推理在事实认定、法条选择、解释以及二者的归摄等环节都存在法律适用者的价值判断与选择活动,因而留下了不确定性的根源,我们必须采取一定的措施来克服这种不确定性。

第一节 逻辑在法律推理中的地位和作用

一、逻辑的含义与意义

"逻辑"起源于希腊语逻各斯(logos),原来的意思是思想、理智。古希腊的学者用它来称呼研究推理论证的学问。后来其含义逐渐扩大,具有言语、说话、精神、原则、理性、力量、动力等多层含义。在现代汉语中:"逻辑"是个多义词,一般可以包括以下几种含义:①指客观事物发展的规律性。如"事物的逻辑"、"革命的逻辑"、"人民的逻辑"等中的"逻辑"一词,都含有客观规律的意思。②指某种理论、观点或说法。如"荒谬的逻辑"、"强盗的逻辑"中的"逻辑"就是在这一意义下使用的。③指对思维形式的正确运用。如"合乎逻辑",是说正确地运用思维形式;"不合逻辑"是说没有正确地运用思维形式。④指研究逻辑的学问,与逻辑学同义。[1]

逻辑能够使人类思维合理化,因而在人类知识和科学中占有

---

[1] 参见吴家麟主编:《法律逻辑学》,群众出版社1983年版,第1页。

重要的地位。[1] 一切学问和科学均要利用逻辑,逻辑是一切学问的基础。大数学家戈得尔(K. Godel)曾说:"逻辑是一门优先于所有其他科学的科学。它包含所有科学的基本观念和原理。"逻辑学家兼哲学家弗雷格(G. Frege)则说:"逻辑的法则不是单纯的自然法则,而是自然法则中的法则。"数学家兼哲学家怀特海(A. N. Whitehead)则说:"科学的基本是逻辑,科学的概念之间的关连,是一种逻辑的关连,而科学诸细部断说的根据,是逻辑的根据……我们可以更确信地说:'没有逻辑就没有科学'"。[2] 从一定程度上而言,正因为有了逻辑的基础,才使得哲学及科学等脱离个体实践主体的体悟感知的私家片断的体会,而增强学问的公有性和科学性,从而能够获得广泛的认同感,获得读者的共鸣。从这一种意义上说,逻辑是一种工具,它能有助于人类获得新知识。

二、逻辑在法律推理中的地位和作用

同样,逻辑对法律和法律推理的意义是巨大的。"因为法律推理要遵循形式主义的某些规则,法学修辞则要听从某些命令,法学逻辑学在法哲学中所占的部分愈来愈大"。[3] 这一点在规范法学派、分析法学派那里得到了极端的强调。他们把整个法律规范视为一个自给自足的、封闭的逻辑体系。为此,在理性主义的

---

[1] 逻辑可分为形式逻辑和辩证逻辑两种形式,但由于辩证逻辑这个学科产生较晚,因而人们习惯于用逻辑来指形式逻辑这门学科。本文以下探讨与此相同。参见吴家麟主编:《法律逻辑学》,群众出版社1983年版,第1页。
[2] 参见杨士毅:《逻辑与人生——语言与谬误》,台北书林出版有限公司1987年版,第48页。
[3] 上海社会科学院法学所编译:《法学流派与法学家》,知识出版社1981年版,第3页。

理想之下，他们大力地倡导制定完备的法典，以供法官们在断案过程中取之用之，获得预先设定的结果。这一点在一定程度上有其合理的意义，因为逻辑是法律思维的主要工具，它在撇开思维的个别具体内容的条件下研究多种不同种类的判断、推理的形式结构及其正确联系的规律，从许多个别的、具体的思维形式中抽取和概括出一般的逻辑形式、规律和规则。这些逻辑形式、规律和规则都是客观事物在人的主观意识中的反映，是通过人的千百万次实践的重复而在人的意识中固定下来的。逻辑自身的一些规律和要求对人的思维有客观的强制作用，是一切人所必须遵守的。如果违反了它们的逻辑要求，就会破坏思维的确定性、一贯性和论证性，引起思维的混乱。因此，形式逻辑是人们正确认识客观事物和论证思想的必要辅助工具，也自然是法律思维的主要工具。[1]

　　法律是由体系化的法律规范所构成的。法律规范的设立是需要遵循逻辑规律和形式要求的。法律规范的语句表述一般包括四个组成部分。其一，情况：规范生效的那种景况和场合。其二，条件：使规范得以成立的作为和前提。其三，法律主体：可以或必须施行法律行为的人。其四，法律行为：法律主体可以或必须施行的行为。法律规范是法的基本细胞，它是对人们的实际行为的一种概括，而不是实际行为本身。每一个具体的法律规范都是对同一种实际行为的概括，得出一种"行为模式"，即成为同一类实际行为的典型、范式。概括出来的"行为模式"，失去了实际行为各自独具的个体属性，而只剩下这一类行为的一般共性，实际行为被典型化、模式化。而形式逻辑正是要从诸多个别的、具体的思维形式中抽取和概括出一般的规则。因而法律规范的设

---

[1] 参见郝铁川："论逻辑思维与法律思维"，载《现代法学》1997年第3期。

定要遵循形式逻辑。

法律推理中逻辑的作用则更为突出。法律逻辑所研究的重要问题便是法律推理问题。因为法律推理本身的特征而使逻辑对之而言成为不可或缺的工具和方法。

第一，法律推理的特征就在于它致力于法律规则和法律判决的一致性（consistency）；这种对一致性的追求就包含这样的信念；法律应该平等地适用于所有受其制约的人；类似案件应同样对待。罗尔斯说："类似情况类似处理的准则有效地限制了法官及其他当权者的权限。这个准则迫使他们对他们参照有关法律规则和原则在人与人之间所作出的区分给出证明。"[1] 这种逻辑上的说明和证明在特殊的情况下，如果规则很复杂而需要解释的话，对一个专断判决的证明可能是容易的。但是随着案件的增多，给予带偏见的判决以听似有理的辩护就变得十分困难了。[2] "一致性的要求当然是适用于所有规则的解释和各种层次的证明，对歧视性的判决的合理论证最终变得更加难于形成，并且这样做的意图也不那么透人了。"[3] 法律推理所致力于获得的一致性追求必然离不开逻辑推理、论证的支持，在意识多元和观点纷呈的现代社会更是如此，而不用说即使是古希腊神明裁判也可以说反映了一种潜藏的一致性。[4]

---

[1] [美]约翰·罗尔斯：《正义论》，何怀宏等译，中国社会科学出版社1988年版，第227页。
[2] See John H. Farrar and Arthony M. Dugdale, *Introduction to Legal Method* (2nd ed.), Sweet & Maxwell, 1984, pp. 76~77.
[3] [美]罗尔斯：《正义论》，何怀宏等译，中国社会科学出版社1988年版，第227~228页。
[4] Harold J. Berman, "Legal Reasoning", in David L. Sills ed., *International Encyclopedia of the Social Sciences*, vol. 9~10, p. 199.

第二,伯尔曼说:"法律推理的特征同时又在于它致力于时间上的连续性(continuity);它查看过去的权威性依据,这些深置于先前宣布的规则和判决中,它力图以保持稳定性的方式来调整社会关系。"[1] 法律推理对传统和过去的依赖性,决定了它的大前提必然是这些权威性的典据,而这些典据则是社会和法律所认可和形成的。这样,逻辑的作用便有助于法律推理获得这种时间上的连续性,实现法律的稳定性。

第三,法律推理本身是一种辩证推理;从其典型特征来说,它关注反论的分量,无论它们是发表于立法论辩中、法庭论辩中,还是其他类似场合中。因而法律推理离不开论证形式,而逻辑推理则是最有力量的论证形式之一。英国哲学家 G. 赖尔认为:"论证只有在逻辑上有说服力时,它们才会像武器一样有效"。[2]

故而,法律推理的这种基本特征便赋予它某种逻辑的要求。博登海默说:"否认或缩小形式逻辑在法律中的作用,也是不恰当的……形式逻辑是作为平等、公正执法的重要工具而起作用的。它要求法官始终如一地、不具偏见地执行法律命令。"[3] 针对有人认为演绎逻辑并不能解决法律秩序中最为棘手的问题,从而把逻辑与经验相互对立起来的行为,博氏正确地指出"逻辑和

---

[1] Harold J. Berman, "Legal Reasoning", in David L. Sills ed., *International Encyclopedia of the Social Sciences*, vol. 9~10, p. 198.

[2] See Kent Sinclair, "Legal Reasoning: In Search of an Adequate Theory of Argument", in Aulis Aarnio and Neil MacCormick ed., *Legal Reasoning II*, Dartmouth Publishing Company Limited, 1992, p. 15, note 34.

[3] [美] E. 博登海默:《法理学——法哲学及其方法》,邓正来等译,华夏出版社1987年版,第478页。

经验在行使司法职能时与其说是敌人,毋宁说是盟友"。[1] 而伦纳德·G.布宁则更是用这种说法避免将逻辑和经验完全对立起来:"即法律的生命不是逻辑,但是经验是由逻辑构造的。"[2] 形式逻辑本身所具有的"说理"、"推理"和"条理"的功能使之成为法律和法律推理的主要武器和工具。

三、逻辑至上论

逻辑在法律及法律适用中的地位和作用由于历史和社会的原因,曾一度被抬到了至高的地位,以致引起被耶林和庞德讥称为"概念法学"的兴起。他们极端地强调,所谓司法判决仅仅只是法官机械地把当事人讼争的事实归摄到法律条文之中的简单逻辑操作。概念法学的产生和出现源于德国的潘德克顿法学,尤其是从历史法学派的代表人物普希达(G. F. Puchta)开始概念法学逐渐地兴起,而德国法学家温特夏德(B. Windscheid)则把法律推理的逻辑自足观念推向顶峰。[3] 为了维持法律逻辑的一贯性、体系性,他们不顾社会事实,无视社会的或法律的目的,强调法律的逻辑推演和机械适用,他们竭力地要在司法推理中排除人性的作用因素。这是因为当时的德国处在资本主义经济稳定发展的时期,社会客观上要求有安定的法律秩序,要求预测的可能性和计划的可能性,要求维持社会的现状。而概念法学的主张正好适应这一历史时期对法律的要求。[4]

---

[1] [美] E. 博登海默:《法理学——法哲学及其方法》,邓正来等译,华夏出版社 1987 年版,第 479 页。
[2] 参见 [美] E. 博登海默:《法理学——法哲学及其方法》,邓正来等译,华夏出版社 1987 年版,第 479 页。
[3] 梁慧星:《民法解释学》,中国政法大学出版社 1995 年版,第 59~60 页。
[4] 梁慧星:《民法解释学》,中国政法大学出版社 1995 年版,第 59 页。

有关逻辑在法律推理中的作用问题，他们的看法归纳起来有如下几点：其一，法律是一个有体系、有逻辑一贯性的无缝之网，因而他们强调以逻辑推演的方法适用法律。例如普希达就试图将罗马法分解成许多法律概念、法律准则或较为一般性的规定，通过分析、归纳及演绎等方法，导出一般原理原则，构成一个上下之间层次分明、逻辑严密的法律秩序的体系。遇到任何法律问题，就必须将有关的法律概念纳入这一体系中，归纳演绎一番，即可获得解答，此与数学家以数字及抽象的符号，按照公式进行纯粹形式的操作，并无不同。[1] 温特夏德则以为，法官的职责，乃在于根据法律所建立的概念体系，作逻辑推演，遇有疑义时，则应探求立法者当时所存在的意思，予以解决。其二，对于法律解释，他们着重于形式逻辑的操作，即强调文义解释和体系解释方法，排除解释者对具体案件的利益衡量及考量。其三，他们否定法官的能动作用，将法官视为适用法律的机械，只能对立法者所制定的法规作三段论的逻辑操作，遇有疑义时亦应以立法者意思为依归，否定司法活动有造法的功能。[2]

四、逻辑怀疑论

概念法学把法律推理归纳为逻辑演算，把法律适用视为法官的机械复印，从而陷入了逻辑崇拜的淤泥中。由于社会的发展变化，20世纪的一系列新的政治、经济的纷繁多变，造成了逻辑至上论所建构的逻辑概念体系崩溃。此时，法学一改19世纪概念法学的封闭理想，而把目光投向了法律外的社会因素，在法律

---

[1] 参见（台）杨仁寿：《法学方法论》，台湾三民书局有限公司1994年版，第63～75页。
[2] 参见梁慧星：《民法解释学》，中国政法大学出版社1995年版，第62页。

适用过程中强调法律和利益衡量的重要性。此时，法学家们对逻辑在法律和法律推理中的地位表示质疑，逻辑怀疑论由此而出现。

怀疑论者常常反复地讲着这样一个故事。古印度有一个法律外行被任命为土著人纠纷的裁判者。当他感到裁判困难和担忧时，他去找他的法律界的朋友求教，他的朋友告诉他："运用你的常识，并且果敢地宣布你的决定"。在大多数情况下，有关何为公正、何为合理的问题他想当然地决定就足够了。但他的朋友补充说："永远不要讲理由，因为它们通常都将是错误的。"[1]他们用这个故事来说明，法律判决无需进行推理，更不用讲逻辑，法官仅凭直觉预感武断地作出裁决就足够了。

不容否认，法律推理区别于其他推理形式的原因在于它所关注的是具体法律行为，这一点决定了法律推理的实践性格。尽管将一般法律适用于具体案件的过程，总的可以看做一种演绎过程，但是其推论活动却是非常复杂的。[2]"除了事实认定方面，适用法律也往往是颇费踌躇的，究其理由，或者成文法的条文语意暧昧、可以二解，或者法律规范之间互相抵触、无所适从，或者对于某种具体的案件无明文，或者墨守成规就有悖情理、因而不得不法外通融，如此等等，不一而足。"[3]而且："即使在法律原文明确的场合，法律工作者也不可能像一架绞肉机，上面投

---

[1] John Dewey,"Logical Method and Law", in Aulis Aarnio and Neil MacCormick eds., *Legal Reasoning* Ⅱ, Dartmouth Publishing Company Limited,1992,p. 42.
[2] 雍琦："关于法律逻辑性质及走向的思考"，载《现代法学》1997年第5期。
[3] 季卫东："'应然'与'实然'的制度性结合"（代译序），载［英］麦考密克等：《制度法论》，周叶谦译，中国政法大学出版社1994年版，第2~3页。

入条文和事实的原料,下面输出判决的馅儿、保持着原色原味"。[1] 因而法律推理是不能简单地化约为形式的逻辑推导的。美国大法官霍姆斯(O. W. Holmes)在谈到这一点时说:"逻辑的方法和形式迎合了那种对明确性、对静止不变的渴望,这种渴望存在于所有人的心目中。但是确定性一般说来是幻想,静止不变也不是人类的命运。在逻辑形式的背后,存在着一种判断,涉及的是相互冲突的立法根据的相对价值和重要性;的确,这种判断常常是不清楚的和无意识的,但它却是整个过程的根基和核心所在。你们可以给任何结论披上逻辑的外衣……但是,你们为什么要这样做呢?"[2] 在这里,他把法官用以宣布其结论的逻辑形式视为掩盖其公共政策观点的帷幕。1881年霍姆斯说:"法律的生命不是逻辑而是经验。"[3] 他用"逻辑"来指"三段论"和"数学书本的公理及自然推论";他用"经验"来指"对社会的权宜之计的考虑"。[4]

就法学家们对形式逻辑在法律推理中的地位问题作出的批判而言,其理由可以归纳为以下几个方面。

首先,法律推理难以从形式上将其归入某种具体的演绎推理。将法律适用于具体案件而得出裁决的过程无法归入任何一种

---

[1] 季卫东:"追求效率的法理(代译序)",载〔美〕波斯纳:《法理学问题》,苏力译,中国政法大学出版社1994年版,第8页。
[2] O. W. Holmes,"The Path of the Law",10 *Harvard Law Review*,457,466 (1879).
[3] O. W. Holmes, "The Common Law", in Philip Shuchman ed., *Cohen and Cohen's Readings in Jurisprudence and Legal Philosophy*, Little, Brown and Company, 1979, p. 397.
[4] Harold J. Berman,"Legal Reasoning",in David L. Sills ed., *International Encyclopedia of the Social Sciences*,vol. 9~10,The Macmillan Company & The Free Press,1975,p. 198.

演绎推理形式，这就使得逻辑化的努力落空。我国法律逻辑学者雍琦教授认为，虽然"在法的推理和议论中，法律家通过其角色活动体现出来的最基本的思维方式，至今为止仍然是逻辑演绎",[1]但它只是总的表现为一种"演绎论证模式"，而不是现行形式逻辑教材中的任何一种逻辑推理形式。[2]奥地利制度法学派的代表人物魏因贝格尔把这种法律适用的推理过程概括为图一;[3]而台湾民法学者王泽鉴教授则表述为图二。[4]而这两种推理形式在逻辑学意义上而言："因其不但说不上是形式化的，更难以判定它是否具有有效性，因而对这样的演绎模式恐怕也是难于接受的。"[5]

法律规则　　T——〉R（具备T构成要件者适用R法律效果）
事实认定　　S＝T（待决案件事实符合T构成要件）
法律后果　　S——〉R（该待决案件事实适用R法律效果）
（图一）　　　　　　　　　（图二）

其次，因为法律推理的前提并不是给定的（given），因而构成该推理的大、小前提本身都含有某些不确定的因素，所以法律推理不可能是单纯而简单的逻辑推理。美国法学教授哈罗德·伯尔曼曾说："不管三段论逻辑在检验从给定前提推出结论的有效

---

[1] 季卫东："'应然'与'实然'的制度性结合"，载［英］麦考密克等：《制度法论》，周叶谦译，中国政法大学出版社1994年版，第2页。
[2] 雍琦："关于法律逻辑性质及走向的思考"，载《现代法学》1997年第5期。
[3] 参见［英］麦考密克、［奥］魏因贝格尔：《制度法论》，周叶谦译，中国政法大学出版社1994年版，第54页。
[4] 参见（台）王泽鉴：《民法实例研习·基础理论》，转引自梁慧星：《民法解释学》，中国政法大学出版社1995年版，第191页。
[5] 雍琦："关于法律逻辑性质及走向的思考"，载《现代法学》1997年第5期。

性方面多么有用,但是作为一种推理方法,在像法律这样的实践科学中,因该前提并非给定,而是必须创设的,故它是不充分的。"[1] 在这个创设前提的过程中,法律推理引入了对现实世界之实际情况的考虑与归纳。波斯纳说:"法律的自主性和客观性是通过将法律分析限制于形式这一层次上来保证的,在这一层次上法律分析所要求的仅仅是对法律观念之间关系的探讨。当法律的结果取决于关于世界的事实时,法律的自主性和客观性就受到了威胁。……逻辑推理是对概念间的关系的探讨。"[2] 这说明了逻辑对现实社会——尤其是以实践性格为特征的法律——而言,其局限性是不证自明的。

以下分别从法律推理的大、小前提以及二者的归摄活动来探讨这种局限性。

1. 法律规范是法律推理的大前提,虽然它一般都表现为命题形式,并且有着各自不同的逻辑结构,但它归根到底总是以某个法律概念为中心而展开的。

(1) 语言本身具有不确定性的局限性,往往会造成法律规范语言的模糊不清或者模棱两可的情况。语言是无限客体世界之上的有限的符号世界:"世界上的事物比用来描述它们的语词要多得多。"[3] 由于语词的有限性,常常不得不使诸多客体由一个语

---

[1] Harold J. Berman, "Legal Reasoning", in David L. Sills ed., *International Encyclopedia of the Social Sciences*, vol. 9~10, The Macmillan Company & The Free Press, 1975, p. 200.

[2] [美] 波斯纳,《法理学问题》,苏力译,中国政法大学出版社1994年版,第52页。

[3] Huntington Cairns, The Language of Jurisprudence, 转引自 [美] E. 博登海默:《法理学——法哲学及其方法》,邓正来等译,华夏出版社1987年版,第464页。

词来表征,这就使语言有极大的歧义性。当代德国著名哲学家维特根斯坦(Ludwig Wittgenstein)说:"字的含义表现在语言的使用过程中。"[1]而在认识主体这一方面来说,由于人们的认识结构的个人经验及利益不同,对同一语言往往无目的地或有目的地持不同的理解,这就使语言的歧义性得到了放大。对于客体之间无限事实的细微差别,语言无力以准确的方式将它们一一表现出来。[2]

(2)即使是表面上看来是非常确定的法律概念,其外延也并不如想象的那样清晰,它的边缘情况也往往是不十分明确和模糊的。这一个方面是由于人们在制定法律概念并对之加以规定的时候,通常考虑的都只是、也只能是能够说明这个特定概念的最为典型的情形。正如梁慧星教授所言,法律的概念的意义在其核心意义较为密集,人们对它们的意义不易产生分歧,但愈往其周围则其意义愈益稀薄;这是一个形象的比喻,它相当准确地阐明了法律开放结构或空框结构的基本情况。既然法律概念的边缘难免模糊不清,以它为中心构成的某项具体法律规范能否适用于某一具体案件,换句话说,某一案件事实能否通过司法归类活动将其纳入该法律概念所指称的范围,就会给人们的认识带来分歧。对该法律概念的解释不同,关于某项法律规定能否适用于某一具体案件的看法,当然也就不同。"一些相互不一致的规则可能都适用于同样的活动。在逻辑上讲,相互不一致的规则不能运用于同样的活动。法官有责任排除这些不一致性。但逻辑并不能告诉他

---

[1] [奥]维特根斯坦:《哲学研究》,汤潮、范光棣译,商务印书馆1992年版,第11页。
[2] 参见徐国栋:《民法基本原则解释》,中国政法大学出版社1992年版,第141页。

应当抛弃那条规则"。[1]

(3) 被视为大前提的法律规则总是要根据特殊情况来看是否适合作为前提条件。比如故意伤害应负殴伤的民事责任,这是英美法律的一条规则,但在法律实践中,这种规则须经多种辩护而作无限的类型化。例如自卫、财产保护、父权、免责、司法管辖不能、证据无效,等等,都使该规则不宜直接作为大前提。[2]此外,生活不断地提出新的情况,致使现存规则无法适用。法律规则是不断地创造和再创造的。[3]

2. 法律推理的小前提——特殊案件的事实——也并不是事先就简单地存在的,相反,客观发生的事实情况必须加以认知和描述。对案件事实的认定绝非简单的断定,而是包含着解释和评价的,需要有认定的理由或根据。美国经济分析法学派的代表人物波斯纳则说:"确定小前提——换言之,发现事实——经常很困难;发现事实并不是一个逻辑过程"。[4] 而任何一个具体案件,在事实方面总是生动、具体的:"两个案件在各个方面完全相同的情况几乎不存在"。[5] 不同的法官或律师因个人方面多种因素的不同,或者出自不同的考虑,即使对于同一案件也会侧重于"选择"不同方面的事实;更何况对案件事实的认定还要依赖于证据证明,特别是在运用间接证据证明案件事实时,还免不了

---

[1] [美]波斯纳:《法理学问题》,苏力译,中国政法大学出版社1994年版,第60页。
[2] Harold J. Berman, "Legal Reasoning", in David C. Sills ed., *International Encyclopedia of the Social Sciences*, vol. 9~10, the Macmillan Company and the Free Press, 1975, p. 198.
[3] Harold J. Berman, "Legal Reasoning", in David C. Sills ed., *International Encyclopedia of the Social Sciences*, vol. 9~10, the Macmillan Company and the Free Press, 1975, p. 198.
[4] [美]波斯纳:《法理学问题》,苏力译,中国政法大学出版社1994年版,第56页。
[5] 朱景文主编:《对西方法律传统的批判》,中国检察出版社1995年版,第351页。

要运用各种推理,其推理形式也不是像逻辑学家们要求的那样严格,更不能简单地用相关的推理规则作为判定它是否有效的标准。[1] 尤其是对比较复杂的案件某个方面事实的认定,法学家通常认为只要它"不存在合理怀疑",就得承认该认定成立。波斯纳则甚而认为"事实认定是概率的而不是确定的"。[2] 美国法学家哈罗德·伯尔曼教授亦说:"的确,案件的法律事实并不是些原始资料,而是那些经过挑选并按法律范畴分类的事实。"[3] 因此,这些事实并不是对过去所发生的事情的"客观如实"的精确反映,它们的形成和表述必然包含人们的主观解释和评价。正是在此意义上说,前提的形成和运作绝非形式逻辑之机械推算,更不是如 17 世纪英国自然法学派的代表人物霍布斯(Thomas Hobbes,1588~1679)所言:"推理就是一种计算,也就是将公认为标示或表明思想的普通名词所构成的序列相加减。"[4]

3. 在把该法律规范(作为大前提)适用于该特定案件事实(作为小前提)的过程则更不是一个单纯的形式逻辑推演活动。"既然它(结论)是一个负有责任的裁决,直接影响特定情况中的特定人们,因而它从来不是数学推理式的必然发生的,相反,它总是视判断活动而定的"。[5] 在法律的裁判活动中,法官和其

---

[1] 参见雍琦:"关于法律逻辑性质及走向的思考",载《现代法学》1997 年第 5 期。
[2] [美]波斯纳:《法理学问题》,苏力译,中国政法大学出版社 1994 年版,第 271 页。
[3] Harold J. Berman, "Legal Reasoning", in David L. Sills ed. *International Encyclopedia of the Social Sciences*, vol. 9~10, The Macmillan Company and The Free Press, 1975, p. 198.
[4] [英]霍布斯:《利维坦》,黎思复、黎廷弼译,商务印书馆 1985 年版,第 28 页。
[5] Harold J. Berman, "Legal Reasoning", in David L. Sills eds., *International Encyclopedia of the Social Sciences*, vol. 9~10, The Macmillan Company and The Free Press, 1975, p. 199.

他推理者往往除了要考虑形式推理的外表之外，更多地要考虑到判决将涉及的所有当事人以及社会对该裁决的作用与反作用等因素，对后者波斯纳则把它称之为"法律外因素"、"法律外部的世界"，即不属于法律规范本身的东西，而是在法律规范之外寻找判决理由。这些理由和根据可能出自道德和社会方面的考虑，也可能基于那些文化价值规范、贯穿于法律制度中的基本原则，显而易见的情势必要性以及占支配地位的公共政策方针。[1] 正因为这种推理所依据的理由是"法律外部的世界"，是以法官对立法意图和案件事实的评价为基础的，是同法官的价值观念相联系的，所以实质性的推理的特征就"在于它是实质性的，而不是形式上的"。[2]

即使在有明确的规则规定时，对它的适用也并不是必然发生的，正如德国哲学家康德所说："并没有规则来规定如何适用一条规则"。维特根斯坦也指出："坚守一条规则并不是逻辑的命令，因为规则并没有告诉你什么时候遵循它。"[3] 这就是说，并没有规则能提前肯定地告诉我们，就一个具体的法官（立法者，行政管理人员，等等）应当如何解决其所面临的特定案件，即使是我们能提前指出什么规则可适用该问题时也是如此。一旦得出结论，它常常能够以三段论的形式加以表述，然而在得出结论的过程中，大小前提往往是到最后才形成的。所以说，三段论并不是一种在法律推理中很有用的模版。它的功能只是表明某个推理

---

[1] [奥] 伊尔玛·塔曼鲁:《法律和法律外的正当理由》，转引自博登海默:《法理学——法哲学及其方法》，邓正来等译，华夏出版社1987年版，第484页。
[2] [美] E. 博登海默:《法理学——法哲学及其方法》，邓正来等译，华夏出版社1987年版，第483页。
[3] Wittgenstein, "Philosophical Investigations"，载 [美] 波斯纳:《法理学问题》，苏力译，中国政法大学出版社1994年版，第60页。

过程是正确的而不是确立这一过程的结果的真理性。针对逻辑决定论，美国大法官卡多佐反驳说："逻辑的指引力并非总是沿着单一方向的毫无阻碍的道路而发挥自己作用的。一个原则和判例按其逻辑限定前进往往会与另一个（亦按同样的逻辑限定进行的）原则和判例产生冲突，我们须在此中间作出选择，或者选择第三种情况（作为二者的结合）。……逻辑只是形式，而每个原则或判例都有自己的逻辑，以进行推导。然而，令我们感兴趣的是如何在一个逻辑与另一逻辑之间作出选择，从而实现其信念：他所选择的那个将会实现正义。"[1] 可见，这种得出结论的过程绝不是像霍布斯所言的："把法律和事实加起来以便找出私人行为中的是和非的过程。"[2]

从另一个方面而言，逻辑就像数学一样，探讨的是观念之间的关系而不是与事实的对应，所以它不能完全满足法学和法制的实践性格，因为法律制度不能不关心经验真理的问题。尽管法律推理的形式逻辑化提高了法学和判决的客观性："但未免忽视了法学的实践性格，实不足取。换言之，此种客观性，为一种'形式性'，非吾人所欲追求的'客观性'。"[3] 这种观点极力地主张："不能将法律规则适用于具体案件这一过程视为三段论推理，或其他任何演绎推理，因为一般法律规则和法律的具体陈述（如规定个人权利义务）的性质无所谓真假，它们本身之间或与事实的陈述之间没有逻辑关系，进而言之，它们不能充当演绎推理的前提或结论"，"这种观点根据逻辑学上的真与假，以有效演绎推

---

[1] B. N. Cardozo, "The Nature of the Judicial Process", in Edward Allen Kent ed., *Law and Philosophy*, Prentice-Hall Inc., 1970, p. 403.

[2] [英] 霍布斯：《利维坦》，黎思复等译，商务印书馆1985年版，第28页。

[3] （台）杨仁寿：《法学方法论》，台湾三民书局1994年版，第45页。

理和诸如同一律和矛盾律等逻辑关系的含义的严格界定为依据，在演绎推理范围内不仅排除了法律规则或法律陈述，而且排除了被视为逻辑关系制约的要素和被视为有效演绎推理的要素以及其他许多简洁形式"。[1]

五、法律逻辑的性质

上述关于司法判决的争议表明人们对法律逻辑之性质的认识有着极大的分歧。奥地利法学家魏因贝格尔教授对此曾作出这样的分析性评价："关于怎样才是解释规范逻辑的适当方法问题，存在远不是细微的意见分歧。有些人试图用纯粹的格言式的方法解释，通常是从程式逻辑体系加以类推；其他的研究者试图把规范逻辑的问题缩小到标准的、正式的叙述性论证；或者试图创立一种适当的规范逻辑，作为思想过程的一种合理的重新阐释，这种重新阐释是通过严格审查规范领域中的实际论证来进行的"。[2] 从总体上看，就逻辑的实际地位而言有怀疑论和演绎主义（或形式主义）之分。

首先，正如英国新分析实证主义法学派的代表人物哈特（H. L. A. Hart）教授所言，我们应该把关于司法判决到底是如何形成的描述与法律判决应该如何形成的描述区分开来。演绎主义者认为法律判决应严格依规则演绎而来，推理应保持三段论形式；怀疑论者则认为，形式逻辑（三段论）在法律推理过程中仅起次要作用，而经验、直觉、预感等非理性因素则具有很大的作

---

[1] [英] H. L. A. 哈特："法律推理问题"，载《法学译丛》1991年第5期。
[2] [英] 麦考密克、[奥] 魏因贝格尔：《制度法论》，周叶谦译，中国政法大学出版社1994年版，第58页。

用,形式逻辑只不过是后来的虚假表象,是愚弄人民的麻醉剂。[1] 重要的不是法院的判决到底是如何形成的,而是法院判决到底是如何说明和论证的。因此,如果逻辑在司法判决的推理和论证中起着很大的作用,那么我们就不能否认法律推理之逻辑化的要求和作用,法律推理的活动不能单纯依靠形式逻辑,绝不意味着形式逻辑在这一活动中根本无用,更不意味着这一过程中不存在逻辑。法律推理过程是个相当复杂的思维过程,而且主要表现在法庭的论辩活动和对判决正当性的论证过程中,其中当然免不了存在思维艺术、论辩技巧的问题,即法律适用中的逻辑问题。逻辑的一致性要求在法律适用中必须得到尊重和强调,关于这一点,卡多佐大法官曾说:"逻辑的一致性并不因为它不是一个至善而不再是一个善,除非某种充足的理由,我并不通过介绍不一致性、不相关性及人工例外来损坏法律结构的均衡。没有这种理由,我就必定是逻辑的……"。[2] J.杜威(John Dewey)则明确指出:"着眼于命题之最大普遍性和一致性的逻辑系统化是必不可少的,……它是一个改进、简便和明晰探究以获得具体决定的方法。……最为重要的是,法治应形成尽可能普遍化的逻辑体系。"[3]

其次,从另一个方面来看,法律推理活动中逻辑的要求必然有所限制,而不是万能的、机械的,甚而包括某种实质的推理

---

[1] David Kairys,"Legal Reasoning", *The Politics of Law:A Processive Critique*, 1982, p. 17.

[2] B. N. Cardozo,"The Nature of Judicial Process", in E. A. Kent ed., *Law and Philosophy:Readings in Legal Philosophy*, Prentice-Hall Inc., 1970, p. 400.

[3] John Dewey, "Logical Method and the Law", in Aulis Aarnio and D. N. MacCormick eds., *Legal Reasoning II*, Dartmouth Publishing Company Limited, 1992, p. 19.

（或称为辩证逻辑）。因而："夫法律逻辑仅系手段，而非目的，为手段而牺牲目的，或将手段视为目的，均属舍本逐末之举"。[1] 杜威亦言逻辑并不是最终的，它是工具性手段，而不是目的。在比利时哲学家佩雷尔曼看来，法律逻辑不仅仅指形式逻辑，而主要是价值判断，这就是说法律逻辑不仅仅是思维规律的科学，不仅仅是从形式方面去研究概念、判断和推理，而主要是研究其实质内容。因而法律逻辑既要关心和考察形式方面的要求和规律，还要关心和考虑法律适用的具体内容。澳大利亚法学家斯通说："逻辑演绎必须被下列考虑所柔化，即立法不会赞同一条忽视生活或者明显平等的实践需要的规则。"[2]

最后，正如波斯纳所言："法律寻求的是合理性证明的逻辑，而不仅仅是或主要不是发现的逻辑"，因而我们要注意发挥逻辑作为一种论辩工具的作用，从而来论证判决的正当性。正是因为法律推理的复杂性，所以法律逻辑不可能像数学家运用的演绎那么严格准确："法律总是吸引并奖励那些善于运用非形式逻辑的人们"。[3]

第二节 演绎的法律推理

一、形式的法律推理

上节通过分析逻辑在法律推理中的作用，我们明白，形式的

---

[1]（台）杨仁寿：《法学方法论》，台湾三民书局1994年版，第44页。
[2] Julis Stone, *Legal System and Lawyers' Reasoning*, Stanford University Press, 1964, p. 216.
[3]［美］波斯纳：《法理学问题》，苏力译，中国政法大学出版社1994年版，第572页。

法律推理有助于加强法律推理的形式合理性，因而对于法制的建设和法制的现代化具有极大的意义。逻辑的规则可以促使人们思维的合理化，因而司法预测论只是在某些情况下可能是正确的，但它们并不是理想的推理模式。重要的不是法官和其他法律工作者如何达到了法律的结论，而在于他们如何说明和论证其决定的合理性。结论的妥当性就成为法律推理的主要目标之一。它并不讲求结论和命题的必然为真。从这个意义上说，我们仍应该努力地探讨法律推理之标准逻辑形式，它们是一个好的法律工作者所必须遵循的。

　　法律制度常常具有自己独特的法律概念，从而进一步形成法律的规则和原则。正如在其他领域中一样，在法律领域中人类同样极大地追求法律的科学性质和品格，以求尽量减少人的主观任性对法律制度功能的危害。人类用比较抽象和概括的词语来规定人类的权利义务关系，形成稳定的法律秩序。当社会冲突一旦发生，不法行为的出现致使已有的法律秩序遭到破坏，人们（尤其是司法裁判者）便用原已制定好的规则和原则来评判和权衡这一具体的生活事实即可。这正是人类调整自己生活秩序的愿望所在。在这种法律适用过程中，人类所做的只是一种具体化的工作："把其法律效果中之抽象部分相应之具体事实代进去，例如：将人、时、地这些具体的事实代入法律效果中与之相应的部位。"[1] 正是由于法律的这种非人格性为法律的形式推理提供了基础。

---

[1] （台）黄茂荣：《法学方法与现代民法》，台湾大学法学丛书1993年版，第185页。

第三章 形式的法律推理

法律推理一般说来有两种形式，即类比推理和演绎推理。[1]前者在普通法国家运用得较多，后者在制定法国家运用得较多。但是由于目前案例在大陆法系国家中越来越重要，成文法则在英

---

[1] 笔者在这里并未把归纳推理视为法律推理的基本形式之一。归纳推理的确是人类思维活动的基本形式之一。正因为如此，有人试图用归纳推理来描述案例法国家的司法推理活动。在他们看来，对于判例法制度而言，演绎推理是不能令人接受的，因而用归纳推理来作为它的替代物。参见 Kent Sinclair, "Legal Reasoning: In Search of an Adequate Theory of Argument", in Aulis Aarnio and D. Neil MacCormick eds., *Legal Reasoning II*, Dartmouth Publishing Company Limited, 1992, p. 9. 如美国法律学家 G. Paton 说："与从一般规则出发相反，法官必须转向相关案例，去发现隐含于其中的一般规则。……两种方法的显著区别在于大前提的来源不同——演绎方法假定了它，而归纳方法要向下从具体情况中去发现它。"参见 G. Paton, *A Textbook of Jurisprudence*, The Clarendon Press, 1972, pp. 171~172. 我国学者沈宗灵先生亦认为："演绎推理是从一般到特殊的推理，归纳推理则是从特殊到一般的推理。在法律适用过程中运用归纳推理的典型是判例法制度。"沈宗灵主编：《法理学》，高等教育出版社 1994 年版，第 439~440 页。
　　对这一观点有许多批判者，他们认为把判例法国家的司法推理描述为归纳推理形式是一个"误导"："因为法院并不进行预测它将像过去一样进行裁判，但预测正是归纳的本质。"参见 Kent Sinclair, "Legal Reasoning: In Search of an Adequate Theory of Argument", in Aulis Aarnio and D. Neil MacCormick eds., *Legal Reasoning II*, Dartmouth Publishing Company Limited, p. 10. 英国法学家 R. Cross 则说："尽管案例法的司法推理与这些归纳过程之间有相似之处，这一点是显而易见的；但其间的差异是显著的，就足以使人怀疑把司法推理描述为归纳的恰当性。"参见 R. Cross, *Precedent in English Law*, 1968, p. 180.
　　我们认为，就作为司法判决的论证方法而言，两大法系给我们提供的主要是演绎推理和类比推理两种逻辑形式。归纳仅在发现一般规则方面具有一定的作用，但它仍无法满足司法判决之个体化的需求："仅此并未描述得出结论的过程。"参见 Kent Sinclair, "Legal Reasoning: In Search of an Adequate Theory of Argument", in Aulis Aarnio and D. Neil MacCormick ed., *Legal Reasoning II*, Dartmouth Publishing Company Limited, p. 9.

美法系国家中越来越重要,因此这种差别已大为缩小。所以并不排斥任何国家对这两种形式的结合使用。这两种形式对法律推理的合理化而言同等重要,因为我们利用这种形式可以把大量的法律材料组织起来,确定推理得以进行的适当起点,找出可以利用的相关材料,明确阐述所争论的问题。这样法律推理者就可以集中对案件和法律进行思考了。可以想象,任何法律论证如果不讲逻辑之说服力,单单诉诸情感或其他东西,那么它们就是不被理解和接受的。可见,对法律推理的研究不容否定或忽视其逻辑形式的重大意义。尽管如此,这些推理形式并不能保证法律论证的准确性。许多结构严谨的论证是错误的,因而"一种形式就像一个空瓶子:它们的用处在于其空无一物的空间。法律论证的正确性取决于法律推理的形式是如何加以填充内容的,取决于法律论证中所陈述的具体内容"。[1]

二、演绎法律推理及其特征

演绎推理是最常见、最重要的推理形式之一,它指由一般到特殊的推理,即根据一般性的知识推出关于特殊性的知识。由于是由一般到特殊,结论寓于前提之中,或者说结论与前提具有蕴涵关系。所以,它又是必然性的推理。只要前提真实,推理形式正确,结论就是必然真实的。演绎推理有多种形式,但对于法律实践而言,只有三段论形式的演绎推理具有较大意义。亚里士多德曾把三段论定义为:"一种言辞,在这种言辞里,如果提出一

---

[1] Steven J. Burton, *An Introduction to Law and Legal Reasoning*, 2nd ed., Little, Brown and Company, 1995, p. 25.

些已知的命题，则由这些命题必然得出与这些命题不同的其他东西"。[1] 人们时常举的一个三段论的推理例子是：

所有生物体终有一死
人是生物体
所以，人终有一死

在此图中，第一段代表大前提，第二段代表小前题，第三段则代表结论。从此可以看出，它是从一个共同概念联系着的两个性质的判断（大、小前提出发）推论出另一个性质的判断。大前提是一项一般规则，它描述了包含许多成员的一群人的情况，因而也就允许一种由该规则设定的把个体置于群体的结论（如下图）。而与此相反，类比推理一般从具体的例子出发，而无需这样的一般范畴。因此，类比推理的结论是一种判断性的事务，而演绎推理的结论是逻辑地从大小前提中产生出来的。

M是P（大前提）
S是M（小前提）
S是P（结论）

法律所运用的推理过程，在很大程度上是以含有不同专门性质的概念的规则与原则为基础的。在司法实践中，大多数的案件可以找到予以适用的规则，而且这种规则与其他规则不会产生冲突和矛盾。正如庞德所言："每天的实践表明，大量规则的适用，并不产生严重的问题。"一般说来，法院往往在查明当事人之间

---

[1] [古希腊]亚里士多德:《前分析篇》，转引自[美]E. 博登海默:《法理学——法哲学及其方法》，邓正来等译，华夏出版社1987年版，第471~472页。

所争议的事实以后就可以按照逻辑演绎过程把这些事实归摄（subsumption）于某规则之下。[1]当代英国法哲学家麦考密克也认为："在提出正当理由的过程中，演绎推理有时是完全可能的。"[2]他说："一个命题（辩论的结论）是其他某个或某些命题（论证的前题）中所默示的。一个演绎论证，不管前提和结论是什么内容，如果它的形式是它的前提事实上推出结论，那它就是有效的。任何人如果肯定前提同时又否认结论，那就成了自我矛盾。"[3]的确："演绎结构赋予法律论证以特征，并且给予它终极的说服力。"[4]我国学者也认为："在法律文化中，三段论推理模式仍然是基本模式。换言之，法官一般而言仅仅运用演绎推理便可以解决实践问题，法官通常是在查找和发现法律"。"这不仅是实际观察得出的结论，而且是法治价值要求的结果"。[5]

演绎推理和类比推理相比，具有以下几个方面的不同：其一，它是以规则而非案件为起点的推理。在案件出现以前，立法机关早已为之制定了法律规则，这也是法不溯及既往的要求。其

---

[1] 生活事实和法律事实之间还有着极大的差别，其中之一便在于生活事实须经过陈述（Assuage）之后，方可成为符合构成要件的法律事实。参见（台）黄茂荣："法律事实的认定"，载《台大法学论丛》1979年第2期。
[2] Neil MacCormick, *Legal Reasoning and Legal Theory*, Clarendon Press, 1978, p. 19.
[3] Neil MacCormick, *Legal Reasoning and Legal Theory*, Clarendon Press, 1978, pp. 21~22; Kent Sinclair, "Legal Reasoning: In Search of an Adequate Theory of Argument", in Aulis Aarnio and Neil MacCormick ed., *Legal Reasoning* Ⅱ, Dartmouth Publishing Company Limited, 1992, p. 15.
[4] Kent Sinclair, "Legal Reasoning: In Search of an Adequate Theory of Argument", in Aulis Aarnio and Neil MacCormick ed., *Legal Reasoning* Ⅱ, Dartmouth Publishing Company Limited, 1992, p. 15.
[5] 刘星：《法律是什么？——20世纪英美法理学批判阅读》，广东旅游出版社1997年版，第60页。

二，立法至上原则一般要求法官扮演一种从属于更具有民主特色的政府机构的角色。这便有两个方面的必然要求：一方面，成文的制定法在未经立法机关修改或废除以前，仍然具有原有的效力，法院无权在解释活动中重新制定这些规则；另一方面，法院也不能无视一项可以适用的制定法规则，因为在正常情况下它的效力等级要高于任何判例或先决案件。其三，由于制定法规则的静止不变而导致从规则的推理主要集中于规则解释问题。司法的任务便是根据规则所设定的类型对待决的案件进行分类。

由于演绎推理往往从公理出发，结论往往具有必真的性质而使人不得不接受。因而这种法律推理形式具有很大的作用。法律规则往往在法律制度中建立了法律的整个框架体系。这样就建立了一种指定法官所可能作出结论的详尽的分类方案。推理从既定的规则出发，就使法律具有了可操作性，从而使模糊的关于什么是"正义"等问题转变为具体的没有太大争议的问题。即使是在有争议的案件中，规则至少也能确定我们进行对话的基础。也就是说，法官只有在规则授权并且按照此授权时，才有责任下令给予救济。因而原告、被告和公诉人都有义务援引使他们的法律主张得到维护的法律规则。

三、演绎法律推理的基本过程

法律推理一般首先要求决定法律规则是什么，其次确定与规则有关的事实，最后将法律适用于事实。当然，这样的阶段划分是人为的，因为在具体的法律推理之中，推理者常常是在这些工作之间来回地摆动，相互地对比修正，这是一个反思性平衡调整的过程。

1. 演绎法律推理的第一步便是寻找和确定可以适用于该案的法律规则，从而用作这一推理方法的大前提。法律是有条件的假设,事实是小前提,结论是逻辑推导的必然结果。因而可以把法律规则描述为:"A"并且如果"B",非"C",那么就是"E"。举例来说:"A"是殴打;"B"是被殴打人受到的实际损失;"C"是正当防卫;"E"是获得赔偿的权利。法律规则是"A"+"B"="E"除非"C"。因而只要原告说出一个小前提:"被告打了我,使我受到 10 000 元的损失,并且被告不是正当防卫"。结论是:"原告有权从被告那里得到 10 000 元的赔偿。"[1]

由于每个法律体系都对各种社会情况进行分,从而作出相应的规定,所以,制定法规则所描述的是它们可以予以适用的一整批案件。因而,在大多数案件中,法律规则很容易就能加以适用。但实践情况并非如我们想象的那样简单。因为即便是明确无误的规则,经过细致的阅读和分析之后,我们常常会发现,这种感觉实在是一种误解。我们可以想象,一个律师在初次接待他的委托人时,他往往会查阅相关的法律法规,看看相关的法律规定是什么。当然,他在确定可以适用的规则之前,讨论往往是从一些事实开始的。这些事实完全是用普通的、非技术性的日常语言来加以陈述的,它们是对过去所发生的事(即生活事实)的一个初步的说明。在律师的思维中,他往往要先确定一项有理由加以适用的规则。然而,律师往往还是会发现该法律规则与所述事实之间有些或多或少的差距。因此,律师则不得不在更加详细的程度上寻找更多的事实,以便明确表述通过演绎推理得出结论的小前提。这个过程是一个相互回馈的反思性过程。所以有关一项具体法律规则适用的第一印象往往是会出差错的。对规则的理解是逐步深化和变更的。

---

[1] 参见宋冰编:《程序、正义与现代化——外国法学家在华演讲录》,中国政法大学出版社 1999 年版,第 330 页。

现在我们来看看这样一个案件：田某，男，15岁，系黑龙江省鸡西市鸡冠区团结煤矿临时工人。1994年9月30日被逮捕。1994年6月某日中午，被告人田某在鸡冠区煤矿附近，将上学路经此地的中学生王某、柏某、刘某（均系未成年人）截住，从地上捡起一根约2尺长的电缆线皮条，说："你们有没有钱？"三人说："没有"，田某举起皮条威胁三人。三人见状从衣兜里掏钱。柏某、刘某各掏出2角，田某见钱少便上前翻王某的衣兜，翻出3元钱。田某共计抢得3.4元。此后不久，田某又在煤矿附近手持皮条将骑车上学的中学生孙某、张某（均系未成年人）截住。田某对孙某说："你把裤腰带解下来！"孙说："解下来我系什么？"田某听后举起皮条抽打张某，张某躲过没打着。孙某见状说："你别打他，我给你。"田某上去把孙某的裤腰带（花7元买的）拽下来。次日，孙某的哥哥向田某说和，田某将裤腰带还给了孙某。鸡西市鸡冠区人民检察院以被告人田某犯抢劫罪向鸡冠区人民法院提起公诉。[1]

作为被告的辩护律师，他可能立即就会去查阅《刑法》（1979年旧刑法）的有关规定。《刑法》第五章规定的标题就是"侵犯财产罪"。根据其中第150条第1款的规定，相应的法律规则就是：如果以非法占有为目的，以暴力、胁迫或者其他方法使他人不能抗拒，强行将公私财物抢走的，那么就是构成抢劫罪的犯罪行为。事实表明，被告人田某使用暴力和以暴力相威胁，先后两次强迫他人当场交出钱物。律师可以发现，被告人是"以非法占有为目的"的，使用了"胁迫"手段，有"抢劫"的行为，因而，这一规则似乎可以适用于本案。

---

[1] 参见最高人民法院中国应用法学研究所编：《人民法院案例选》（总第19辑），人民法院出版社1997年版，第41～45页。

但是，这样的结论使辩护律师大为不满：被告人年仅15岁，且仅仅使用语言威胁和十分轻微的暴力，况且又仅仅抢了几元钱，就要让他承受"3年以上有期徒刑"？这种不满促使律师进一步地研究刑法，但他还是会发现，立法对构成抢劫罪的数额和情节没有作出限制性的规定。然而一个合格的律师最终会把注意力集中到《刑法》第10条的规定："……但是情节显著轻微危害不大的，不认为是犯罪"；以及《刑事诉讼法》第11条的规定，即有此情节的，"不追究刑事责任，已经追究的，应当撤销案件，或者不起诉，或者终止审理，或者宣告无罪"。这里，律师马上就会把相应的法律规则重新表述为："如果以非法占有为目的，以暴力、胁迫或者其他方法使他人不能抗拒，强行将公私财物抢走的，并且如果该行为构成犯罪而非一般违法行为的，那么就是构成抢劫罪的犯罪行为。"因而这里的争论点又集中到抢劫罪是否需要考虑数额和情节的问题上，集中到一般违法行为与犯罪的区别问题上。这就涉及事实的认定过程。

2. 演绎推理的第二步便是认定和陈述作为推理小前提的法律事实，即针对法律规则来对所认定的事实加以陈述。就上述田某抢劫一案而言，我们就要从上述法律规则所确定的要素进行认定和陈述，即从其主体身份、作案手段、选择对象、索取的钱物以及行为的后果来分析。根据我国的刑法理论，具有相当程度的社会危害性是犯罪的本质特征，而社会危害程度是由主客观多方面的因素决定的。认定某种违法行为是否构成犯罪，不能只从形式上看其是否符合某种犯罪的基本特征，还必须综合考察各方面的情节来判断其社会危害性是否达到了应受刑事处罚的犯罪程度。如果情节轻微危害不大，就属于一般违法行为而不构成犯罪。从上述几个方面来看，田某在很大程度上属于以大欺小、以强凌弱的流氓习气的表现，况且被告人仅仅使用语言威胁或者使用轻微暴力强行索要其他未成年人的生活用品和钱物。这些事实与上述法律规则中的"以暴力、胁迫或者其他方法使他人不能抗拒"的行为的区别在于:被告人的强制手段并不严重,索取行为比较有节制,抢得的财物又微不足道。可见这一事实陈述与规则中的第二个条件——如果该行为构成犯罪而非一般违法行为的——不符合。

什么是事实?"事实通常是指人们对客观存在或发生的事物、现象和过程的真实描述。"[1]这种事实有的可以用法律来加以规范,而有的则不需要用法律来加以规范和调整、或者说不适宜用法律来加以规范。这种属于法外空间的生活事实通常被认为不具有法律上的意义,亦即它们不引起法律效果。而那些能够引起法律效果的事实则是我们所称的法律事实。法律事实是法律规范所规定的,能够引起法律后果即法律关系产生、变更和消灭的现象。但是,就法律推理而言:"惟欲使该事项在法律的适用上能被纳进法律适用之三段论法中进行处理,该事项必须被转为'陈述'(Ausage)的形态,盖人类藉用语言(符号)进行思考,且法规范也藉用语言表现出来"。[2]

因此,我们在将人类的多种生活事实为了规范的目的而加以"陈述化"时,[3] 我们势必会将其中在规范方面无意义的部分加以剪除,然后再进一步评价其余部分的法律意义。对此,德国民法学者拉伦兹(Larenz)评价说:"为了能够将生活事实如其所发生般地进行规范上的评价,评价者首先必须以陈述的方式将它表

---

[1] 彭漪涟:《事实论》,上海社会科学院出版社1996年版,第59页。
[2] (台)黄茂荣:《法学方法与现代民法》,台湾大学法学丛书1982年版,第191页。
[3] 有的学者把此过程称为"范畴化"(categorization)过程,参见 K. J. Vandevelde, *Thinking Like a Lawyer*, Westview Press, 1996, p. 67.

现出来,并在该陈述中,把一切在规范之评价上有意义的部分不多不少地保留下来。至于那些事项在规范的评价上是有意义的,只能由对该生活事项可能有其适用性之法律规定探知。于是,评价者必须以所闻之生活事实为出发点,去审酌哪些法条可能对它有适用性,然后取向于这些法条之构成要件,将该生活事实陈述出来。此际,若不能顺利地将该生活事实涵摄到该构成要件中,则该评价者必须取向于该生活事实之具体情况,将这些法条具体化。以陈述的形态存在之生活事实,必须取向于评价者所将据之为评价标准的法条,才能被终极地描述出来。反之,这些法条也必须取向于所将评价之生活事实,才能被选出,而且于必要时能被进行适当的具体化。"[1]日本民法学者北川善太郎教授则直接指出:"在确切分析关连的事实和作出恰当的价值判断的基础上,把问题逻辑化,通过语言表现出来,这就是法的任务。"[2]

一般说来,任何案件的事实都能以多种方式的用语加以描述。有的和机械性规则相比较,适用起来会觉得轻而易举,毫无难处。比如说:"以非法占有为目的,秘密窃取公私财物的就构成盗窃罪"。而法院查明的事实表明,甲偷了乙的汽车,并意图占有这辆汽车。那么对甲盗窃的事实描述便与法律规则较好地结合起来了。但是,一旦某甲开走乙的汽车只是为了外出旅游一趟,并在他返回后,把汽车还给了乙。对此行为能用"盗窃"来加以描述吗?这时,这个事实的描述便可以形成两种形式。又比如说,甲、乙两家企业签订了买卖避孕套的合同,随后发生了争

---

[1] 转引自(台)黄茂荣:《法学方法与现代民法》台湾大学法学丛书1982年版,第190~191页。
[2] [日]北川善太郎:《日本民法体系》,李毅多、仇京春译,科学出版社1995年版,第3页。

第三章 形式的法律推理 109

议,甲方诉诸法院要求赔偿。如果甲方经营范围为经营塑料制品而非医药制品,那么乙方是否可以辩称,避孕套为医药制品,甲方超越了经营范围,所以他们所签订的合同为无效合同?对于上述事实可以用多种方式进行描述,而这一选择又以人的价值判断为基础。正如意大利法学家扎卡瑞亚(G. Zaccaria)教授所言:"规范事实和案件事实的归摄,不论是在法律解释中或是在法律论证中,该过程的核心事实上都在于价值判断,该价值判断一方面涉及规范和事实之间的相应关系;另一方面则是两案法律价值的相当。"[1]以下就1995年天津狗不理包子饮食(集团)公司诉哈尔滨天龙阁饭店、高渊侵犯商标专用权纠纷案说明对法律事实的判断过程。该案基本事实如下:1980年7月,天津狗不理饮食公司取得狗不理牌商标注册证。1991年1月7日被告高渊委托代理人与被告天龙阁饭店签订合作协议。1991年3月,被告天龙阁饭店开业后,即在该店门上方悬挂"正宗天津狗不理包子第四代传人高耀林、第五代传人高渊"为内容的牌匾,并聘请高渊为该店厨师。原告诉被告的行为侵犯商标专用权,请求法院判令两被告停止侵权行为,并在报纸上公开道歉及赔偿经济损失。[2]

对于同样的这一种行为,一、二审法院和再审人民法院的认定和判断却并不相同,并因而得出不同的结论。一、二审人民法院认为,两被告签订合作协议和制作、悬挂上述牌匾的行为是宣

---

[1] Giuseppe Zaccaria, "Analogy as Legal Reasoning—The Hermeneutic Foundation of the Analogy Procedure", in Patrick Nerhot ed., *Legal Knowledge and Analogy: Fragments of Legal Epistemology, Hermeneutics, and Linguistics*, Kluwer Academic Publishers, 1991, p. 49.

[2] 具体案情参见《中华人民共和国最高人民法院公报》1995年第1期,第25~26页。

传其作为"狗不理"创始人的传人的身份,而不是在包子或者类似商品上使用与原告注册商标相同或者近似的商标、商品名称或商品装潢,因而被告的行为并不构成侵权。

对于这同一种行为,再审人民法院则认为,被告高渊虽自称为"狗不理包子"创始人的后代,但其不享有"狗不理"商标的使用权,亦无权与天龙阁饭店签订有关"狗不理"商标权使用方面的协议。两被告制作并悬挂牌匾是为了经营饭店,不是为了宣传"狗不理"包子的传人。这是对同一事实或行为的另一种评价和另一种描述。因此,天龙阁饭店未经狗不理包子饮食公司的许可,擅自制作并使用"狗不理"商标,属于侵权行为。即违反了《商标法》第38条第1项规定的"未经注册商标所有人的许可,在同一种商品或者类似商品上使用与其注册商标相同或者近似商标的"商标侵权行为,构成了对原告商标专用权的侵害。

可见,对同一事实(行为)的认定和判断可能各个不同,但其评价仍应以社会之共同价值信念为基础,来判断其中所关涉的重要程度问题:即到底何者或哪些事实是较为重要的?美国依阿华大学的伯顿教授说:"法律推理含有由该行为环境所唤起的法律理由之分量的测量"。[1] 在本案中,再审法院认定,被告使用了"狗不理"这一商标是更为重要的,而相反,他宣传其为"狗不理"创始人的传人则并不是很重要的事实。这里,我们可以发现,法院并没有否定被告宣传其为"狗不理"创始人的传人这一事实本身,而是认为,二者相较,前者在本案中显得更为重要。必须指出的是,这样两种事实构成在逻辑上都是等值的,因而都可以形成完整的演绎推理的模式,其如下图示:

---

[1] Steven J. Burton, *Judging in Good Faith*, Little, Brown and Company, 1992, p. 29.

大前提：如果未经注册商标所有人许可而在同一种商品或者类似商品上使用与其注册商标相同或者近似商标的话，就侵犯了商标所有人的商标专用权，应承担侵权责任。
小前提1：高渊、天龙阁饭店制作、悬挂牌匾宣传其为"狗不理"包子的传人的身份。
小前提2：高渊、天龙阁饭店在包子或者类似商品上使用与原告注册商标相同或者近似的商标、商品名称或者商品装潢。
结　论1：高渊、天龙阁饭店并未侵犯商标专用权。
结　论2：高渊、天龙阁饭店侵犯了商标专用权。

3. 演绎法律推理的最后一步便是作出判断、推出结论。在对法律规则和法律事实都加以确立和认定之后，我们就要对二者的相互关系作出判断：作为小前提的事实陈述是否可以纳入大前提（法律规则）中，因而大前提的法律后果相应地适用或者不适用于该案。如在前述田某抢劫一案中，由于辩护律师否定了其事实部分与大前提的假设部分相符，也就推翻了鸡冠区人民检察院的公诉理由。不过，不容否认的是，这个过程中间有许多我们需要作出价值判断的地方。

演绎法律推理的这一步往往并不是一蹴而就的。法律规则（大前提）和法律事实（小前提）相互之间在事实的认定上有一个相互的回馈过程，解释学称之为"解释的循环论"。在这种过程中，评价者并不仅是来回地注视于法律规则与法律事实而已，该过程事实上是一个法律思维的过程。在该过程中，系争生活事实将被与规范相当地升华为陈述的形式，使之符合三段论的操作，并被据为小前提，而法律规则则被事实相当地具体化为针对该法律事实之大前提。由于该过程系为处理由该法律事实所引起的法律问题而产生，所以它也在这些法律问题获得终极的答案时,便告终结。由于我们对法律事实的认定必须根据法律规范,而法律规范的确定及其具体化必须取向于具体的法律事实,所以不仅在法律事实的认定上,而且在法律规范的确定上,法律事实的认定与法律规范之确立间皆有相互依存、决定和被决定的辩证关系,而共同构成法律适用的过程。[1]

四、演绎法律推理的缺陷

自从19世纪英国著名分析法学派的代表人物J.奥斯丁(John Austin,1790~1859)以来,许多法律评论者都认为,法律规则和法律判决都是从立法、先例或其他权威性命令中演绎出来的。他们的观念中暗含着这样的一个假定:所有的法律问题都可以从现行的法律规则推演出结论。美国著名法理学家富勒(Lon L. Fuller,1902~1978)则把它描述为:"19世纪的观点,假定了一个无缝的现行法律体系,从中通过演绎能获得每个案件的解决办法。"[2]这表现出法官仍受到旧实证主义法学思想的影响:"根据这种思想,裁决案件不过是通过归类活动把特定的法律规则'适用于'争议的事实"。而德、法等国最高法院往往喜欢给外界人士以这样的印象:"他们一调动逻辑上从大前提到小前提这根魔杖,判决就

---

[1] 关于这一问题,黄茂荣先生有较为详细的注解。德国民法学者Engish教授说:"对于法律条文而言,只有它那与具体案件有关的部分才是重要的,对于具体案件而言,只有它那与法律条文有关的部分才是重要的。"基于同样的见解,德国法哲学家A. Kaufmann说道,在法律适用的过程务使"法律规范与事理相符;法律事实与规范相符。"参见(台)黄茂荣:《法学方法与现代民法》,台湾大学法学论丛1982年版,第192页。

[2] L. Fuller, *Introduction to the Jurisprudence of Interests*, xix (M. Schoch ed., 1948), 转引自 Kent Sinclair, "Legal Reasoning: In Search of an Adequate Theory of Argument", in Aulis Aarnio and D. Neil MacCormick eds., *Legal Reasoning II*, Dartmouth Publishing Company Limited, 1992, p. 19.

从制定法的条文中跳出来。"[1]当代德国的著名比较法学者茨威格特教授认为,这种判决反映了100年前专制国家的传统,判决首先是以非个人名义作出,体现的是国家的行为,它在敬畏权威的公民面前炫耀法律的威严;因此,这种传统肯定不允许出现这种情况:即法官通过踌躇再三比较掂量该"案件"解决问题的具体办法的正反两方面意见,然后作出判决,而这种解决问题的具体办法不是出自纯粹的理性和冷酷的逻辑。[2]

这种近乎机械的审判模式同时受到以下几个方面的指责:[3]

(1) 这种方法必然排除了在三段论的前提选择中对正义和社会功利的考虑,大、小前提简单地由先前规定的法律文本和当前事实所构成。这种方法无视社会生活的实践,使得法律推理的妥当性大打折扣。

(2) 由于法官的作用仅限于把现行规则适用于其面前的事实,这种观念否定了有意义之变革的可能性,对新规则的创设或旧规则的积极修订没有作出任何规定。这便带来了法律的僵化与保守。

(3) 回答当前或先前案件的事实是什么这个问题往往有很大的困难。有些人[比如美国法学家瓦瑟斯楚姆(R. Wasserstrom)]认为,19世纪的机械观承认这样的观点:法院仅能把先前案件

---

[1] [德] K. 茨威格特、H. 克茨:《比较法总论》,潘汉典等译,贵州人民出版社1992年版,第467页。
[2] 参见 [德] K. 茨威格特、H. 克茨:《比较法总论》,潘汉典等译,贵州人民出版社1992年版,第467页。
[3] See Kent Sinclair, "Legal Reasoning: In Search of an Adequate Theory of Argument", in Aulis Aarnio and D. N. MacCormick eds., *Legal Reasoning* Ⅱ, Dartmouth Publishing Company Limited, 1992, pp. 14~15.

的规则适用于与先前判决相当的事实情况。[1] 这种描述肯定与法院的实际过程不相同,因为没有任何两个案件在所有细节方面都相像。因为世界上从来就没有两片完全相同的树叶。这一现实所造成的结果就给这种简单的机械适用带来了困难。由此可见,这种描述至少并未完全恰当地反映现实的司法推理情况。因而演绎的法律推理仍然只是一种理想,一种无法彻底实现的理想。

(4) 法律论证必然将遇到如何进行准确描述的问题,这是法律论证本身所固有的问题。即使我们假定可以找到法律规则,或者是其相对明确的表述,但在案件中的适用仍取决于对目前案件的事实描述。美国大法官霍姆斯(Holmes)曾说:"一般陈述并不决定具体案件。"[2] 我们一般把这种事实的描述过程视为一个非演绎的过程,因为其中有不少价值判断的主观因素介入,有些甚至是非理性的。

因此,想把该过程描述为一个纯粹的演绎方法注定就要失败。形成大前提的法律规则可能太繁多(甚或冲突、矛盾),事实性的小前提则常常充满疑虑。相比较而言,前者则更是令人头痛的因素。如果事实还可以以"是或不是"的形式来表述的话,那么法律的规则则常常充满了例外性的但书规定。因此,法律演绎推理方法中仍然充满了不确定性问题。

五、演绎法律推理的不确定性及其克服

(一)不确定性问题

演绎的法律推理中亦包含有大量的不确定性因素。法律规则

---

[1] R. Wasserstrom, "The Judicial Decision", in A. Guest ed., *Oxford Essays in Jurisprudence*, Clarendon Press, 1961, p.21.
[2] Locher v. New York, 198 U.S. 45, 76 (1905) (Holmes, dissenting).

和法律事实都是要以语言符号形式来加以陈述和表达的,因此语言本身所共同具有的问题必然困扰法律推理的过程。"具有而且仅有一种含义以致肯定指的是世上的某种事物的词语,如果有的话,数目也不会多"。[1]

大多数词语存在的问题是,在以下一个或多个方面缺乏清晰性:

第一,在于词语的含混笼统(vague),即每一个词语的应用范围或指涉的对象及意义缺少截然明确的界限时,或其范围太大而丧失了此语词的真正实际作用时,也就是说:"一个字或词的使用,其界限(boundary)或级距(range)或程度(degree)未经充分明确指出。"[2]诸如"不当"、"恰当"等用语即是。

第二,在于词语的歧义(ambiguity),即在自然语言中一个字词或语句同时具有多种意义,例如:"下雨天留客天留我不留",可有多种理解。正是由于语言的这些问题,使得法律工作者对法律规则和法律事实的理解与说明形成了分歧,因而产生了不确定性。

美国杰佛逊法学院教授范德维德(Vandevelde)说:"法律推理是不确定的,因为事实陈述部分往往是以一般性词语来表述的,以致律师无法肯定地确定它们是否包括委托人的情况。"[3]如果可以用两种以上方式来描述被告人和委托人的情况,法律推理过程的结果便完全取决于我们选择何种前提。尤其是当事实陈

---

[1] Steven J. Burton, *An Introduction to Law and Legal Reasoning*, Little, Brown and Company, 1995, p. 52.

[2] 杨士毅:《逻辑与人生——语言与谬误》,台北书林出版有限公司1987年版,第161页。

[3] K. Vandevelde, *Thinking Like a Lawyer: An Introduction to Legal Reasoning*, Westview Press, 1996, p. 68.

述部分采用诸如"合理"、"诚信"等法律标准时，不确定性的问题就更加突出。

（二）克服办法

如何解决演绎的法律推理中的不确定性呢？

第一种方法是通过使语言具体化工作来解决不确定性问题。正如以上所言，不确定性问题的根源之一在于规则语言具有概括性，以致人们无法确定其是否包括特殊情况的事实。换句话说，我们无法确定这些事实是否能按规则之要件进行描述和刻画。正因为如何描绘和刻画事实的问题根源于规则语言的普遍性和概括性，所以我们只能寻找到更加具体的规则，尤其是更为准确地规定其构成要件的规则，来解决这个困难。例如在前述田某抢劫一案中，我们通过逐步地把法律规则进行具体化，从而发现田某的行为与该法律规则中的某些要件不相符，因而也就逐步地推翻了一审法院的判决。尤其是当案件进入再审程序时，1995年5月2日最高人民法院颁布的《关于办理未成年人刑事案件适用法律的若干问题的解释》明确规定："已满14岁不满16岁的人出于以大欺小，以强凌弱，使用语言威胁或者使用轻微暴力强行索要其他未成年人的生活、学习用品或者钱财的"，可以不认为是犯罪。再审人民法院通过这一更加具体化的法律规则，认定被告人的行为不构成犯罪，宣告被告人无罪。可见，凡出于语言概括性产生的法律推理困难，可以相应地通过法律规则的具体化工作而克服。

第二种方法便是通过一系列的制定法解释规则来解决规则推理的不确定性问题。在司法实践中，法律工作者逐渐积累了大量的制定法解释规则，他们常常根据这些规则来对复杂的法律问题进行妥善的处理。我们"必须承认这些规则是司法经验的凝结，体现了许多实践的智慧"。[1] 这些着重于法律文本或条文分析的规则从一定程度上来说，增强了法律理解和适用的稳定性和一致性。这里，我们首先来看看以下几种较为重要的制定法解释规则。这些规则都力图通过查看文本本身来弄清制定法规则的真正含义，从而克服法律推理的适用困境。

(1) 不得忽略任一文字、词组和短语之规则。1940年，美国最高法院首席法官罗杰·泰勒仕谈到先法解释时说："在解释中，必须赋予美国宪法每一个字以应有效力和恰当含义。因为显然宪法中没有多余或累赘的字。……每一个细心酌斟的字都颇有分量，其效力和要旨都经周详考虑。因此，宪法文字无一多余或无用……"[2] 这种语义解释的方法往往是推理符合原法律规定的最基本保证。

(2) 明示其一即排斥其余规则。法律所列举的特指事项便意味着立法者有意排除了未列举的其他事项。如某古老的英国法规适用于"土地，房屋，……及煤矿"，没有提及除煤矿外的其他矿物，则虽然"土地"一词可广义解释为包括各种矿场，法院仍判定这法规不适用于煤矿以外的其他矿场。[3]

(3) 同类规则。当制定法文字含义不清时，附有具体文字的概括性文字之含义须根据具体文字所涉及的同类或同级事项来确定。当有专门限定的制定法文字附有概括性文字时，前者限定词的含义适用于后者。后者被确定只包括与被限定的前者相同的事项。例如：书报审查者获得法律授权审查"书籍、报刊及其他资

---

[1] 苏力："解释的难题：对几种法律文本解释方法的追问"，载《中国社会科学》1997年第4期。
[2] 转引自［美］詹姆斯·安修：《美国宪法解释与判例》，黎建飞译，中国政法大学出版社1994年版，第13页。
[3] 参见陈弘毅："当代西方法律解释学初探"，载《中国法学》1997年第3期。

料",那么他就仅有权审查与书籍和报纸相类似的其他资料。[1]他不能把审查的范围扩大到与书籍和报纸性质不同的其他材料。

(4) 特别规定优于一般规定的规则。这条规则可以帮助消除法律解释的冲突。"这是一条既定的规则:在法律或宪法中针对具体事项的特别规定,在适用于这一事项时优于一般规定,尽管后者在广义上也涉及这一事项,后者留待调整力所未及之处。"[2] 例如:《刑事诉讼法》第183条规定:"不服判决的上诉和抗诉的期限为10日……",但是《全国人民代表大会常务委员会关于迅速审判严重危害社会治安的犯罪分子的程序的决定》中又规定,杀人、强奸、抢劫、爆炸和其他严重危害公共安全应当判处死刑的案件,犯罪分子的上诉期限和人民检察院的抗诉期限为3日。那么,对某甲犯杀人罪,且被判处死刑的案件而言,其上诉或抗诉期限便适用后面的特殊规定,上诉或抗诉期限应为3日。[3]

(5) 黄金规则,此条规则可视为对以上文本解释原则的修正,以避免产生荒唐的结果。"根据黄金规则,一般来说,法律条文应按其字面的、文字的最惯用的意义来解释,但这不应是一成不变的,因为有一种例外情况,就是字面意义的应用会在某宗案件中产生极为不合理的、令人难以接受和信服的结果,我们也不能想象这个结果的出现会是立法机关订立这法律条文的意愿,在这种情况下,法院应采用变通的解释,毋须死板地依从字面上

---

[1] See K. Vandevelde, *Thinking Like a Lawyer*, Westview Press, 1996, p.71.
[2] [美]詹姆斯·安修:《美国宪法解释与判例》,黎建飞译,中国政法大学出版社1994年版,第21~22页。
[3] 参见祝铭山主编:《中国刑事诉讼法教程》,人民法院出版社1989年版,第224页。

的意义，藉以避免这种与公平不符的结果"。[1]

不过，这些专门的解释规则也具有不确定性特征。我们认为，尽管这些规则能够规范法律的解释活动，增强法律解释的客观性，但是由于以下两个方面的原因，对制定法文本的分析仍将是不确定的：

（1）这些解释规则仍旧是概括性的和一般性的，以致无法得出唯一的结论。比如：上述同类规则所举的书报审查例证中，律师们对所列事项的特征的看法并不一定完全一致，从而对法律授权审查的范围产生看法分歧。有的律师可能会认为，审查者可以审查的材料仅包括那些打印在纸张上的东西。这种观点便排除了审查者审查缩影胶片和计算机光盘的权力。而有的律师则认为审查的范围包括所有的以打印形式出现的材料，不论其是否是打印在纸张上。这种观点就把缩影胶片纳入了审查范围，但这一审查范围又排除了计算机光盘的审查。还有的律师则可能会认为，审查者有权审查任何现存的记录材料，而不管其以何种媒体出现。[2] 这三种观点都准确地描述和确定了书籍和报刊作为书包审查的对象，然而对"其他资料"一语则多有分歧。解释规则原本是为了解决规则语言的概括性和一般性的问题，但其自身却又成为了这一概括性和一般性问题的牺牲品。

（2）制定法解释规则有时是相互矛盾的，因而具有不确定性。美国法学家波斯纳曾指出，这些规则都是告诫性的，而不是

---

[1] 陈弘毅："当代西方法律解释学初探"，载《中国法学》1997年第3期。
[2] K. Vandevelde, *Thinking Like a Lawyer*, Westview Press, 1996, p.72.

定向性的；它们和一些生活格言一样，是经常对立和矛盾的。[1]关于这一点，美国哥大法学院的卢埃林曾指出，对于每一个制定法解释规则而言，似乎都可以说出与其相对立的另一个规则。[2]其具体说明如下：①"对于制定法不能超越其字面意义进行解释的规则与弥补字面之不足的规则"；②"在能够清楚地表达意图的场合，不保留解释的余地"的规则与"法院拥有探究不同于公开的真正目的的权能"的规则；③对于"文字简明、没有模糊性，就一定有效"的规则主张，可以反驳为"当逐字逐句的解释引向不合理的或者错误的结论时，就不应适用"的规则要求。[3]

造成这种情况的根源便在于在法律解释过程中如何对待法律的外在渊源，[4]即在多大程度上来考虑法律的外在渊源在法律推理中的作用。换句话说，这种冲突是根源于对规则语言和基本政策给予多大分量的矛盾。这种矛盾导致了制定法解释规则也只

---

[1] 转引自苏力："解释的难题：对几种法律文本解释方法的追问"，载《中国社会科学》1997年第4期。

[2] 参见［日］井上茂等：《法哲学》，日本青林书院新社1982年版，第266页。

[3] 正如维特根斯坦所指出的那样，坚持不坚持一条规则，坚持哪一条规则，这并不是一个逻辑的命令，因为规则并没有告诉你什么时候应当遵循它。"一条规则立在那就像一个路标——难道路标就能使我们毫不怀疑该走的方向吗？"参见［奥］维特根斯坦：《哲学研究》，汤潮、范光棣译，商务印书馆1992年版，第85页。

[4] "法律的外在渊源"是自然法学说和社会法学说所使用的概念，即指实在法律规则以外的法律考虑因素，比如自然法学说所说的"正义"、"公平"等，社会法学派所说的"利益衡量"和"社会政策"等。至少有两种外在渊源是法律解释应加以考虑的：一为立法史，力图按特定立法者的意图来解释该制定法；二为后来对何为公正、何为明智的理解，它则根据目前的正义或良好政策的观念来解释制定法。参见 Robert S. Summers, "Two Types of Substantive Reasons: The Core of a Theory of Common-law Justification", *Cornell Law Review*, vol. 63, No. 5, 1978, pp. 714～716.

能是在一定的程度上减少演绎法律推理的不确定性，而无法从根本上加以解决。但是，我们亦不能认为这些解释规则可以任意采用而毫无秩序。我国民法学者梁慧星先生说："虽然不能说各个解释方法之间有一种'固定不变的阶位关系'，但也不应认为多种解释方法杂然无序，可由解释者随意选择使用。其间应有某种大致的规律可循"。[1] 我国台湾学者黄茂荣便着力排出了一个大致的顺序：首先，以文义因素确定法律解释的活动范围；其次，以历史因素对范围进一步确定，并对法律的内容作一些提示；再次，依体系因素、目的因素发现、确定法规意旨，获得解释结果；最后，以合宪性因素予以复核。[2] 这样一来，解释规则便极大地促进了法律适用的安定性。

第三种方法是通过政策判断来解决演绎法律推理的不确定性问题。在演绎的法律推理中，我们无法保持其纯粹地走向单一的结论，机械式地判决方法从来就不可能完全实现。为了顺利地实现法律推理，我们就必不可少地要进行政策判断。例如在前述田某抢劫一案中，辩护律师和再审人民法院都强调了一个重要的刑事政策：对违法犯罪的未成年人实行教育、感化、挽救的方针政

---

[1] 梁慧星：《民法解释学》，中国政法大学出版社1995年版，第244页。但同时还有许多与此相反的主张，如苏力便认为"这些规则对法律解释用处并不很大"，其原因在于"司法中的所谓'解释'，就其根本来看不是一个解释问题，而是一个判断问题。司法的根本目的并不在于搞清楚文字的含义是什么，而在于判定什么样的决定是比较好的，是社会可以接受的"。参见苏力："解释的难题：对几种法律文本解释方法的追问"，载《中国社会科学》1997年第4期。此外，不同的见解还可以参见［美］波斯纳：《法理学问题》，苏力译，中国政法大学出版社1994年版，第185页；［法］勒内·达维德：《当代主要法律体系》，漆竹生译，上海译文出版社1984年版，第117页。

[2] 参见（台）黄茂荣：《法学方法与现代民法》，台湾大学法学论丛1982年版，第301页。

策。尽管都是"强行劫取他人财物",但我们仍把"语言威胁"与"胁迫"、"轻微暴力"与"暴力"区别开来。然而在这两对范畴之间,什么是它们的分界线呢?人们似乎很难区分。在实际生活当中,有些行为人,特别是未成年人,虽然强行劫取了他人财物,但其强制手段并不严重,索取行为比较有节制,抢得的财物又微不足道,就可以认为情节显著轻微危害不大,不认为是犯罪。这样的判断看来只有诉诸于法律适用者作出自己的判断和选择。为了使演绎的法律推理变得完整,我们必须通过判断重要程度来解决大小前提的不确定性问题。[1]

再例如,在上述的天津狗不理包子一案中,我们必须对其中哪些是较为重要的事实作出判断:到底是制作、悬挂牌匾宣传其为"狗不理"包子的传人身份重要呢,还是使用他人"狗不理"这一著名商标更为重要呢?这一判断决定着案件的最终审判结果。同样,我们可以利用近年发生的王海"知假买假"一案来说明这种判断过程。在王海作为"知假买假者"是否应受《消费者权益保护法》(以下简称《消法》)保护的问题上,人们的看法发生了分歧。商家可能以王海不是严格意义上的"消费者"而拒绝按《消法》双倍赔偿;而王海则认为其作为商品的购买者理所当然就是《消法》所意图保护的"消费者",故其应受该法第 49 条之保护,获得双倍赔偿。[2] 这样,争论点便集中于:王海知假买假,到底是不是《消法》中所规定的"消费者"。

对此,法学界和实务界有众多争论,但我觉得有一个很重要

---

[1] See Steven J. Burton, *An Introduction to Law and Legal Reasoning*, Little, Brown and Company, 1995, pp. 52~55.
[2] 参见李明发:"论欺诈消费者行为及增加赔偿责任",载《法律科学》1997 年第 6 期。

的问题往往被分析者所忽视。这是一个政策判断的过程，即与此有关可能涉及两个相关的政策目标需我们加以考虑：第一个是保护消费者的不受欺诈的权利的政策；第二个是不鼓励诉讼的司法政策。如果我们强调和突出前者，那么我们便可以得出结论，王海应受《消法》保护，有权根据《消法》第49条获得双倍赔偿。但如果我们强调息讼的目标政策，那么王海知假买假而挑起争端即为重要的事实，[1]因而王海不应受《消法》第49条保护。可见，仅有《消法》第2条对消费者的界定，即"消费者为生活消费需要购买、使用商品或者接受服务，其权益受本法保护"，是不够的。在发生新的情况下便产生了歧义和模糊。解决这些问题离不开法律以外各种考虑因素的介入，离不开人之主观价值判断，离不开对政策的分析。

第四种方法则为使用类比推理方法来解决演绎推理的不确定性问题。在一些场合中，法院有时很难将所发生的事实适当地纳入某条现行有效规则的语义框架之中。因此，法院为裁决该案件而不得不运用类推方法，从而克服演绎推理的不确定性问题，即"把某条含有适当的一般政策原理的有关规则或相似判例适用于该案件"。[2]目前由于判例在制定法国家司法中变得越来越重要，更给这种推理方法的广泛运用提供了可能性。

类比推理适用的具体操作过程如下：①明确法律某项规定订立之际，立法者或准立法者预想事件的利益状况；②然后解明立法者或准立法者预想事件的利益状况；③然后解明立法者或准立

---

[1] 王海正因为这一点而受到众多诸如"刁民"的非议，甚而有商家企图雇人暗杀他等。
[2] [美] E. 博登海默：《法理学——法哲学及其方法》，邓正来等译，华夏出版社1987年版，第471页。

法者最重视其中的什么利益要素，而赋予其法律效果；④分析待处理案件的利益状况，将其与上述法律规定中立法者或准立法者预想事件的利益状况作对比；⑤如何处理案件的利益状况，包含了立法者和准立法者预想事件最重要的利益要素，则准用该法律规定处理待处理案件。[1] 正是通过这样的作业，类推适用就使得原本不确定的法律推理变得相对确定。[2] 由于这个原因，我们认为演绎推理和类比推理两种方法的结合使用就是必然的，而且现代法制的发展也表明了这种趋势。

第三节 类比的法律推理

一、两大法系中的类比法律推理

在普通法系国家中，法律一般是法官们在他们的权限范围内通过以往的案件判决所构成的，它所形成的基础是一个个判例。这一点在他们的合同法、侵权行为法中表现得更为突出。不容否认，普通法国家由于社会复杂化等多种因素的影响，目前也越来越多地制定成文的法律和规则。但总的来说，其效力有时低于判例的作用，尤其是较具权威性的判例常常是决定性的。

在这种制度要求下，其核心的原则便是遵循先例（stare decisis）：如果相同的问题已经在以前的案件中得到裁决的话，在

---

[1] 参见梁慧星：《民法解释学》，中国政法大学出版社1995年版，第274页。
[2] 应当说明的是，笔者无意对我国新刑法废除类推的重大法学意义予以质疑。在此，我只是把类比推理作为克服演绎推理不确定性的一个补充方法；而且我们的探讨主要是以民法问题为中心的，刑法中的类推制度是应当严格禁止或废除的。基于这两点，我们仍把类比推理作为法律推理的一种基本形式。

以后同一效力范围内其他案件中对之不应加以重新考虑,除非情况的变化足以证明,改变法律是正当的。因而"既决的法律点通常是有约束力或有权威的,并且被称之为法定依据"。[1] 判例学说靠着这一原则,把先前判决的案件当做此后案件的判决依据。在这种理论观点下,推理主要是通过类比进行的,其基本要求是同类案件同样处理。

考察判例以遵循先例为原则。遵循先例的原则一般说来具有以下几个方面的意义。[2]

(1) 遵循先例原则给社会经济活动计划带来了确定性和预测性。这就使得社会交往活动的主体在经济贸易和安排事物上,能有可靠的把握,以免卷进经济诉讼之中。如果没有这样的预测性的话,人们便无法确定他们之间的权利、义务和责任,从而也无法确定他们所做的不会受到法律的制裁。宁静和秩序都是人类追求的目标,遵循先例原则恰好为实现这一目标奠定了基础。

(2) 判例是法律工作者进行法律推理和提供法律咨询的根据。19 世纪英国著名法学家威廉·琼斯(William Jones)曾说:"除非法院受先例的约束,否则不是律师的人便不会知道如何行事,而且在许多情形下,就是律师也不会知道如何给予咨询"。[3] 律师及其他法律工作者工作的基础是法院的判决活动有一些是带有规律性的东西,否则的话,他们对当事人就不会有任

---

[1] Steven J. Burton, *An Introduction to Law and Legal Reasoning*, Little, Brown and Company, 1995, p. 25.
[2] 参见 [美] E. 博登海默:《法理学——法哲学及其方法》,邓正来等译,华夏出版社 1987 年版,第 522~524 页;朱景文:《比较法导论》,中国检察出版社 1992 年版,第 256 页。
[3] 转引自 [美] E. 博登海默:《法理学——法哲学及其方法》,邓正来等译,华夏出版社 1987 年版,第 522~523 页。

何实际的意义。而判例就是这种规律性的客观保证。

（3）遵循先例原则有助于对法官之专断起到约束作用。人的活动（包括司法行为）总是难免会受到各种情感因素和社会环境的影响，而遵循先例之原则必定极大地对此加以克服。"人们之所以愿意将司法判例视为有约束力的，其中的一个主要原因便是，人们假定它们是以客观的法律为基础的并且是以不受主观偏爱和个人情感影响的推理为基础的"。[1]

（4）这一原则的优点还在于其经济性，即它可以提高司法业务的效率，从而促进有效的司法管理。遵循先例可以使法官在法院遇有相同问题时，能迅速地把握前提、作出判决，从而节约了时间和精力。因为重新思考相同的法律问题完全没有必要。法官如果不是借助于这些前人的司法经验，那么法官的时间将不得不大量地花费在一些最基本的甚至是毫无意义的探讨和争论上，从而最终把法官的使命瓦解。

（5）遵循先例原则的优越性还在于它所带来的平等性。所谓平等性，也就是说对同样的事实和行为进行同样处理，从而体现出司法的统一性。这种司法的平等性正是法制和正义的核心和灵魂。

美国著名法学家罗斯科·庞德（Roscoe Pound，1870～1964）在谈到英美法系的司法推理方式的认识论基础时指出："在普通法法律家富有特性的学说、思想和技术的背后，有一种重要的心态。这种心态是：习惯于具体地而不是抽象地观察事物，相信的是经验而不是抽象概念，宁可在经验的基础上按照每个案件中似乎正义所要求的从一个案件到下一个案件谨慎地行

---

[1] [美] E. 博登海默：《法理学——法哲学及其方法》，邓正来等译，华夏出版社1987年版，第523页。

进，而不是事事回头求助假设的一般概念，不指望从被一般公式化了的命题中演绎出自前案件的判决。……这种心态根源于那种根深蒂固的盎格鲁撒克逊的习惯，即当情况发生时才处理，而不是用抽象的具有普遍性的公式去预想情况"。[1] 应当指出的是，英美法系中类比推理往往是与区别技术相结合使用的。

但是这并不等于说类比推理就仅为判例制国家所使用。在大陆制定法系国家中，由于法典所固有的缺陷以及社会生活所必然具有的发展和变化特征，必然产生法律规定不清或压根就没有加以规定的事情，致使机械适用规则之不可能。而法官又不能借口法律没有规定而拒绝裁判。在这样的情况下，法律的类比推理的适用就在所难免了，尤其是在民事和经济案件中则更是如此。可见，在制定法国家中，法律的类比推理常常成为法律漏洞补充的一个手段："在法律所表现之文字缺少明确性的情况，欲求法律的正确适用，必须参考已有的案例而为推理。易言之，最初发生事件之内容，一旦有某一法律条文适用，则此一法律条文所适用之案例对以后类似之事件构成一种典型，即可准于以前法律之适用而对后来的发生之案件亦予以同一之适用。依案例而为之推理，最重要者在于发现前例与后例间之类似情况，亦即一旦发现前例与后例之间具有类似之情况，则无妨就前例所适用之法律适用于后例"。[2]

---

[1] 转引自〔德〕K. 茨威格特、H. 克茨：《比较法总论》，潘汉典等译，贵州人民出版社1992年版，第458页。
[2] （台）蔡墩铭：《审判心理学》，台湾水牛出版社1980年版，第701页。

二、类比法律推理的基本过程

(一) 日常类比推理与类比法律推理

法律工作者适用法律，论证判决的第二种方式是通过类比推理来进行的。类比推理是一种逻辑形式，其指由于两项至少在某一方面的相似因而可以推出其至少在另一方面也相类似。类比推理在日常非法律的场合司空见惯。

例如：母亲可能允许大儿子呆到晚上九点再睡觉，而小儿子则可能要求给予同样的对待，即也可以呆到晚上九点以后再上床睡觉。弟弟可能会认为，他们同样是儿子，因而应该受到同样的对待。但如果母亲拒绝小儿子的要求，并解释说哥哥比弟弟所需要的睡眠少，那她就是认为，在她的儿子之间有一种重大的区别。因而她认为他们应受到不同的对待。[1]

由此可见，进行类比推理往往首先，须找出一个进行推理的基本点，比如在上例中就是把哥哥的上床时间作为基本点。这种基本点一般是由一个事实和一个关于某人应做某事的决定相结合组成的。其次，要分析作为基本点的情况与待决情况的相同和不同的那些事实。在上例中相同的事实即二者均为其母亲的儿子（地位），而不同的事实则是年龄。最后，类比推理者必须判断这些事实上的相同点或不同点在一定情况下何者更为重要。如果说儿子的地位比年龄更为重要，那么该类比推理就意味着弟弟的上床时间也应该是晚上九点。反之，如果年龄更为重要，那么否定该类比就意味着较早的上床时间是合理和正当的。由此可见，类比推理也并非完全是抽象和独立的，相反，它更多地取决于具体

---

[1] 此例证的精妙分析参见 Steven J. Burton, *An Introduction to Law and Legal Reasoning*, Little, Brown and Company, 1995, pp. 26~27.

的环境和场合。在抽象的意义上问哥哥和弟弟是否相同或不相同是毫无意义的，因为二者既有相同的地方，又有不同的地方。只有在具体的场合（如争议上床时间的时候），问二者有何相同或不同才有意义。

类比的法律推理相对于日常的类比推理而言，则受到较多的法律制约，它必须采用严格的形式。在类比的法律推理中什么可以被视为推理的基本点，什么可以被视为更重要的事实相同点或不同点，法律及法律共同体都有严格的规定和限制。如果推理者违反，其行为一般会被视为不合理、不合法，因而遭到同行们的拒斥。但尽管如此，严格的类比推理并没有有效地制约对重要程度的判断问题：判定是类似性占主导地位，还是差异性占主导地位，这仍有可能被推理者任意地滥用，而留下了广泛自由裁量权的余地。根据学者们的意见，类比推理的基本模式大体上包括两种形式，其具体如下图。[1] 前者具有归纳式论证的逻辑结构，而后者则具有演绎式论证的逻辑结构。但是这样两种逻辑结构都包括了上面所谈到的三个步骤，因而以下的分析仍按照这三个步骤进行。

先例中 X 具有 A/B/C/D 属性，
目前案件 Y 具有 A/B/C 属性，
所以 Y 也按照 X 的判决处理。
（图示一）

X 规则适用于 A 案件，
B 案件在实质上与 A 案件类似，
所以 X 规则也可适用于 B 案件。
（图示二）

---

[1] 参见孙笑侠：《法的现象与观念》，群众出版社1995年版，第261页。

(二) 类比法律推理的过程

1. 考察判例，综合、确定法律。类比推理首先必须确定一个进行推理的基本点。在普通法系国家，由于判例学说的发展和成熟，他们逐渐地把在该管辖范围内的较高级法院过去的判决视为权威性依据，从而把它们视为特殊的基本点。也就是说，高级法院（尤其是最高法院）在过去所判决的案件中，对于各自管辖范围内以后案件的判决来说，是最权威性的判例。然而，如果其他案件较有影响，也可能在类比推理中充当具有说服力的基本点。例如在法律论证中，人们常常提出各种有说服力的国外案件或假设案件来充当论证的根据和论证的基点。[1]

为了详细地了解类比法律推理的运作情况，我们首先来看看所假设的三个判例和一个有待处理的争议案件。[2]

判例一：

乙某盗窃甲某的马并把它卖给丙某，丙某事先不知道也没有理由知道该马是从甲某那里偷窃的。甲某诉丙某，要求返还该马。甲某胜诉。我们可以简要地表示为：甲某→乙某盗窃→丙某善意购买。此案判决书所确立的普通法规则是：如果出卖人不具有出卖物的所有权，那么购买人并不取得该物的所有权，而且应当把该物返还给出卖物的合法所有人。

---

[1] 有的学者把这一类比方法称为"比较法解释方法"，参见梁慧星：《民法解释学》，中国政法大学出版社 1995 年版，第 232~236 页。

[2] 这些案例是美国法学家富勒首先提出的，后来伯顿教授加以了进一步的阐发。See Lon L. Fuller, "The Forms and Limits of Adjudication", 92 *Harv. L. Rev.* 353, 375~376 (1978); 以及 [美] 史蒂文·J. 伯顿：《法律和法律推理导论》，张志铭、解兴权译，中国政法大学出版社 1997 年版，第 38~49 页。

判例二：

乙某用伪造支票购买甲某的马，乙某知道该支票是假的。甲某把马交付给乙某之后发现了乙某的欺诈行为。甲某诉乙某，要求返还该马。甲某胜诉。我们可以简要地表示为：甲某→乙某欺诈。此案判决书所确立的普通法规则是：如果一个人通过欺诈的购买行为取得某财产，则其不能获得财产的所有权，而且必须把该财产返还给合法所有人。

判例三：

事实与判例二相同，只是乙某又把马卖给丙某。丙某知道乙某从甲某处购得该马，但她不知道也没有理由知道乙某支付的是伪造支票。甲某诉丙某，要求返还该马。丙某胜诉。简要表示为：甲某→乙某欺诈→丙某善意购买。这里法院的判决书就综合判例一和判例二的规则：如果财产的合法所有人因另一个人的过错行为而失去对该财产的占有，如果该过错行为是盗窃时，那么其有权从盗窃者或购买盗窃财产的第三方收回该财产。但是，这一规则仍无法证明本案的判决结论为正当。为此法院必须修改这一规则，尤其是判例一应该仅仅限于涉及盗窃行为的案件。本案事实是有关欺诈的过错行为，法院的决定是，欺诈和盗窃之间的差异是相当重要的，以至于必须有不同的结论，所以法院作出新的裁决。

争议案件：

案件事实与判例三相同，只是丙某从乙某处购得该马后又卖给了丁某。丁某曾听到乙某进行欺诈的传闻。甲某诉丁某,要求返还该马。可简要地表示为:甲某→乙某欺诈→丙某善意购买→丁某购买;丁某曾听说此欺诈。可以肯定地说,裁决本案需要考察上述三个相关的判例。

在普通法国家中,类比法律推理的形式可以有效地用来组织判决的争论点,从而有助于法律思维的合理性。例如在争议案件中,丁某曾听到过有关欺诈的传闻,他从一个善意的出卖人那里购买了该财产,而后者又是采取欺诈手段购得该财产的。那么,丁某的情况到底与上述三个判例的哪一个相像呢:更像是用欺诈手段购买(判例二),或者是像从盗窃者手中购买(判例一),还是更像在不知道也无理由知道盗窃行为的情况下,从一个用欺诈手段占有财产的人手中购买(判例三)。在案件的裁判过程中,往往会根据类比推理的形式,分析这些案件之间的类似点和不同点,最终确定案件的结果。这就是类似性探求的工作。

2. 类似性探求与区分。类比推理的第二步必须要对判例中的事实情况和待决情况进行对比,以找出它们的相同点和不同点。由于任何事情都是有差异的,因此,相同的事情总在某些方面存在着差异。法律工作者们有大量的技术来找出它们之间的相同点和不同点。法律工作者只有在首先对事实方面的相同点和不同点进行初步的比较后,才能在此基础上,判断到底是哪个重要。从原则上说,判例学说要求法官以下面三种方式之一去对待每一个相关的权威判例:遵循判例、区别对待、或者否决它。一个法官和一个律师在法律推理中不能无视一个相关的权威性判例。否则的话,他们的论证将会受到批判和反对。[1]

---

[1] 在美国,一个律师故意隐瞒相关的权威判例将会受到律师协会的纪律惩戒。See Model Rules of Professional Rule 3. 3 (a) (3) (1992).

在判例一与判例三中间，法院认为欺诈和盗窃之间的区分和差异是相当重要的，以至于必须赋予它们不同的结果。应当说，欺诈和盗窃在法律上都属于过错行为，有些方面是共同的。但在某些方面它们又有不同的一面：在普通法中间，欺诈只是一种民事过错，其不负刑事责任；而盗窃是一种刑事过错，要负刑事责任。在这些判例中，法院认为不同点比相同点重要，即使是对于后来的善意购买人来说也是如此。同此，甲某在所有这些案件中都是过错行为的受害人。然而争议案件在某些方面有别于这些判例。作为购买人的丁某曾听说过错行为，但她是从可以对抗原合法所有人的善意购买人手中购买的财物。作出这样的区分和比较之后，法院就要做类比法律推理的第三步工作——进行重要程度的判断。

3. 判断类似性的重要程度，决定是遵循判例，或者区别于判例。类比推理到底能否进行，必将取决于对系争案件与法定案型（或判例）之间的"类似性"程度的判断。那么到底到什么程度两案之间方具有"类似性"呢？对于这个问题，法学家们有不同的回答。[1]

（1）构成要件类似说。这是一种通说，该说的构成要件的比较为"类似性"认定的基础。比如说，假设有法定案型 A，其内涵特征可析述为 M_1、M_2、M_3、M_4、M_5 几点，系争案件 B 之内涵特征有 M_2、M_3、M_4、M_6、M_7 几点，相互比较就可以发现 A、B 两案有 M_2、M_3、M_4 三点共同特征，而且，如果说这三点特征在法律评价上对 A、B 两案均有重大意义，则可以认定两类具有"类似性"。

---

[1] 参见（台）黄建辉：《法律漏洞·类推适用》，蔚理法律出版社 1988 年版，第 110～120 页。

(2) 实质一致说。该主张认为"类似性"之认定应视系争法律规定之法定案型或判例与待决案件事实间是否具有"实质一致性",如果有就可以进行类比推理。但是,由于该主张仍没有提出所谓"实质一致"的具体标准,因而不易把握,所以这种主张似有不妥之处。

(3) 同一思想基础说。该主张要求比较系争案件事实与法定案型(或判例)事实间的思想基础,如果二者有"同一利益状态",亦即同具基本思想,那么就可以认定二者具有"类似性"。我们认为推理者确定"类似性"而为推理时,应加以综合考虑,而不应有所偏废。况且这些方法并不是完全对立的,相反,在大多数情况下它们可以共同发挥确定类似性的功能。

现在我们根据这些因素来判断上述争议案件到底是像判例二还是更像判例三。如果丁某是从善意购买人手中购买这一事实比丁某曾听到欺诈的传闻这一事实更重要的话,所争议案件可能就更像判例三。但如果丁某曾听到过欺诈的传闻这一事实比丁某是从善意购买人手中购买这一事实更重要的话,所争议案件可能就更像判例二。对这一问题,法官不可能脱离以往的法律经验来作出判断和回答,恰恰相反,他必须根据法律的目的来作出判断。判例二的法律目的强调对合法财产所有人的财产安全保障。判例三的法律目的强调促进财产的交易和增殖。判例三抑制了甲某的财产持有和增殖的权利,但丙某与他相比则处于更需要法律保护的地位。

在所争议案件中,法律应该加强对财产所有人和善意购买人的保护,以寻求增加社会财富。当这两种目标冲突时,法律就应当偏向于善意购买人的安全保障,即使原财产所有人曾经被骗。如果对善意购买人的侧重保护原则适用于争议案件,则丁某胜诉。因而丁某是从善意购买人手中购买这一事实就比曾听说有关欺诈的传闻这一事实更为重要。甲某不应该通过广为宣传和散布这一传闻来损害丙某售马的权利。况且，如果让其他购买者负担查清出卖物的所有权瑕疵义务，这就完全可能损害贸易。此外，甲某处于比丁某和丙某更便于防止欺诈的地位。因而，通过这种类比和判断，丁某和丙某更需要法律保护。

三、类比法律推理的特征

1. 类比推理强调对过去的尊重和服从。正如美国法哲学家瓦瑟斯楚姆（Richard Wasserstrom）所言，演绎推理和类比推理这两种方法都包含有对过去的同样尊重和服从。[1]"在这两种裁判制作中，都会有一种期望，即判决制作者并非简单地得出他认为是最好的结论，而是相反，他将服从该法律的权威性凭据"。[2] 这里，尊重是指对先前老一辈法官智慧和经验的尊重。美国法官布兰代斯曾精妙地说："在大多数情况下，事先确定可以适用的法律规则比正确地确定它更为重要得多"。[3]

2. 很显然，具体案件的判决必须与其他判决相一致。和谐和基于原则的一致性的要求是类比推理的根本。类比推理的基础是普遍性原则，它对于一般的实践话语问题和更为具体的法律话语（即平等的假定）而言都是必要的。德国著名民法学教授拉伦兹（Larenz）先生正确地指出，类比推理并非一个逻辑推理过

---

[1] Richard A. Wasserstrom, *The Judicial Decision: Toward a Theory of Legal Justification*, Stanford University Press, 1961, p. 121.
[2] F. Schauer and W. Sinnoff-Armstrong, *The Philosophy of Law*, Harcourt Brau Colledge Publishers, 1996, pp. 119~120.
[3] Burnet v. Coronado Oil and Gas Co., 285 U.S. 393, 406 (1932) (Brandies, J., dissenting).

程,而是一个对法律视为类似的事实情况的平等评价。[1] 当然,这种正义或平等只能是比例性正义,并不是指数理、形式上的平等。正如德国著名法哲学家拉德布鲁赫(G. Radbruch, 1878~1949)所言:"平等是在特定观点下由既有的相异求其平等"。也就是说:"在某特定观点上,斟酌各比较因素,比例求其协调性结果,以期臻达同类事物同等处理之理想"。[2] 由此可见,基于正义之理念,法律秩序有维持其统一性的必要,从而就某特定事项之规定而言,其他类似事项,亦应一体适用,始可维持法律秩序的安定。类推适用的必要由此不言而喻。

3. 类比推理着眼于殊相(即具体个案),因而它强调对具体争议的处理。美国法学家霍姆斯曾这样说,普通法法院"首先判决案件,而后确定原则"。观念是从细节材料中产生,而并不是从上面增加于它们的。在此意义上说类比推理与其他推理形式不一样,它是一种"自下而上的"。[3] 尽管我们把注意力集中于殊相,但是类推者对个案的描述,不可避免地带有一般的理论抽象。因为每个案件似乎都含有独特性,以至于无法作出类比推理。我们可以把这些事实描述得更抽象,因而更概括,比如在产品责任案件中,我们可用"终极消费者"取代具体的"某某女士",用"制造者"取代"某某啤酒制造者"。但是在这样做时,我们已考虑到"为了方便的目的",以使何案可视为类似或何案是不同的。

---

[1] See P. Nerhot ed., *Legal Knowledge and Analogy*, Kluwer Academic Publishers, 1991, p. 55.

[2] 转引自(台)黄建辉:《法律漏洞·类推适用》,蔚理法律出版社 1988 年版,第 119 页。

[3] F. Schauer and W. Sinnoff-Armstrong, *The Philosophy of Law*, Harcourt Brau Colledge Publishers, 1996, p. 165.

4. 类比推理的非必真性，这是因为：

（1）就类比推论的逻辑结构来说，其采用的是间接推论的形式：M是P，S与M相似，故S是P。可见类比推理一般都是由特殊到特殊，由个别到个别的推理。其推理的前提均非全称命题，而系"特殊"、"个别"命题，亦即，其非以"全称命题"为前提，而系以"特称命题"为推理前提。由于类比推理是采用"特称命题"的推论，所以它的结论就不能保证是绝对的真实。我国台湾民法学者黄建辉先生正确地指出："不可将该结论奉为圭臬而一体适用于所有情况；从而吾人至多只可探求结论之妥当与否而不必在意结论之确真与否"。[1]

（2）类比推理的运作不能用完整的理论来解释其所得出的具体结果，不能完全用理论来说明其所作的那些判断。[2]比如说，当我们规定，某遗嘱执行人不能在指定他为遗嘱执行人以外的地方提起诉讼，按类推方法，这条规则可以被扩及某一遗产的管理人。[3]那么，我们无论如何都没有足以令人完全信服的完整理论来证明这样的类推就是必然合理、合法的。

（3）类比推理并不是单纯的逻辑运作，相反，它是一种创造性的认识活动。作为其推理基础的类似性判断涉及评价活动，因而其结论并非必真。一般地说，任何两个人、两个行为或两个事物都不会在所有的方面都相同。宣称两个人、两个行为或两个事物相同，并非宣称它们同一；假如同一，它们就不成其为二，就

---

[1] （台）黄建辉：《法律漏洞·类推适用》，蔚理法律出版社1988年版，第102～103页。

[2] F. Schauer and W. Sinnoff-Armstrong, *The Philosophy of Law*, Harcourt Brau Colledge Publishers, 1996, p. 165.

[3] 参见［美］E. 博登海默：《法理学——法哲学及其方法》，邓正来等译，华夏出版社1987年版，第475页。

根本无法进行比较和对比。也永远不会有任何两个人、两个行为或两个事物在所有事实方面都不相同，假如在所有事实方面都不相同，它们就不会两个都是人（行为或事物），对它们进行比较就毫无意义。因此，类比推理对于两种情况的相同点和不同点都需要细致的考虑。而其关键之处便在于判断其中是相同点还是不同点更为重要。[1] 这样的价值判断必然就是一种创造性的认识活动。

四、类比法律推理的不确定性及其克服

（一）不确定性的产生

如上面所述，法律推理者运用类比推理的主要问题在于确定判例与当前案件是否相似。如果它们是相同的，则推理者便称判例与当前案件类似，因而便得出两案应该有相同的法律后果的结论。但是："绝对不存在任何两个案件在所有的方面都同一。如果没有其他方面的，至少事情发生的日期和当事人的名姓是不相同的"。[2]

这样，从理论上说，每一个案件都有别于其他案件，因而没有什么需要遵循的判例。如果是允许所有的差别都成为区别于先例的基础，那么推理者将无法进行类比推理。从而，并非每个方面两者都是相同的，而仅仅是其中大多数或所有相关方面是相同的。这样，律师就必须确定哪些先例中具有决定性的事实，以至于它们可以用来决定当前案件的裁决。同样，法律工作者必须先根据多种因素来判断这一问题，这就难免不受各种非理性因素的

---

[1] Steven J. Burton, *An Introduction to Law and Legal Reasoning*, Little, Brown and Company, 1995, pp. 25~26.

[2] K. J. Vandevelde, *Thinking Like a Lawyer: An Introduction to Legal Reasoning*, Westview Press, 1996, p. 87.

影响，因而是不确定的。

一旦确定了上述决定性的事实后，法律工作者还必须判断后案的事实是否与前例中的那些事实相似。当然，这种确定不会是机械作出的。有经验的司法者往往能够通过改变描述事实语言的概括程度，来掌握两者相似与否的程度。正是由于语言的概括程度的差异这一点导致类比推理的不确定性。

这方面，我们可以看看原告甲某因跌到一个大约两英尺深的暗坑受伤而起诉土地所有人乙某的假设案件。[1] 经过调查，原告甲某的代理律师发现，有一个判例裁定，土地所有者有义务对其土地上10英尺深的暗坑作出警示标志。如果把两个案件都描述为包括"坑"的事实，即当事人跌入坑中受伤，那么两案就是类似的。如果我们更具体地把两案分别描述为一个2英尺的坑和一个10英尺的坑，它们就是不同的了。这两个案件就是有差异的，前例对后案便不适合。

通过用概括性程度较低的词语来描述案件事实，律师们往往就能指出案件之间的差别，达到区分的目的。如果用完全具体化的语言来描述，两个案件就总会是有区别的。但同时，如果我们用更概括的语词来描述事实的话，案件就会表现出更多的类似性。现在，我们假设原告律师并没有发现有关坑的判例，但找到一个判例曾裁定：土地所有人有义务对道路上危险的急坡作出警示。一个"坡"与"坑"当然是不同的事物，但律师可以用更为概括性的术语重新表述该判例的事实，从而达到消弥此差异的目的。这样，该判例裁决便可表述为，土地所有人有义务对其土地上所存在的"危险"作出警示，这里，危险包括了"坑"。通过

---

[1] 此案例的分析说明参见 K. J. Vandevelde, *Thinking like a lawyer: An Introduction to Legal Reasoning*, Westview Press, 1996, pp. 88~90.

用涵义更为广泛的词语来重新表述该判例的具体事实，从而包含了后案的事实，这样，律师就把两案描述为类似的，使前例的规则适用于后案。

由此可见，类比形式的法律推理同样遇到了演绎形式的法律推理中所具有的问题。后者的问题在于，由于规则只有概括性，而用多种方式来描述事实常常是可能的，这样，推理者便须从中来选择一个小前提，从而得出该规则或适用或不适用的结论。同样，类比推理的问题亦在于，通过操纵语言的概括性程度，推理者可以用多种方法来描述事实，从而得出两案相似或不相似的结论。这种活动便允许推理者在区别或遵从判例之间作出抉择。

正如英国法哲学家 H. L. A. 哈特教授所说："虽然同样案件同样对待，不同案件不同对待是公正理念的一个中心部分，但它本身是不完全的，在加以补充前，它无法为行为提供任何确定的指引……在决定什么相似点和不同点具有相关性前，同样案件同样对待必定还是一种空洞的形式。要充实这一形式，我们必须知道在什么时候为了眼前的目的案件将被看做是相同的，以及什么不同点是相关的"。[1] 类比推理的形式通过提供分析框架，识别推理的起点和组织法律的争论点，有效地促进了法律思考的合理性。但是，判断哪些事实更为重要，到底应该如何描述事实，这些仍旧是有待分析的问题。这种判断也带来了类比法律推理的不确定性。

（二）克服办法

如何克服这种不确定性呢？与演绎推理一样，类比推理中的不确定性问题同样要诉诸基本的政策判断。推理者必须确定，到底哪种事实描述会更好地促进判例所确定的政策。然而，正如在演绎推理中一样，政策的确立要求我们判断政策的重要性程度，

---

[1] H. L. A. Hart, *The Concept of Law*, Oxford University Press, 1961, p. 155.

以及目的和手段之间的相互关系。这也就是说,当推理者基于这些判断而必须决定,到底是把当前的案件描述为类似于先例会取得更大的政策利益,还是把其描述为不同于先例将取得更大的政策利益。如果是前者,那么推理者便须遵循判例;如果是后者,推理者便须区别于判例。

例如,前述先例裁定土地所有人对其土地上的暗坑负有警示他人的义务。这种裁决便体现了这两种冲突政策之间的协调,即防止伤害的政策与土地自由使用的政策。这个裁决必定是一种妥协,因为如果单独采用某个政策就会得出完全不同的结论。如果仅仅考虑防止伤害的政策,那么法院就可能会要求土地所有人填平险坑、消除该危险,因为这是防止伤害的最保险的方法。而如果仅仅考虑土地权自由使用的政策,法院就可能会免除土地所有人的所有义务。该先例裁决土地所有人有权保留土地上的暗坑,但又负有警示他人的义务。这种妥协在法院看来将获得最大的政策收益。设置警示标志仅对土地所有人的土地使用权有些微小的限制,但极大地促进了保护生命这一政策目标。但如果不要求设置警示标志,就可能允许潜在的严重生命威胁存在,而对土地所有人的支配权仅有极小的益处。因而法院赋予其警示的义务。

而现在对于新的有关急坡的案件而言,这一暗坑的先例,是应该遵循还是应该加以区别对待呢?这是推理者须加以决定的事。这就要求推理者利用先例中的政策判断来衡量当前案件的事实。在这种判断中,不论此危险是"坑"还是"坡",负有警示他人的责任是相同的。如果此坡与此坑具有相同危险,甚或更危险的话,判例所确立的政策判断,也就同样要求在急坡案件中土地所有人负有此警示的义务。

显而易见,把先前的判断适用于后来的案件事实并不是一个机械的过程。在此例中,法律推理者就必须评价急坡和暗坑的危险程度。这从其根本上而言是一种目的与手段之间相互关系的判断。这种判断主要依赖于直觉和经验等因人而异的因素。但是，这并不意味着这种结果完全是不确定的。"判断往往是在包括以上因素的具体环境下做出的，即诸如历史背景，作出判断的身份，判断所针对的事实，以及先前的司法判决等因素。……该环境制约（即使不是完全决定）那些能合理作出的判断的性质"。[1] 因而这种判断也具有其确定的一面。由此可见，由于不确定性根源于语言的概括性，根源于政策冲突的存在，因而克服类比推理不确定性的办法也只能从这两个方面入手，即通过语言的具体化和政策判断的客观化来解决问题。

第四节　结　语

法律推理基于对法的形式合理性的要求，从而决定它必须严格遵循逻辑的形式。这种逻辑形式在大陆制定法国家中明确地表现为演绎推理形式，而在英美普通法国家则明显地表现为类比推理形式。尽管如此，二者并非绝然二分，现代法制的发展往往使二者的结合使用成为必然。[2] 逻辑是法律推理用以组织法律材料，增强其说服力的有力工具，它帮助推理者确定推理的基点，找出相关的材料，明确表述争论点以集中思考，从而增加法律思考的合理性。

由此观之，逻辑方法有助于法律推理的合理化；有助于增强法律推理的可接受性；同时有助于增强法律推理的可预见性。逻

---

[1] K. J. Vandevelde, *Thinking Like a Lawyer*: *An Introduction to Legal Reasoning*, Westview Press, 1996, p. 90.
[2] 参见李步云："法的内容与形式"，载《法律科学》1997 年第 3 期。

辑方法是法律推理遵循法治原则的基本保障。法律推理对逻辑方法的要求根源于法律推理的一致性、连续性和论辩性这些特征。历史的发展往往正如黑格尔所言，是一种不断的否定之否定的过程。在对此问题的发展上亦同样如此，法学家们由概念法学而把"逻辑自足"奉为圭臬，而怀疑论者则把此信念视为孩童的"恋父情节"，法律推理的逻辑化永无实现之日。

逻辑方法在法律推理中的作用往往由于后者的实践性而大打折扣。法律为实践之学，法律推理的大小前提往往都依赖于推理者的主观认定，而这一过程又是以主体的价值判断和利益衡量为基础的。因此，推理的过程绝非机械的逻辑推导。相反，人的直觉、预感、常识等个人因素往往也参与发挥其作用。[1] 正是这些因素决定了法律的逻辑是具有其独特性格的"规范逻辑"。这种逻辑仍有待逻辑学家们进一步地深入研究和探讨。正是因为规范逻辑的独特性，法律推理的逻辑化努力才受到限制和挑战。无论是法律的演绎推理还是类比推理，其自身都包含某些不确定性因素。因此，法律推理离不开推理者对各因素的重要程度的判断。离不开推理者对相关政策因素和利益冲突的权衡、判断。而这些均超出了逻辑所能概括的范围，进入辩证推理的视域，这正是下一章所要探讨的问题。

---

[1] 参见苏力："反思法学的特点"，载《读书》1998年第1期，第26页。在一般日常谈话中："一个人的常识是指他良好的判断能力，指他没有反常之处——用俗话说，就是指他的'机伶'。在哲学方面，常识的意义就完全不同了，是指他所用的一种知识形式或思想范畴"。参见［美］威廉·詹姆士：《实用主义》，陈羽纶、孙瑞禾译，商务印书馆1979年版，第88～89页。在这里，笔者认为"常识"是指推理者用以理解新情况的一种知识形式或思想范畴，强调它在法律实践中的作用和地位。

第四章 辩证的法律推理

> 只有培养了对法的理解之后，法才有能力获得普遍性。在适用法律时会发生冲突，而这里法官的理智有它的地位，这一点是完全必然的，否则执行法律就会完全成为机械式的。
>
> ——［德］黑格尔

形式的法律推理能够极大地提高司法活动的水平，有效地保障法治原则的实现。但是不容否认的是，由于人类自身认识的非至上性和社会生活的纷繁复杂性，我们把法律建构成纯粹的逻辑体系，从而实现法律推理的完全机械化的努力注定会受挫。法律推理活动所独具的特征使新的推理形式——辩证推理——成为必要，尤其是在我们通称为"疑难案件"的情况中。如果说形式的法律推理保证的是形式正义或形式合理性，辩证的法律推理保证的则是实质正义或实质合理性。然而，这并不是说辩证推理就可以完全等同于"无法司法"，相反，它仍有其客观性基础；它所赖以进行的价值判断尽管是主观的，但绝对不是完全个人的。本章将对此进行分析和探讨。

第一节　法律逻辑体系的缺陷

一、理想的法律逻辑体系

随着自然科学的发展，人类的认识论开始发生了一种深刻的变革。这种变革首先体现在对人类认识对象的界定上。哲学家们认为，只有能加以经验描述的、可以重复的事物才能成为科学的对象，比如数学和实验。而诸如形而上学、神学等由于其构想那些虚假的东西，那些反复无常、毫无规律可循的东西，它们就不能成为科学的对象，也不能得出科学的知识。此外，随着笛卡尔哲学的兴起与发展，人们开始对人类的理性能力表示出怀疑和反叛。这种哲学观认为，所谓的"理性认识"也是靠不住的，我们唯一所能加以确定的就是数学所提供的知识以及科学归纳与经验的积累的知识。[1]

这股思潮反映到法学中来，首要的表现便是对法律推理的程式化、客观化要求。它要求法律推理如数学推演或科学归纳一样运作和进行。而有关有效性原则的形式逻辑规则便是这种法律推理所必须遵循的规则。在这种推理过程中，人们便要求有严格的权力分立形式：立法者制定法律规则，为法官提供既定的（given）前提；而法官只能机械地适用法律规则，它不得（扩大或缩小地）解释以适用法律；如果遇有疑难需要解释的话，则必须交

---

[1] 参见朱德生等：《西方认识论史纲》，江苏人民出版社1983年版，第109、170～172页。

诸立法机关去执行。[1]

在这种法治理想的蓝图中，人类假定了这样一个正式的理想体系：①在这样一个正式体系中，无论在现实生活中出现何种情况，该体系总会为之提供一个以作为大前提的、明确无疑的法律规则。而且这个规则有且只有一个，毫无含糊。人们对这一规则的表述都会作出相同的理解，而且它所涉及或支配的情况的范围也是确定无疑的。因而它必须消除一切含糊不清之处。②体系一致，命题之间毫无矛盾。[2]正如凯尔森所构想的规范体系一样，其中由基本规范合乎逻辑地推导出整个效力层次不同的法律命题。在这个体系中，各个命题都是相互衔接和协调的。[3]对同一个命题同时既肯定又予以否定的情况是不允许存在的。③体系完备，就这一体系中所表述的每一个命题来说，我们随时都能证明它们的真假，该体系提供了肯定的答复。该体系中不会出现宣称不可解决的问题。这三个条件都是形式主义的法律观所暗含的前提和要素，只有具备了这些前提，他们所构想的司法推理过程

---

[1] 法国于1790年依立法程序创设"破毁院"（Tribunal of Cassation），专司职禁绝司法解释之判决。拿破仑在完成其法典之后，则更是下令禁止人们注释其法典。参见（台）杨仁寿：《法学方法论》，台湾三民书局有限公司1985年版，第65页。

[2] 我国目前有一种主张建立完善的市场经济法律体系的观念，这一观念对该体系的要求是结构合理、部门齐全、内容良好、体系完备。参见李步云："现代法精神论纲"，载《法学》1997年第6期。这在一定程度上反映了这种理想体系的法律要求。其实，这几项要求都是不可能一劳永逸地实现的；即使有朝一日实现了，也很快会为新的情况所打破，这一体系是处于不断地运动发展中的。这倒不是人的什么过错，而是人的认识能力和外在世界复杂多变的根本属性所致。参见葛洪义、陈年冰："法的普遍性、确定性、合理性辨析"，载《法学研究》1997年第5期。

[3] [奥]凯尔森：《法与国家的一般理论》，沈宗灵译，中国大百科全书出版社1996年版，第126页。

才能如期地进行。[1]

二、法律逻辑体系的缺陷

然而现实的实践和司法的历史告诉我们,这种理想从来就未能真正地实现过,即使是在概念法学极为鼎盛的时代,法官们自认为他们是这样做的,情况也是如此。其理由在于法律逻辑体系有以下几个方面的缺陷或特征:

1. 模糊的不可消除性。从一定程度上说,我们可以实现形式逻辑的体系要求,比如我们完全创造出一个类似于数学语言的人工语言,并同时具有无可争议的解释和论证规则。这些是被视为程式化的演绎体系的数学和逻辑的主要任务。[2]然而,对人类来说,尤其是对像法律这样的实践科学来说,这种代价实在太大了,以致于它根本就没有办法实现。就法律的特征和人类事物本质的特点而言,这种模糊性是永远无法从根本上加以克服,并

---

[1] 参见 Chaim Perelman, *Justice, Law and Argument: Essays on Moral and Legal Reasoning*, D. Reidel Publishing Company, 1980, p. 137.

[2] 近年来对法律推理的人工智能化引起了国际社会的关注,这一研究反映了这种要求。Geoffrey Samuel, *The Foundations of Legal Reasoning*, Maklu, 1994, pp. 7~9; Martin Shulzer, "Legal Reasoning in 3—D", in *Proceedings of the First International Conference on Artificial Intelligence and Law*, 1987, pp. I~VI. 此外,法哲学家和逻辑学家们也尽量追求规范逻辑的形式化,从而促进了法信息学的诞生和发展,研究这一课题的主要有 Ota Bankowski et al. (eds.), *Informatics and the Foundations of Legal Reasoning*, Kluwer Academic Publishers, 1995, pp. 1~71. 魏因贝格尔后来亦认识到这种工作的困难或不足,而主动修改了他的研究初衷,转向法律的实践推论。参见 [英] 麦考密克、[奥] 魏因贝格尔:《制度法论》,中国政法大学出版社 1994 年版,第 58~59 页。

一劳永逸地解决的。[1]

2. 内在的不和谐性。理想的法律逻辑体系观设想了法律命题体系的和谐一致,法律命题之间是毫不矛盾的。的确,我们可以用一个很简单的方法来实现体系的和谐性,即如果有不和谐性,我们就放弃该体系而用另一个没有矛盾性的体系取而代之。然而,我们应该能清楚地知道,这并不能保证在其他场合某些不和谐性不会出现。正是因为如此,才有那么多的体系不断地被提出来,又不断地被修正、被抛弃。而这也正是体系和科学不断发展的内因和契机。所以说体系本身便具有内在的不和谐性。[2]这是任何理想体系都无法回避的现实,因为体系本身就是由人类创造的。

3. 体系的不完备性。一般说来,形式逻辑所要求的体系完备性只有在相当简单的体系中才能实现;而在即使是类似于初等代数的简单体系中,我们仍能发现它是不完备的,由此可见,我们并不能解决体系本身所提出的每一个问题。就总的趋势来说,每一个具有丰富表达方式的体系必然是不完备的。我们必然会发现,在每一个极为丰富的体系中必然包含有一些我们无法加以判定的命题,它们既不能被肯定地证明,也不能被证伪。其根源在于体系本身的复杂性。

---

[1] 人类认识的模糊性产生的哲学根源请参见李晓明:《模糊性:人类认识之谜》,人民出版社1985年版,第124页;[英]丹皮尔:《科学史》,李珩译,商务印书馆1975年版,第271页。徐国栋先生对法律之模糊性的产生原因归纳为:①作为法律载体的语言本身存在局限性;②客体运动的连续性和它们之间类属性态的不明晰性;③由于立法技术的失误,参见徐国栋:《民法基本原则解释》,中国政法大学出版社1992年版,第141~142页。这里,我认为更应强调法律的实践和目的性特点本身。

[2] Chaim Perelman, *Justtice, Law and Argument*, p. 137;参见[美]托马斯·S. 库恩:《必要的张力》,纪树立译,福建人民出版社1981年版,第222~236页。

三、法律推理的独特性

正如前面我们所分析的那样，法律推理的实践具有区别于形式逻辑推理的成分。这突出地表现为以下几个方面：

首先，法律推理的大、小前提（或各种前提）都是需要法官和当事人的理解、解释和举证来建构的，而不是什么"客观自明"、无须证明的东西。为何出现法律的诉讼？它们往往是因为争议双方各持不同的论据，对法律作出不同的解释，从而得出不同的结论之故。[1] 为何存在这种推理的差异呢？这乃是因为推理过程中注入了人的主观价值因素。正是这一点使得法律推理远离了科学推理、数学推理和分析性推理。"如果有使每个人（假如他不犯错误的话）都得出相同结论的规则，有从无可争议的前提进行推理的正确规则的话，我们就没有必要有法官的存在了"。[2] 因而，当事人或不同法官提出来的前提或规则都是存有疑问的，所推理得出来的结论便不会仅只有一个结论，此时我们便要求法官来进行裁决，并从而论证他自己的决定。

其次，法律体系的任务不仅在于维护现存的秩序，更为重要的是法律所关注的不仅仅是真理，而且还有公平、公正、合理等。这一点亦使法律推理区别于科学。与科学推理的确定性相反，法律推理的使命则在于提供较好的法律理由，用以说服法官自己的决定，说服当事人双方，说服法律共同体的其他成员。法

---

[1] Chaim Perelman, *Justice, Law and Argument*, pp. 143～144.
[2] 对法官所必须做出"真正的选择"问题，现代法理学家们大多有所认识和论述，参见 [美] E. 博登海默：《法理学——法哲学及其方法》，邓正来等译，华夏出版社 1987 年版，第 480 页；Edward H. Levi, "The Nature of Judicial Reasoning", in P. Shuchman ed., *Cohen and Cohen's Reading in Jurisprudence and Legal Philosophy*, Little, Brown and Company, 1979, pp. 262～264.

官在作判决时,他不能仅仅只以法律条文的字面含义来机械判决,他必须要考虑法律到底要保护什么价值或哪些价值,这个(些)价值与其他价值有什么冲突,哪个(些)价值更为重要,等等。所以法官不能简单地充当计算器,他必须面对价值冲突问题,他也不能简单地服从先前已作出的决定,他必须进行判断,即作出对当前案件的新判决。为此,他还必须为他的决定寻找法律理由。

例如在一个公园的门口有一个规定:"禁止车辆进入公园"。假定守门的是一位法官。他让一个手推童车的人进入园内,法官的推理理由是"手推童车不是这里所说的车辆",所以手推童车是可以进入公园的。他又让带了一辆电动车的儿童进入园内,理由是"车辆是指汽车或摩托车,即发出噪声、污染空气之类的东西"。在这里,他对车辆这个词作出解释,从而作出了不同的推理。接着他又让一辆救护车进入园内,抢救心脏病发作的人,他的推理理由则是"这是人力范围控制以外的情况"。在这里,法官不再是解释"车辆"一词,而是在透过法律条文的字面含义而追问法律的目的和价值,从而决定在冲突或竞争的价值之间何者更为重要,何者更应加以保护。[1]

最后,解决法律问题的时间紧迫性是法律推理放弃绝对真理

---

[1] 此例证取自 Chaim Perelman, *Justice, Law and Argument*, Springer, 1980, pp. 140~141. 中文介绍参见沈宗灵:《现代西方法理学》,北京大学出版社1992年版,第446页。此外,哈特还用这个例子来说明法律的空缺结构(open texture)的性质,参见 [英] 哈特:《法律的概念》,张文显等译,中国大百科全书出版社1996年版,第128~129页。

观的一个限制性因素,[1]从而使法律推理成为一种解决社会纠纷的工具和手段。比利时著名逻辑学家佩雷尔曼教授说:"法律逻辑并不是像我们通常所设想的,将形式逻辑运用于法律。我们所指的是供法学家,特别是供法官完成其任务之用的一些工具,方法论工具或智力手段"。因而法律推理的使命除了求真目的之外,更为重要的是,迅速而有说服力地解决纠纷,以尽快恢复被损坏的法律关系,恢复社会的秩序。[2]在司法活动中,我们并不像在科学实验中一样追求客观的、精密的真理,而是要通过法律的调整,建构一个有序而正义的美好社会。

由上观之,完全纯粹的逻辑体系对于法律推理而言无异于空谈,后者的独特性决定了前者会在实践面前遭到失败。社会纠纷的复杂多样与法律规则的静止不变、数量有限等矛盾永远无法彻底地被消除,人类必须探求新的、更为务实的、有效的法律推理方式,那就是辩证的法律推理形式。

---

[1] 波斯纳说,法官"没有纯粹思想者的大量时间,他不能等到证据到齐之后再做出结论"。参见[美]波斯纳:《法理学问题》,苏力译,中国政法大学出版社1994年版,第93页。

[2] 正是基于法律实践与诉讼程序的这种性质,波斯纳提出所谓的"市场真理观",即意图通过竞争发现事实,而"审判被当做一种由私人律师提出和支持的竞争性假设之间的争斗"。参见[美]波斯纳:《法理学问题》,苏力译,中国政法大学出版社1994年版,第262页。近年来在对我国司法审判制度改革的探讨中,有人对我国的一项基本法律原则提出了质疑:即"以事实为根据,以法律为准绳",他们认为无限求真的诉讼原则可能造成拖延诉讼、加大法院取证的责任,以及损及法律判决的既判力等多种弊端。这一分析揭示了我国诉讼历来重实体、轻程序的弊害,但同时又过激地否定了这一原则本身,试想法院审判完全以"市场真理"(强辩之辞)为根据则主观擅断的司法陋习将由此产生,这却是不容回避的现实。参见贺卫方等:"关于司法改革的对话",载刘军宁等主编:《市场社会与公共秩序》,三联书店1996年版,第153~154页。

第二节 辩证的法律推理

一、疑难案件的特征及其根源

(一) 疑难案件的特征

尽管在简易案件中不可避免地要面临一些价值判断或重要程度的判断问题,从而无法避免人的主观智识性判断,但是总的说来,简易案件一般可以通过法律的形式推理而得出结论。[1] 然而在司法实践当中,法律工作者更多地是要面对一些复杂案件。在这些案件中,法律推理者往往无法凭借已有的规则或判例而进行逻辑的推导;相反,他将不得不考虑更多的法律外因素。[2] 这些案件便是我们通常所称的疑难案件。

究竟什么样的案件可以称之为疑难案件,有哪几种形式的疑难案件,学者们有不同的理解。北京大学法理学教授沈宗灵先生从日常语言习惯出发,把疑难案件分为以下三种情况:①案件事实难以查证,案情复杂,从而认定事实困难;②法律规定的疑难,如无明文规定、规定模糊不清等;③有的则是案件事实和法律规定结合在一起的疑难案件。沈先生认为,就研究法律推理而论,

---

[1] Steven J. Burton, *An Introduction to Law and Legal Reasoning*, 1995, p. 77. 参见刘星:《法律是什么——20 世纪英美法理学批判阅读》,广东旅游出版社 1997 年版,第 62~63 页。

[2] 魏因贝格尔说:"除了逻辑的合理性之外,我们还在法理学中利用某些其他合理性标准。……这些超逻辑的的合理性来源于生活形式、程序理论以及和谐观念。逻辑的和超逻辑的合理性在法律工作者的推理、论证中同样重要。" See Ota Weinberger, "Objectivity and Rationality in Lawyer's Reasoning", in A. Peczenik et al. eds., *Theory of Legal Science*, D. Reidel Publishing Company, 1984, pp. 232、234.

我们所讲的疑难案件主要是指后两种情况,而前者并不直接涉及法律适用过程中的法律推理问题。[1] 而中山大学青年学者刘星先生则从疑难案件的产生原因上把它分为以下四种类型:①语言解释的疑难案件,即法律对案件有明确的规定,但因规则术语或概念显得模糊不清而难以处理;②处理结果有争议的疑难案件,即对于某些案件而言,严格地适用法律规定将会导致某些似乎不公正不合理的结果;③规则未规定的疑难案件,即案件由于法律规则的规定有漏洞,致使法律适用者无法从明确的规则前提中得出具体的处理结论;④规则规定相互冲突的疑难案件,即案件可以适用的规则有多个,而且多个规则之间相互冲突。[2]

疑难案件在中外各个社会中都大量地存在。例如西方法理学中经常探讨的发生在 1882 年美国纽约州的里格斯诉帕尔玛案(Riggs v. Palmer)。在该案中,A 是 B 所立遗嘱指定的遗产继承人,A 为阻止 B 改变遗嘱,将 B 杀害。由于当时纽约州的法律并未禁止 A 根据遗嘱获得此财产,所以法院在决定是否应当保留 A 的继承权的问题上感到十分为难,因为法律当时并未规定如果继承人为谋遗产故意杀害被继承人,则被继承人丧失继承权。但是,如果根据此遗嘱赋予杀人犯以继承权又与法官及公众的正义感、社会常识相违背。此案中,法官必须进行复杂的法律推理,方可解决此案。[3]

我国 1989 年曾发生了一起与此案多少有些相似的案件,即张

---

[1] 参见沈宗灵:"法律推理与法律适用",载《法学》1988 年第 5 期。
[2] 参见刘星:《法律是什么》,广东旅游出版社 1997 年版,第 62~63 页。
[3] 此案的各个角度的分析和说明可以参见 Steven J. Burton, *An Introduction to Law and Legal Reasoning*, Little, Brown and Company, 1995, pp. 122~124;
〔美〕德沃金:《法律帝国》,中国大百科全书出版社 1996 年版,第 14~19 页。

连起、张国莉诉张学珍损害赔偿纠纷案。[1] A 受雇为 B 拆除厂房，后厂房大梁中间折断，A 受伤感染，医治无效死亡。原告起诉 B，要求赔偿全部的经济损失，而 B 则辩称：死者 A 与 B 签写招工登记表时，同意"工伤概不负责"的招工条件。法院在处理此案时无法从合同协议规定而演绎式地推出结论。最后，法院不得不诉诸一般的社会责任感和社会正义观，认为："对劳动者实行劳动保护，在我国宪法中已有明文规定，这是劳动者所享有的权利，受国家法律的保护，任何个人和组织都不得任意侵犯。张学珍、徐广秋身为雇主，对雇员理应依法给予劳动保护，但他们却在招工登记表中注明'工伤概不负责'。这是违反宪法和有关劳动保护法规的，也严重违反了社会主义公德，对这种行为应认定为无效"。由此可见，法院诉诸一般的社会共识和道德情感说明，已超出了法律之形式逻辑范围，乃"动之以情，晓之以理"。此种说理和判决当然得到了社会和当事人的认同和接受。[2]

就上述两案可以看出，疑难案件一般具有以下两个方面的特征：其一，在法律规定和案件之间缺乏明确的、单一的逻辑关系，就案件而言，从法律规定出发可以推出若干结论；其二，从法律规定推出的若干结论之间没有明显的正误之分，各个结论都有其道理，通常来说，只能通过"选择"而不能通过"断定"决定取舍。[3] 法律推理者在此必然运用其价值判断，而不仅仅是进行单纯的逻辑判断。在里格斯诉帕尔玛案中，可以认为在法律

---

[1] 《最高人民法院公报》1989 年第 11 号（总第 17 号）。
[2] 参见梁慧星：《民法学说判例与立法研究》，中国政法大学出版社 1993 年版，第 270~283 页。
[3] See M. D. A. Freeman ed., *Lloyd's Introduction to Jurisprudence*, London Sweet & Chakwell, 1994, pp. 1277~1278；刘星：《法律是什么——20 世纪英美法理学批判阅读》，广东旅游出版社 1997 年版，第 62 页。

规定与该事实之间缺乏单一的逻辑关系。因为并没有什么法律明确规定遗嘱继承人如果杀害遗嘱人是否丧失继承权。有的法官认为法律应包含这样的含义，而有的法官则认为法律并未包含这样的含义，这两种看法都同样是有道理的，而作出判决就仅仅是一个判断、选择问题。在张连起、张国莉诉张学珍损害赔偿案中，严守合同和维护社会公德、保护劳动权在逻辑上同样是可能的，因为法律并未规定"禁止免除故意和重大过失的侵权行为责任"。正如审理两案的法官所认为的那样，在案中对法律和合同的理解有两可的情况，即两种理解或处理方案同样可能，同样是有道理的，如何判断取决于法官的看法。[1]

（二）疑难案件的产生根源

疑难案件是由多种原因造成的，但一般而言不外乎以下几个方面：

1. 法律语言的局限性造成了法律规则的模糊性，因而使其适用出现疑难：日常语言所使用的概念和表达有时似乎意思明确，有时似乎意思模糊，从而造成法律规则的语言同样有意思明确和意思不清两个方面的情况。[2]而且，"由于人们的认识结构、个人经验及利益不同，对同一语词往往无目的地或有目的地持不同的理解，这就使语言的歧义性得到放大"。[3]同时，有些法律规则使用一般性的不确定概念，如"合理"、"公正"等，则更具模糊性。

---

[1] 美国批判法学运动正是抓住法律推理这种两可性而对其司法制度、法治理论发起猛烈攻击，从而揭露资本主义法律制度的虚伪性，参见［美］戴维·凯尔瑞斯："法律推论"，载《中外法学》1990年第2期。
[2] 参见刘星：《法律是什么——20世纪英美法理学批判阅读》，广东旅游出版社1997年版，第63页。
[3] 徐国栋：《民法基本原则解释》，中国政法大学出版社1992年版，第141页。

2. 立法者思维的非至上性造成了立法者对未来情况的预见具有局限性。唯物辩证法认为人的思维是至上性与非至上性的统一。所谓人的思维的至上性，是指客观事物是可以认识的，从而与不可知论划清了界限。所谓人的思维的非至上性，是指人的认识能力又是有限的，人不是全知全能的，从而与唯心主义划清了界限。"从立法上来说，立法者的认识能力是有限的，他必然受到多种主观与客观条件的限制"。[1] 因而，立法者虽然要考虑社会上的各种实际情况以及各种可能性，但其总是无法穷尽所有的可能性。法律所规定的典型情况无法对社会现象包揽无遗。同时，随着立法的多样化，规则之间的冲突亦在所难免。这样，便会出现各种法律漏洞从而导致法律适用和推理中疑难案件的产生。

3. 法律规则的相对静止与社会现象的变化发展的内在矛盾造成了法律适用的困惑。法律应该相对稳定，而不能朝令夕改，这是法治的一项基本要求。然而，社会是日新月异的，社会现象层出不穷。因而法律的静止不变与社会的变化发展就出现了矛盾。正如刑法学家菲利在谈及刑事疑罪时所言："法律总是具有一定程度的粗糙和不足，因为它必须在基于过去的同时着眼未来，否则就不能预见未来可能发生的全部情况。现代社会变化之疾之大致使刑法即使经常修改也赶不上它的速度"。[2] 这种矛盾则会引发法律规则语言的模糊性和人们行为在认识上的多样性。同时，社会现象的变化发展本身也会引起法律适用者价值观念的变化与冲突。这样，最终导致疑难案件的产生。[3]

---

[1] 陈兴良：《刑法哲学》，中国政法大学出版社 1992 年版，第 587 页。

[2] [意] 菲利：《犯罪社会学》，郭建安译，中国人民公安大学出版社 1990 年版，第 125 页。

[3] 刘星：《法律是什么——20 世纪英美法理学批判阅读》，广东旅游出版社 1997 年版，第 65 页。

4. 法律规则的抽象性和概括性与社会现象的复杂性之间的矛盾造成了法律适用的疑难问题。"法律是应适用于个别事件的一种普遍规定"。[1] 因而，法律规则必须是有普遍约束力的规定，它的对象是一般的人和一般的行为，因而它具有抽象性和概括性。而另一方面，社会现象必然是复杂多样的，这是前者所无法完全加以涵盖的复杂性和多样性。洛克说："当我们用词把这样形成的抽象观念固定下来的时候，我们就有发生错误的危险"。[2] 由此决定了抽象概括的表述和具体事物之间不存在精确的有序排列的对应关系。这两者之间的差别亦可能造成疑难案件的出现。

（三）疑难案件中的法律推理

从以上疑难案件的特征和产生原因的分析中，我们可以知道，在疑难案件中，法律推理将是异常复杂的，单靠从法律规则的逻辑推导远不能完成判决的正当性证明的任务。对疑难案件如何判决，如何说明判决的理由，这些问题往往存在着激烈的争论，而且这种争论往往还以客观和中立的态度表现出来。

例如，在 Riggs v. Palmer 案中，法官们有以下几种不同的推论方法。

1. 形式主义的观点认为：其一，谋杀者已为刑事犯罪行为受罚，但这并不意味着他必然失去了继承遗产的民事权利。而根据纽约州的《遗嘱法》规定，遗嘱是有效的，遗嘱继承人被指定为 A（即杀人犯帕尔玛），而且最为重要的是该法没有明确规定杀害继承人的罪犯就应当丧失继承权，所以法律必须承认 A 获得遗产的民事权利。其二，剥夺公民的权利或给予其义务应以明确规定为基础，否则对其是不公正的；而且假设存在随时被权威

---

[1] [德] 黑格尔：《法哲学原理》，商务印书馆1961年版，第223页。
[2] 转引自 [英] 丹皮尔：《科学史》，李珩译，商务印书馆1975年版，第271页。

机构剥夺权利的可能性，一般公民显然不能正常地安排社会生活。其三，司法判决不应考虑法律外的价值判断与猜测，那么认为谋杀者在道德上是恶劣的，允许其继承遗产将变相鼓励此行径，以及认为被继承人肯定不愿把其财产交给杀害他的凶手等观念都是错误的。允许价值判断和猜测将危及法律的明确性、稳定性、中立性和客观性。其四，在该案中，法律的确有漏洞和不足，但完全可以而且应该留给立法机关来解决，法官作为法律的适用者不能具有权力改变法律的明确规定，否则，其权力的行使失去了政治上的正当性。

2. 相反的观点则认为：其一，所有的法律规定都有潜在的价值观念和基本原则。纽约州的《遗嘱法》规定的潜在价值观念和原则基础是允许人们自由处分自己的财产，尊重财产所有人真正的自由意志。其二，法律判决不能相互矛盾，在以往的判例中可以发现一个共同原则："不能因过错而获利"。这里，如果我们判决谋杀者 A 有继承权，便与这项原则产生矛盾；不仅如此，还会违背"相似情况相似处理"的原则。因而，蕴含于法律规定之中的背景原则不能不予以考虑。其三，谋杀行为不仅在道德上是恶的，而且在法律上违背了法律的原则，因而让谋杀者获得继承权不仅是道德正义的失败，而且是法律正义的失败。其四，立法机关在制定和修改法律时，为避免自相矛盾同样会考虑原则基础，在这个意义上，法院根据原则解决问题不会与立法方向产生不同，因而不存在"正当性考虑"所担心的立法与司法的矛盾。

从这些争论中我们可以发现，尽管他们都以中立和客观的外表而出现，但不容否认的是，他们在论证自己的主张时都没有采取纯粹客观观察的立场，相反，他们所采取的是一种价值评价的态度，因为他们的理由和证据并不来自可"客观证实"的现实材料,而是人的主观判断。[1] 正是因为这个原因,我们亦无法完全绝对地指出谁的观点就是正确的。在这种案件中,我们必须使用的法律推理因而是一种更为复杂的形式,即辩证推理。

二、辩证的法律推理及其必要性

(一)辩证推理

"辩证"(dialectic)一词来源于希腊语"dialegesthai"一词。它的原意是和他人讨论某事,并与之争论一个问题。一般来说,这种方法所运用的地方往往是双方或更多的参与者力图通过对话或者争论,通过有的人提出论据,而另一些人为其反论提出辩护,以最后获得真理。[2] 古希腊哲学家们将"对话的艺术"作为推理的一种方法。[3] 除此之外,人们后来又认为,一个人也有可能与他自己进行辩证式"对话":通过权衡相互冲突的观点和各自的优劣性,考虑它们各自的实践后果,通过彻底地估量与此

---

[1] 从哲学的意义上说,人的认识要完全与实体相符合是不可能的,因为人的认识对各种"事实材料"的把握是经过认识主体所固有的旧材料(旧观念)的"过滤"和"筛选"的,因而"我们的过去起着统觉(apperceive)与合作的作用,"新事实可以说是"煮熟了之后嵌进去的,或者是在旧事实的作料里煮烂了的"。这样,尽管人们以客观和中立的外表断言,但实质上都免不了受"前见"的影响。[美]威廉·詹姆士:《实用主义》,陈羽伦译,商务印书馆1979年版,第88页;亦请参见[德]海德格尔:《存在与时间》,陈嘉映等译,三联书店出版,第184~187页;殷鼎:《理解的命运》,三联书店1988年版,第254~255页;梁慧星:《民法解释学》,中国政法大学出版社1995年版,第122~124页。

[2] 这一"辩证"方法的典型表现首推柏拉图的《理想国》,全篇以苏格拉底为主要对话者,以进行各种形式的推理和论证,以使对方接受自己的观点。参见[古希腊]柏拉图:《理想国》,郭斌和、张竹明译,商务印书馆1986年版,第3页。

[3] [美]哈罗德·J.伯尔曼:《法律与革命——西方法律传统的形成》,贺卫方等译,中国大百科全书出版社1993年版,第159页。

问题有关的方方面面之后得出结论。[1] 这种对话与严格的、必然为真的命题论证相反，两人或两人以上对问题的辩证式讨论往往是在最佳条件下，在开明和不固执的氛围中进行的，它允许提出各种认真考虑的不同意见，允许自由地提出观点和接受观点，允许承认别人的观点和修正自己的立场。这种辩证是两个人以上的对话和争辩，但是，当一个人进行这样的"对话"时，它的各种规则和程序同样适用。比如法官就与自己争辩：双方所提出的论证中何方有相对的优越性，最后他须在对赞成或反对之间作出艰辛的考虑和思想斗争后作出他的选择和决定。

柏拉图的对话为辩证方法的有效利用提供了一个极好的例子，他对智识的研究采用了对话的形式，通过论证与反驳，以辩论的方式展开。争辩中的某些参与者往往首先提出一些论题或命题，然后柏拉图通过推理反驳他，以使听众相信论敌的态度没有合理性。但是有关辩证推理的理论化还是由亚里士多德来完成的。亚里士多德区分了证明的推理和辩证的推理，而认为"从普遍接受的意见出发进行的推理则是辩证的推理"。[2] 证明的推理是一种基本的推理形式，它是一种要求前提必须真实而且过程必须正确的一种推理。它的前提是已知的和不可辩驳的"基本原理"，它给我们提供的是必然的真理知识；而辩证推理乃是要寻求"一种答案，以解答有关在两种相互矛盾的陈述中应当接受何者的问题"。当在两个或两个以上可能存在的前提或基本原则间进行选择成为必要时，对一个问题的答案是否正确就会产生疑

---

[1] See Edgar Bodenheimer, "A Neglected Theory of Legal Reasoning", *Journal of Legal Education*, vol. 21, No. 4, 1969, p. 378.

[2] 参见郑文辉：《欧美逻辑学说史》，中山大学出版社1994年版，第30页。

问:"因为各方都有强有力的论据"。[1]"在这种情况下,我们必须通过对话、辩论、批判性研究,以及为维护一种观点而反对另一种观点的方法来发现最佳的答案"。[2] 由于不存在使结论具有必然性的无可辩驳的"基本原则",所以我们通常所能做的就只是通过提出似乎是有道理的、有说服力的、合理的论据去探索真理。而我们在提出论据和理由时,人们常常希望求助于民众的或大多数人的一般意见;我们也可以倾向于依赖社会上最负盛名和知识最为渊博的人的观点。[3]

辩证推理正是通过发挥人的实践理性的作用,从而克服上述逻辑体系的弊端,即模糊的不可消除性、内在的不和谐性及体系的不完备性。法律本身就是实践理性的一种,法律推理不能完全通过分析与科学来进行;相反,"法律作为实践理性赞美坚持法律推理中传统价值、方法和语汇而对系统性方法持怀疑态

---

[1] 以上参见[古希腊]亚里士多德:《新修辞学》,罗念生译,生活·读书·新知三联书店1991年版,第7~16页。
[2] Edgar Bodenheimer, "A Neglected Theory of Legal Reasoning", *Journal of Legal Education*, vol. 21, No. 4, 1969, p. 379.
[3] 亚里士多德认为,"修辞术是论辩术的对应物"是"一种能在任何一个问题上找出可能的说服方式的功能"。在他看来,尽管修辞学是辩证法的起源,但亚氏并不把辩证法视为修辞学的一种形式,这两个概念并不是同义词。修辞学的唯一目的就是在争讼中支持诉讼中的某一方,而不论其当事方理由的价值如何。就另一方面来说,辩证推理的高级形式还包括了"对真理的探求"。以上内容参见[古希腊]亚里士多德:《修辞学》,罗念生译,生活·读书·新知三联书店1991年版,第7~21页。

度".[1] 实践理性是人们用来做出实际选择或伦理选择的一些方法，同时确定实现这些目标的最佳手段。通过实践理性，人们可以确信某些无法为逻辑或精密观察所证明的事物。更为重要的是，实践理性有时也能得出像逻辑证明所能产生的那样高度的确定性。比如"从来没有任何人一顿饭吃下过一只成年大象"这一命题就具有极大的确定性。[2] 从这里我们可以发现，法律辩证推理的哲学基础在于直觉的确信无须证明。正是从这个意义上说，实践理性对法律推理的辩证方法具有极大的意义。[3]

（二）辩证法律推理之必要性

在因这些原因而产生的疑难案件中，法律推理常常不能完全根据形式逻辑规律而从法律规则中得出法律结论。其实，人们在法律中可以广泛地运用辩证推理的技术，但这一方法长期以来受到人们的排斥。其根源在于，人们往往把它视为纯粹意志性政策判决的合理化之帷幕，或者把它作为不合理的或者潜意识的价值偏好的修辞性伪装工具。[4] 在现代法治社会中，我们应该摒弃这一偏见，科学地运用法律的辩证推理这一技术。尤其是在以下

---

[1] ［美］波斯纳：《法理学问题》，苏力译，中国政法大学出版社 1994 年版，第 547 页。波斯纳强调"实践理性"（practical reason）概念中的三个方面：首先，深思熟虑居于中心位置，深思熟虑被理解为一种要求高品位个性和智力的研究判断模式；其次，亚里士多德式的实践理性的谨慎、深谋远虑、渐进的特点；最后，传统作为对理论性思考的矫正措施的重要性。

[2] 这一例子出自 P. D. Klein, *Certainty: A Refutation of Skepticism* 122 (1981), 转引自［美］波斯纳：《法理学问题》，苏力译，中国政法大学出版社 1994 年版，第 95 页。

[3] 英国法哲学家麦考密克在其著序言中坦言，他对法律推理分析所做的一切都是在 David Hume 之实践理性理论框架之内完成的。See Neil MacCormick, *Legal Reasoning and Legal Theory*, Clarendon Press, 1978, Preface.

[4] Edgar Bodenheimer, "A Neglected Theory of Legal Reasoning", *Journal of Legal Education*, vol. 21, No. 4, 1969, p. 381.

几种情况出现时，法官需要进行辩证的推理。[1]

（1）法律规定本身意义含糊不明，而且这种含糊不明并不是文字上的含糊不明。后者一般可以通过法律解释的技术予以解决。而前者系由于立法者有意要用的立法技术之故而造成的，在法学上一般称之为一般条款和不确定概念。不确定概念指内涵不确定，而且外延亦为开放的法律概念。这类概念在民法上犹如合理、不合理、公平、显失公平、善意、恶意、重大事由等，在刑法上犹如"或以其他非法方法"、"其他相似情形"、"或其他麻醉方法"等。这些概念又称为类型式概念或规范性概念。这些概念在适用于具体案件之前，须由法官评价地加以补充，使其具体化。一般条款指没有可能的文义，而且外延开放的法律规定，如诚实信用原则、公共秩序与善良风俗、权利滥用禁止、情事变更原则等。一般条款仅仅为法官指出了一个行进的方向，要他朝着这个方向去进行裁判，至于在这个方向上法官到底可以走多远，则让法官自己去判断。[2]在不确定的法律概念和一般条款的适用中，法官所做的不仅仅是狭义上的法律解释（即文义解释），而是属于一种新的创造性（constructive）建构，[3]是对法的目的或价值观的"解释"，这便属于辩证推理的范畴。

（2）由于法律规定具有某些漏洞，致使法律适用者无法从明确的法律规则前提中得出具体的处理结论，同时，这些案件又迫切需要加以解决，这就是"法律漏洞"或"法律空白"。出现这

---

[1] 参见沈宗灵主编：《法理学》，高等教育出版社1994年版，第443～444页。
[2] 梁慧星：《民法解释学》，中国政法大学出版社1995年版，第292～293页。
[3] 朱景文教授对Interpretation与Construction加以区分，参见朱景文：《比较法导论》，中国检察出版社1992年版，第252页。此外德沃金也专门提出了"建构性阐释"的概念，用以区别于对话性阐释或科学性阐释。参见[美]德沃金：《法律帝国》，李常青译，中国大百科全书出版社1996年版，第47页。

种情况有多种原因，它有可能是本应作法律规定，但由于某种原因而未加规定；它也可能是由于后来出现了新的情况，从而出现新的社会关系需要用法律加以调整，比如我国在企业改革中出现的股份制集团等均为新出现的事物；又比如"安乐死"近几年来也在我国出现，而法律仍未就此作出规定；再如由于科技的发展所带来的新的情况，如人工授精、电脑犯罪等。在这种情况下，法律适用者则要设计一个听起来似乎有道理的论证，以期它能获得广泛的同意，而这正是辩证推理所要完成的任务。

（3）法律规定本身可能相互冲突，而就案件而言，它可以适用这种规定，也可以适用另一种规定，法律适用者须在它们之间作出真正的选择。正如美国法理学教授博登海默所说："在这种性质的情形中，律师在试图劝使法院得出有利于其代理人的结论时，也不可避免地诉诸于辩证劝说法"。[1]

例如，我国人民法院近年来在审理破产案件时便遇到了法律规定冲突和"打架"的现象，给审判带来困难。《企业破产法》（试行）第28条第2款规定："已作为担保物的财产不属于破产财产；担保物的价款超过其所担保的债务数额的，超过部分属于破产财产"。第32条第1款规定："破产宣告前成立的有财产担保的债权，债权人享有就该担保物优先受偿的权利"。但国务院国发［1994］59号《国务院关于在若干城市试行国有企业破产有关问题的通知》第2条规定，企业破产时，企业依法取得的土地使用权有偿转让后，其所得首先用于破产企业的职工安置费用。这就对以土地使用权为担保的债权人的利益造成了冲击。国家经贸委、中国人民银行国经贸企［1996］492号《关于试行国

---

［1］［美］E.博登海默：《法理学——法哲学及其方法》，邓正来等译，华夏出版社1987年版，第480页。

有企业兼并破产中若干问题的通知》第 5 条规定："在实施企业破产中，首先要妥善安置破产企业职工，保持社会稳定。企业以土地使用权作为抵押物的，其转让所得首先用于破产企业的职工安置，对剩余部分抵押权人享有优先受偿的权利；处置土地使用权所得不足以安置职工的，不足部分依次从处置无抵押财产、其他抵押财产所得中拨付。"以上规定明确了一点，破产企业的职工安置问题是第一要义，其安置费用首先来自于土地使用权的有偿转让，无论是已抵押的还是未抵押的，如果不够再从处理国有企业有抵押或无抵押的财产所得中拨付，这一规定与《民法通则》、《担保法》、《企业破产法》的有关规定相冲突，致使法院在审理破产案时出现困境。[1] 法律适用者须对此进行各种考虑，并辅之以利益衡量，从而进行辩证推理，方可解决此类"选择"问题。

（4）当出现通常所说的"合法"与"合理"之间的矛盾，或者说，法官可以获得可适用的法律规定，但如果适用此规定则违背其意愿，而且带来严重的不正义时，法律适用者则往往需要进行辩证的推理活动。例如，在实行过错责任原则的时代，欧美各国的法律一般允许产品制造商通过定式合同免责。但随着 20 世纪的来临，法院一改初衷，对某些行业实行严格责任。在法院的判决中，他们一改法律或判例的规定，而直接诉诸人类的公平和正义感，同时亦强调实际和现实的必要性。法院在此情况下往往转而依靠某些非实证的法律渊源，比如公共政策、共同准则的变

---

〔1〕参见最高人民法院经济审判庭编：《经济审判资料选读》（第 1 辑），人民法院出版社 1997 年版，第 10～11 页。

化,社会正义感的升华。[1] 我国曾有这样一个案例反映了这一审判技术:某县邮件激增造成积压,邮电局乡邮管理员元某便与他人合股设立邮点收寄包裹,从中收取费用,总收入7.2万元,人称"邮电大王"。一审法院以邮电系国家专营,个人不得经营为由,判处元某投机倒把罪。二审法院则认为,元某的行为虽违反有关规定,但从发展经济和便利群众的政策角度来讲,其行为不但无社会危害性而且减轻了邮电局的工作压力,有利于经济发展和方便群众生活,是一种有益的社会行为。因而法院运用辩证推理方法撤销了一审判决。[2] 通过指出为新的裁决所取得的理想结果,使其获得对它的修正方式的同意。[3]

出现以上四种情况的任何之一,都将使法律适用者无法进行单纯的形式推理,从而进行逻辑的操作。"因为在这些情况下,或者是大前提含糊不明,或者是缺乏大前提,或者是有几个大前提,或者是原有大前提不合适,必须明确或另找一个大前提,这种思维活动就是实质推理,即根据一定的价值观来作出判断"。[4] 当然,一旦出现这种情况,解决纠纷的紧迫性不允许法官等到立法机关完善法制、解决这些情况之后再审理案件,因而他须就此作出法律适用。[5]

---

[1] 美国 Traynor 法官对 Escola v. Coca Cola Bottling Company 案的判决典型地反映了这一转变。
[2] 参见孙笑侠:《法的现象与观念》,群众出版社1995年版,第270页。
[3] Edgar Bodenheimer, "A Neglected Theory of Legal Reasoning", *Journal of Legal Education*, vol. 21, No. 4, 1969, p. 386.
[4] 沈宗灵主编:《法理学》,高等教育出版社1994年版,第444页。
[5] 《法国民法典》(1804年)第4条规定:"审判员借口没有法律或法律不明确不完备而拒绝受理者,得依拒绝审判罪追诉之。"

三、辩证法律推理的具体方法

（一）辩证法律推理的六种具体方法

由于各国的历史文化背景不同，各国都形成了自己独特的辩证推理方法，用以解决上述法律适用的困难。但总的说来，其不外乎用以下几种方法或手段来确立和建构法律推理的大前提，从而形成新的法律理由，克服法之普遍性与个案之具体性的矛盾。这些方法或手段有时被称之为法律适用的非正式的渊源。但无论人们如何称呼或看待它们，它们的实质或目标均在于补充缺失或冲突的法律推理的大前提。

1. 利用法的精神的解释来建构辩证推理的模式。法的精神是法的目的和理想。从最终意义上而言，法是实现秩序和正义两大价值目标的工具，[1] 因而法的精神应以秩序和公正为依归。一般说来，法的精神可分为法典精神和法条精神。法条精神只作用于某一具体法律行为，是该行为所必须遵循的。因而法官在审判裁决这类行为时，必须不违其精神实质，否则就会造成"形式合法"，而"实质不合法"的现象。

例如，在前述田某使用轻微暴力强行索要其他未成年人的少量财物案中，一审法院认定15岁的田某犯有抢劫罪，判处有期徒刑3年。[2] 此案的误判显系一审法院未能准确把握原《刑法》第150条第1款规定的精神，而仅仅从形式上考查其是否符合抢劫罪的基本特征和构成要件。但该法条的精神在于打击社会上严

---

[1] Steven J. Burton, *An Introduction to Law and Legal Reasoning*, Little, Brown and Company, 1995, p. 117.
[2] 最高人民法院中国应用法学研究所编：《人民法院案例选》（总第19期），人民法院出版社1997年版，第41～45页。

重破坏社会秩序的犯罪行为，因而该条规定已满14岁不满16岁的人犯抢劫罪的，其不论所抢劫财务数量的多少，都应当负刑事责任。同时，由于抢劫罪不仅侵犯他人的财产权利，而且危及他人的人身安全，性质比较严重，所在以立法上对构成抢劫罪的数额和情节没有作限制性的规定。但就田某的主体身份、作案手段、选择的对象、索取的钱数以及行为的后果来看，显然，其行为仅属于以大欺小、以强凌弱的流氓习气的表现。故此，原《刑法》第150条的规定不应适用于此案的情况。

法典精神则不同于法条精神，因为具体法条具有时代局限性，往往会随着时代的发展而造成不正义，但"法典的精神是整部法典的整体目的和理想，是法典的正义和理性之所在，且不会因时代的变化而变化"。[1] 这种法典精神可以帮助疑难案件中的法官走出困境，指导法律适用者的推理活动。例如在里格斯诉帕尔玛一案中，《遗嘱法》的精神和目的在于财产的公正而有序的转移，而帕尔玛的犯罪行为显系与此法典相悖，故而其主张无法获得该《遗嘱法》的保护和支持。

2. 通过衡平来克服法律的僵化，从而谋求个别公平。衡平的方法其实各国很早就有。彼得·斯坦说："至少从亚里士多德开始，如何根据正义的考虑减轻现行法律可能带来的严酷与不公正就已成为法律理论与实践所面临的一个问题了"。[2] 英国中世纪的法学家克里斯多夫·圣·杰曼（Christopher St. Germain）曾说："在某些情形中，有必要摒弃法律中的词语，有必要遵循理性与正义所要求的东西以及为此目的而确定的衡平原则，亦即

---

[1] 夏建武："法律推理：大前提的空缺与补救"，载《法律科学》1995年第6期。
[2] [英]彼德·斯坦、约翰·香德：《西方社会的法律价值》，中国人民公安大学出版社1989年版，第122页。

是说，有必要软化和缓解法律的严格性"。[1]

何谓衡平呢？亚里士多德把它定义为"当法律因其太原则而不能解决具体问题时对法律进行的一种补正"。[2]而亨利·梅里曼则认为："衡平"的概括含义是指法官有权根据个别案件的具体情况避免因适用法律条款而使处罚过于严峻和公正地分配财产或合理地确定当事人各自的责任。简言之："衡平"就是指法院在解决争讼时，有一定的根据公平正义原则进行裁决的权力。"衡平"原则表明，当法律的一般性规定有时过严或不适当时，当某些具体问题过于复杂以致立法机关不能对可能发生的各种事实的结果作出详细规定时，法院运用公平正义原则加以处理是必要的。[3]因而，法律适用者在法律的一般规定与具体事实产生不相宜时往往会利用衡平裁量权，从而根据法律的目的进行判决。由此可见，衡平立法就有助于解决前述法律目的与法律的具体适应效果之间的矛盾。衡平原则可以作为辩证推理的指导原则，以使当事人获得正当的权利救济，这也正是人类理智的要求。例如，根据英普通法原则，违约责任一般仅限于损害赔偿。

---

[1] 转引自［美］埃尔曼：《比较法律文化》，贺卫方、高鸿钧译，三联书店1990年版，第59页。

[2] 参见（台）黄茂荣：《法学方法与现代民法》，台湾大学法学丛书1982年版，第114～115页。徐国栋博士曾就不能把衡平法视为英、美司法制度所独有作过分析和考证，可足为信，参见徐国栋：《民法基本原则解释——成文法局限性之克服》，中国政法大学出版社1992年版，第32～34页。他认为衡平法是这样一种思想方式：将既有的法律规范看做是有缺陷的，因而必须确立效力更高的另外一种法律规范，在既有法律规范出现缺陷时对其纠正，这就是衡平法的实质。但他把衡平法视为效力更高的另外一种法律规范却与历史不符，因为衡平法仅为一种补充、修正的救济方法，而不是支配和统帅一切法律规范的规则。

[3] ［美］约翰·亨利·梅利曼：《大陆法系》，顾培东等译，西南政法学院1983年版，第54页。

但是有时会出现这样的情况,即不强制违约方继续履行合同则有失公平和正义,那么衡平法院则会根据衡平原则要求契约特别规定的某些义务必须实际履行。

　　作为法律推理手段的衡平方法也获得了现代法制的广泛认同。1942年《意大利民法典》规定,法庭应当根据"衡平"原则来解释契约义务(第1371、1374条)。这要求在遇有争执时,法官不用拘泥于法条的字面解释,也不用拘泥于当事人的意愿或者其可能的意愿,而完全柄之于作为自然正义的"衡平"原则而作出判决。1804年《法国民法典》亦规定,如果当事人的责任所依据的法律规则导致"与衡平明显抵触的结果",法院就可以依衡平方法修改当事人一方提出的要求。[1] 而1928年《墨西哥联邦民法典》以及该国的一些州民法典都规定根据当事人的社会条件,若对法律的无知并不免除法律责任这一规则的适用将导致不公正的后果,法官则可以依衡平方法不适用这一规则。这些规定使司法判决始终存在着衡平性质的考虑与救济这种可能性,有时甚至是强行性地规定了这种义务。

　　有必要指出的是,衡平方法的运用是有一定的限制条件的。这种方法的使用不应达到侵损规范性制度的程度。法官不能无视已有的法律规定而为衡平之推理。博登海默说:"我们并不倾向允许我们的法官以在某一特殊案件情形下适用法规会引起一种严重的非正义现象为由而拒绝使用法规"。[2] 故此,我们必须慎用衡平方法作为判决的依据。要想保证"衡平"方法的完好运用,

---

〔1〕 参见 [美] 埃尔曼:《比较法律文化》,贺卫方等译,三联书店1990年版,第59页。
〔2〕 参见 [美] E. 博登海默:《法理学——法哲学及其方法》,邓正来等译,华夏出版社1987年版,第445页。

我们须注意以下几点：①法官行使这种衡平裁量权，必须始终受到上诉审的制约；②法官只能在极为罕见的情形下才能行使这种实施个别公平的权力，即在这种情形中，适用实在法规则就会导致一种被绝大多数有理性的人诅咒为完全不能接受和完全不合理的结果；③在法官背离一制定法规则时，法官则必须能够从探究该法的制定背景、立法目的和法典精神中找到这种依据。可以这样说，如果立法者在当时能够预见会发生这种情形，他肯定会对该规则创设一种排除性规定（即例外）。这就要求法官不能仅仅以个人对实在法规则的不同意见作为行使衡平裁量权的充分根据。这样就可以最大限度地降低这种推理方法给公正执法所带来的危险，而这种最低限度的风险，则是行使任何司法权力都会遇到的。

3. 根据国家的政策或法律的一般原则来作出决定，以克服形式推理的困难。政策是国家或政党为完成一定时期的任务而规定的活动准则。一般而言，国家政策是国家活动的准则，往往成为法律的指导原则或法律本身，对于它们，可以称之为"法定政策"或"法律政策"。它们是"一种发布于宪法规定、法规或判例中的重要规范性声明，这种规范性声明还反映了有关什么是对社会有益的普遍有力的社会观点"。[1] 比如，我国宪法中明确把实行计划生育作为一项基本的国策。这种法律政策对法律推理和法律适用的指导意义是显然的。但是，作为辩证推理手段的政策判断远不能局限于此。"政策"从词源上说，是指政府行为计划。它是有关必须达到的目的或者目标的一种政治决定，一般说来是关于社会的经济、政治或者社会特点的改善以及整个社会的某种

---

[1] [美] E. 博登海默：《法理学——法哲学及其方法》，邓正来等译，华夏出版社1987年版，第450页。

集体目标的保护或促成问题。说到底，它主要包括某些政治或社会紧急手段的准则。政策是法律的重要来源之一，有人甚至认为"法律是一种政治措施，是一种政策"。[1] 由于政策的灵活性特点，可随社会状况的变化而随时变更，社会适应性强，具有鲜明的时代特色。政策不仅符合时代要求，而且往往是时代的先导，因而使其能起到补救成文法天然不足的作用。

遇有法律疑难案件时，诉诸政策的判断，在中外司法实践中都不乏成功的实例。在美国，犹他州最高法院在判决"大西洋三角叶杨坦纳公司诉莫伊尔"（Big Cottonwood Tanner Ditch Co. v. Moyle）一案时，这样说："考虑到犹他州是一个干旱州，且储水具有头等重要性这一事实，所以我们对于任何可能会使节水变得更为困难的争论，都不赞同。因为防止浪费水一直是本州的公共政策"。[2] 用公共政策这一判决理由对抗了当事人似乎合法的法律主张。而我国最近的破产案审理中，法院每每以首先解决破产企业职工的安置问题，从而保持社会稳定这一政策为处理破产案件的指导原则。

在英国曾发生过 Mcloughlin v. O'Brian 一案。在该案中，某妇女 A 在一天下午六点钟从邻居那里得知，其丈夫 B 及四个孩子在下午四点钟发生车祸。A 立即赶往医院。在那儿她得知女儿已死，并目睹了 B 及其他三个孩子血肉分离的惨状，由此精神受到刺激。随后 A 诉肇事司机 C，要求 C 赔偿经济损失。英国上诉法院就曾以如下"政策"理由而为推论，从而否决原告的

---

[1]《列宁全集》第23卷，人民出版社1975年版，第40～41页。
[2] [美] E. 博登海默：《法理学——法哲学及其方法》，邓正来等译，华夏出版社1987年版，第449页。

诉讼请求:[1]其一,如果承认精神伤害赔偿的范围可以不受限制,包括那些没有或几乎不在现场亲眼目睹事故而产生的精神伤害赔偿,那么,势必会刺激鼓励各种有关精神伤害赔偿的法律诉讼,势必使法院讼满为患,并使判决标准难以把握;其二,诉讼数量和标准的失控会使真正在现场目睹事故而遭受精神伤害的案件不易查清,从而拖延对其赔偿的时间;其三,这样会给那些不诚实的人提供机会,使其寻找医生来保证自己并不存在的精神伤害,从而不公正地加重被告的赔偿负担;其四,这样还会增加社会责任保险的成本,使驾驶车辆和其他技术操作的价格上涨,从而使经济上不富裕的人无法为此支付成本,并使经济发展颇为依赖的交通等技术成为阻碍经济发展的因素。我们不厌其详地转述其判决理由,目的在于得出这样一个结论,即"政策"考虑有时是极富说服力的,因而成为辩证说理的一个必不可少的手段。

从以上分析可以得知,在法律规定模棱两可或者压根就未作规定时,法官便可以依据政策而进行法律推理。但这里有可能提出这样一个问题:如果所要实施的政策与基本的正义标准相抵触或冲突的话,法官该怎么办,他有权否决这一实施吗?从法理上说:"正义乃是法律观念本身的基本成分",因此,与政府所提出的政策相比,其占有至高无上的地位。"一个有道理的公共政策总是要求诚实和公平对待的"。[2]由此观之,法官当然可以依前者而否定后者。但问题是,正如我们前面所说,政策乃是在某种情况下政府所采取的紧急手段,比如对付战争、饥荒、内战、人

---

[1] 详细案情请参见刘星:《法律是什么——20世纪英美法理学批判阅读》,广东旅游出版社1997年版,第67页。
[2] 转引自[美]E. 博登海默:《法理学——法哲学及其方法》,邓正来等译,华夏出版社1987年版,第450页。

口等问题的措施。这些问题使采取措施的要求十分迫切,以致法律执行人员不能坐视不管。正是基于其紧迫性才采取了一些按正义观点可以提出质疑的严厉措施。正是因为这一原因我们不能用这一质疑来否定政策判断的合理性和必要性。但是,在这种情况下,法官应执行可能对正义价值造成最小侵损的紧急性政策措施。这就是要求法官应仔细地对各种政策进行权衡和判断,对各种冲突利益加以权衡和分析。

与国家政策密切相关的一个问题就是法的一般原则,法学家们曾细致地探讨了政策和原则的区别和联系,本文无意于此技术区分。所谓法律原则一般是指可以作为规则的基础或本源的综合性、稳定性原理和准则。法律的原则一般可以分为政策性原则和公理性原则两大类。政策性原则是国家关于必须达到的目的或目标,或实现某一时期、某一方面的任务而作出的决策,一般说来是关于社会的经济、政治、文化、国防的发展目标、战略措施或社会动员等问题的。由此可见,它如果规定在法律上,就与上面我们所分析的法定政策或法律政策无异了。[1] 公理性原则是从社会关系的本质中产生出来的、得到广泛承认并奉为法律的公理,诸如诚实信用原则等。

法律原则并不是预先设定任何确定的具体的事实状态,没有规定具体的权利和义务,更没有规定确定的法律后果。但是,由于原则具有如下几个方面的特点和功能,使得其在法律推理中发挥极大的作用:其一,较宽的覆盖面。每一原则都是在广泛的现

---

[1] 也正是因为有这一层关系,我们把国家政策与法的一般原则放到一起来加以论述。尽管德沃金对原则和政策的区分作了细致的分析,但当言及它们与规则之分时,又把这二者作为同一层次的概念而使用。参见张文显:《20世纪西方法哲学思潮研究》,法律出版社 1996 年版,第 382~383 页。

实的或设定的社会生活和社会关系中抽象出来的标准,因而其涵盖了广泛的社会生活和社会关系。其二,宏观上的指导性。即它将在较大的范围和较长的过程中对人们的行为有方向性指导作用。其三,稳定性强。它不像规则那样易于变化和修改,有利于社会生活或社会关系的相对稳定。其四,原则不证自明,无需其他任何旁证。爱德华·科克称之为:"无须任何证明、没有任何争议、一切人都公认和接受的命题"。[1]

因而,法律原则指导和协调着全部社会关系或某一领域的社会关系的法律调整机制。张文显教授因此认为:"在制定法律规则时,进行司法推理或选择法律行为时,原则都是不可缺少的。特别是在遇到新奇案件或疑难案件,因而需要平衡互相重叠或冲突的利益,为案件寻找合法的解决办法时,原则就是十分重要的了"。[2] 英国哲学家费朗西斯·培根说普通法之原则的作用是:"在发生了新的情况又没有直接的权威时,从深层理由来发掘法律的真谛;在权威明确但相互之间有所差异时,证实法律,并使法律得到人们一致的理解;若法律已被权威所澄清时,进一步表明判决和具体规定的理由,并由此而使他们在对更为复杂的案件进行判决时得到更广泛的适用"。[3]

例如前举里格斯诉帕尔玛一案便是利用法律原则进行辩证推理的典型普通法案件。首先,法庭承认:"如果严格按照字面意义理解并且[法律]在任何情况下都不得以任何方法加以改变",那么有关财产转移方面的法律规定"使谋杀者有权获得财产"。

---

[1] 科克语,转引自[英]彼德·斯坦等:《西方社会的法律价值》,王献平译,中国人民公安大学出版社1989年版,第126页。
[2] 张文显:《20世纪西方法哲学思潮研究》,法律出版社1996年版,第391页。
[3] 转引自[英]彼德·斯坦、约翰·香德:《西方社会的法律价值》,王献平译,中国人民公安大学出版社1989年版,第126页。

但是该法庭继续作辩证推理:"所有的法律和契约的作用及其效果都受普通法的一般的、基本的准则的控制。即不应容许人们利用本人的欺诈行为而得利,不容许人们利用本人的错误行为,或者根据自己的不义行为主张任何权利"。[1] 从而矫正了法律之规定,获得正义之结论。

4. 根据习惯、法理来进行判断。习惯乃是为不同阶级或各种群体所一般遵守的行动习惯或行为模式。在这些习惯中有一些会严格地规定人们的特殊义务和责任,比如家庭婚姻和商业交往中的习惯即是这样。成文法、习惯和法理,曾并列为法律的三大渊源。[2] 在今天各个法律制度中,习惯及习惯法在法律适用中仍是有拘束力的渊源之一,尽管它们的效力程度各个不同。例如西德允许习惯法在某些情况下高于成文法;而诸如法国等一些国家则允许习惯补充而不是取消成文法。但无论怎样,由于习惯是社会历久传统的载体,它体现的是人类对稳定性的服从与遵循,因而有利于社会活动和社会关系的安定与和谐。正是由于这个方面的原因,使其获得了法律对它的尊重和采纳。而所谓法理,乃指法律之原理而言,亦即自法律根本精神演绎而得之法律一般的原则。前文在法律原则和法律精神部分已对此述及,在此不再重复。一旦在法律规定出现空白,或者法律规定模糊时,法律推论者往往利用习惯或法理而为确定或补充。

在这一点上,《瑞士民法典》的规定较为典型,它的第 1 条规定是:法律问题,在文字上及解释上,法律已有规定者,概适用法律;法律未规定者,依习惯法;无习惯法者,法院应遵照立

---

[1] 参见张文显:《20世纪西方法哲学思潮研究》,法律出社版 1996 年版,第 381 页。
[2] (台) 杨仁寿:《法学方法论》,台湾三民书局有限公司 1994 年版,第 247 页。

法者所拟制定之原则予以裁判；于此情形，法院务须恪遵稳妥之学说及判例。我国台湾地区现行"民法典"第1条亦依此而规定："民事法律所未规定者，依习惯。无习惯者，依法理"。这样，就从法律上肯定了习惯和法理的法源性地位，法律适用者在一定条件的限制之下，自当引之用之。尤其是在判断某些具体的法律和事实问题时，习惯之判断标准更为重要，比如在判断何谓"疏忽"、"过失"，是否"合理注意"等方面。

然而，习惯和习惯法之间是有差别的。一般而言，习惯要成为习惯法应具备以下几个方面的条件：①人人皆有确信以为法之心；②于一期间内，就同一事项反复为同一行为；③法令所未规定之事项；④无背于公共秩序及利益。可见其实质上，是以多年惯行之事实及普遍一般人之确信心为其基础；在形式上仍须透过法院之适用，始认其有法律的效力。[1] 在适用的过程中，习惯法一般而言法官有采用的义务，因而成为强行性规范。而习惯仅仅为一种"事实"，根据台湾地区现行"民事诉讼法"的规定，主张该习惯之人负有举证责任。[2] 因此法官在遇有疑难案件时，可依习惯法为补充；附理由说明之后用习惯而为判断，以克服上述法律之局限性。

5. 根据正义、公平等法律、伦理意识来进行判断。正义和公平是法律的根本价值，是法律的最高理想。法律的规定应该本于这种精神，法律的实施则应追求这种理想。这种要求就给我们

---

[1]（台）杨仁寿：《法学方法论》，台湾三民书局有限公司1994年版，第149页。
[2] 台湾一判例称："习惯法则之成立，以习惯事实为基础，故主张习惯法则以为攻击防御方法者，自应依主张事实之通例，就此项多年之惯行，为该项地方之人，均认其有拘束其行为之效力之事实，负举证责任。如不能举出确切可信之凭证，以为证明，自不能认为有此项习惯之存在"。参见（台）杨仁寿：《法学方法论》，台湾三民书局有限公司1994年版，第268页。

的法官在处理疑难案件时提供了这样的可能性：即根据正义和公平等法律、道德意识来判断法律和事实问题，从而有可能使法律推理走出不义的困境。这种承认可能会打开两扇危险的大门，一即可以把正义和公平视为除成文法以外的法律渊源。如果法律的正式渊源未给待决案件提供答案或者法律规定太模棱两可或容易产生不同解释，法官可以甚或应当诉诸正义和公平观念。二即法官将有权以适用实在法规范会导致根本的非正义为理由而拒绝适用该规范。尽管存在着法官假正义公平之名而行主观擅断之实的危险，但如果我们的制度用其他措施再加以减轻和预防的话，这一判断标准就能给我们实现正义、公平社会的美好理想提供可能性。"那些根基于正义感与公共道德中占支配地位的观点之要求，乃是法院立法中最强有力的成形力量之一。"[1]

在各大法系中，法官们都曾利用这一判断标准进行了大量的司法实践，并且获得了极大的成功。英国有这样一个案件：一名未成年人A起诉要求索回他按照一项租房和购置家具的合同所付的钱款，因为根据法律规定，未成年人为货资供应所签订的合同无效。但A此前已住此房并使用此家具已好几个月了。英法院拒绝此诉讼请求，并指出："当一个未成年人已就某样物品支付了款项并已消费或使用了它时，他要求重新收回他所付的钱款，是与自然正义相违背的。"[2]

又如德国法院在战后曾打破"契约严守"的原则，判决加倍偿还战前的借贷款，因为战后的德国货币严重贬值，如果再按原

---

[1] 转引自［美］E. 博登海默：《法理学——法哲学及其方法》，邓正来等译，华夏出版社1987年版，第431页。
[2] Valentini v. Canali, 24. Q. B. D. 166(1889)，转引自［美］E. 博登海默：《法理学——法哲学及其方法》，邓正来等译，华夏出版社1987年版，第428页。

款返还本金和利息的话,"将造成严重的不正义或不公平"。法院据此而创设了情势变更的原则。再如前举我国张连起、张国莉诉张学珍损害赔偿纠纷案中,法院认为被告的行为"严重违反了社会主义公德",因而应认定被告免责声明的行为无效。这也是利用公平、正义感而为辩证推理的典型案例。

从以上例证可以发现,正义和公平等法律、道德意识得到了司法机关颇为广泛的使用。德国法哲学家拉德布鲁赫(Radbruch)说:"实在法与正义之间的悬殊差别是如此不可容忍,以致作为虚假法律的实在法就必须服从正义"。[1] 博登海默亦认为:"这应当被认为是任何人所应采取的一种可望的和可取的态度"。但是,仍须说明的是,在考虑正义要求的时候,还须关注法律的确定性要求;在考虑给予个人权利主张以最大范围的要求的时候,还须同要求普通利益和公共利益的论点加以平衡。此外,正义与公平考虑还应该同以法律的其他非正式渊源为基础的支助理由相配合。由此看来,我们须把这种方法限制于"一个极为有限的范围之内"。

6. 根据事物的性质而为判断和推理。人之不同于外界(其他动物)的一个根本点在于她有理性的思考和认识能力,凭借理性,人类能够用其智力理解和应付现实。一个"有理性的人能够辨清一般原则并能够抓住事物内部、人与事物之间以及人与人之间的某种本质关系。他有可能客观地和超然地看待世界和判断他人。他对事实、人和事件所作的评价,并不是基于他本人那种不经分析的冲动、成见和癖性,而是基于他对所有能有助于形成深思熟

---

[1] [德] 古斯塔夫·拉德布鲁赫:《法哲学》,第353页。转引自 [美] E. 博登海默:《法理学——法哲学及其方法》,邓正来等译,华夏出版社1987年版,第435页。

虑的判决的证据所作的宽宏大量和审慎明断的估价"。[1] 这种能力为人类的社会秩序提供了一种可能：即根据人类普遍同意的、不可辩驳的某些方法来解决具体的问题。在法律制度中，如果无法利用前面所讲的各种方法而为判断，没有可资利用的一些法律辅助标准和法律基本原则，那么法律家们便可以利用凭理性所认知的方法来裁决法律问题。在此情况下，支配法官作出决定的正是事物的性质。这种司法判决的方法在罗马法学家那里被称之为 natura rerum。德国法学家海因里希·德恩伯格（Heinrich Dernburg）认为："从或大或小的程度上看，生活关系本身包含有它们自身的标准和它们自身的内在秩序。寓于这种关系中的内在秩序被称之为'事物之性质'。善于思考的法学家在没有实在规范或者在规范不完善抑或模糊不清时，必须诉诸这一概念"。[2]

从罗马法时代以来，在针对得到法律承认的推理方法进行争论时，借助于事物性质这一理由是一个经常用到的方法。彼得·斯坦说："求助于事物的本质，也就是在求助于每一个人——以领导者、主人公的观点来看——都会在寻求他坚信不疑因而不需任何证明的规则时立即接受的东西"。[3] 这些表达事物性质的命题一般都是不证自明的，无须任何专门的法律权威来使它们合法化，它们本身"自成理由"。比如在《学说汇纂》中就有这样的规定：如果某人许诺交付一种事实上不可能交付的东西，例如一个当事人双方都不知道已经死亡的奴隶，那么这个许

---

[1] 以上内容参见［美］E. 博登海默：《法理学——法哲学及其方法》，邓正来等译，华夏出版社1987年版，第431、434、443、436页。
[2] 转引自［美］E. 博登海默：《法理学——法哲学及其方法》，邓正来等译，华夏出版社1987年版，第442页。
[3] ［英］彼德·斯坦等：《西方社会的法律价值》，王献平译，中国人民公安大学出版社1989年版，第130页。

诺就是无效的。《学说汇纂》认为这种规定是由事物的本质所决定的,对此,毫无必要引用什么权威来证明它。随着时代的发展,立法和法典编纂日渐完善,这必然减少了司法诉诸事物性质的机会。但是,即使是现在,法律推理本身的特性仍提供了大量适用这种方法的可能性。英国大法官丹宁勋爵曾公开表明,他将使用"事物的理性"来为他认为是公平的决定的但与现行法律相抵触的判决提供论据。1972年他在一个案件中说:"目前出现了新型的案件,我们应当根据事物的理性来作出判决。时机已经成熟……我们应当对当事人之间的关系进行审查,然后,作为一个策略问题宣布哪一方败诉"。[1] 在这里,他公开以"事物的理性"来作为判决的基础。

为审判提供标准的事物性质一般包括以下几类:

第一,根源于某种固定的和必然的人的自然状况,例如未成年人如果没有监护人做合适代表,就没有缔结有效协议和在法院起诉的法律能力,毫无疑问,这是以未成年人的自然状况为基础的。又例如,罗马法学家将正当防卫的权利追溯到人类所固有的自我保护的倾向。在某些时期,这些东西被法学家称为"自然法"或"自然理性",从而赋予它高于制定法的效力。

第二,根源于物质的自然界所具有的必然特性。例如,在美国犹他州由于干旱少雨的自然气候条件,故该州法院采取了与其他普通法关于河沿两岸州对于河水资源和使用河水具有同等权利的原则不同的规定,相反,它规定河水的第一个先占者,具有有益使用该河水的优先权。正是水源不足的地理条件决定了最高法院的判决。

---

[1] 转引自[英]彼德·斯坦等:《西方社会的法律价值》,王献平译,中国人民公安大学出版社1989年版,第137页。

第三，根源于某种人类政治和社会制度的基本属性。人类所建构和设定制度的基本性质也有可能产生被认为是必要的和必然的法律规范。例如，如果某个法官与当事人一方关系较为密切，他就必须采取回避措施。这一规定根源于司法审判机关本身所固有的中立性质。就创设这一机关的宗旨而言，它要求以公正无私与不偏不倚作为正当行使其职能的条件。

第四，根源于对构成某个特定社会形态基础的基本必要条件或前提条件的认识。例如，在古罗马时代，由于男性家长被视为家庭中唯一能够享有权利和承担义务的人，所有其他人均受他的支配，家庭成员被认为是其人格的一部分。根据这样的认识，尽管法律并未禁止父亲因儿子偷窃而对他提起诉讼，但是罗马法学家保罗（Paul）认为，事物的性质对这种诉讼设置了一个不可逾越的障碍："因为我们不能起诉指控那些受我们控制的人，正如他们不能对我们起诉一样"。[1] 同样，在现代社会主义国家中，由于社会主义的意识形态是集体主义，因而在疑难案件中，社会主义社会须优先考虑集体整体的利益，尔后才是个人的利益。

"从最广泛的意义上说，法是由事物的性质产生出来的必然关系"。[2] 每个事物都有特有的"质"，当我们以法的形式对各个个体进行评判时，必须要考虑到事物特有的性质。[3] 这样，把事物的性质作为辩证推理的前提之一，就可以克服法的疏漏与僵化的弊病。也正是通过这样的途径，我们可以做到司法恢复个性，使判决结果满足个别法的需要，平衡当事人的利益，实现法

---

[1] 转引自［美］E.博登海默：《法理学——法哲学及其方法》，邓正来等译，华夏出版社1987年版，第441页。
[2] ［法］孟德斯鸠：《论法的精神》，商务印书馆1961年版，第1页。
[3] 参见夏建武："法律推理：大前提的空缺与补救"，载《法律科学》1995年第6期。

的具体适用中的个别公平。正是由于这一优点，各法律制度都极为重视"事物的性质"这一法律裁判的合法渊源。他们把事物的性质视为"实在"与"应当"之间的桥梁，也就是说："将它看做一种从事实的现存状况中推导出用以规定应当做什么的标准的手段"。[1]

以上已列举了六种用以处理疑难案件的方法，它们之间的关系和适用范围并不是绝然区分的，也更不可能用法律对之加以明确的规定和明晰。这一点可以从我们所列举的案例分析就可以感知到。总的来说，这些辩证推理的前提渊源有以下几个方面的特点：其一，这些前提大多是社会上不证自明的命题，它们有很强的说服力，提出后为社会所广泛接受；其二，这些前提不要求严格地适用精确的法律知识，而只要求对于一般事物要有一般的认识；其三，无论是立法还是司法，都不能使这些前提标准绝对定型化或使其具有一成不变的内容。它们随时间、地点、条件而不同。适用它们时，应参考具体案件中的事实。[2]

（二）辩证法律推理方法的操作序列

由于辩证法律推理的具体方法所代表的法治意义不同，也基于辩证法律推理的便利性和规范性的考虑，我们可以在辩证推理的运行过程中把这些方法排出一个大致的序位。但我们需要注意的是，这些方法并没有哪种方法是绝对的，它们仅仅是在某种程度和范围内独自或者一起发生推理和论证的作用。因而我们要避免追求所谓的在绝对有效意义上指导法律推理活动，避免具体操

---

[1] ［英］彼德·斯坦等：《西方社会的法律价值》，王献平译，中国人民公安大学出版社1989年版，第138页。

[2] 参见［美］庞德：《法律哲学导论》，转引自［英］彼德·斯坦等：《西方社会的法律价值》，王献平译，中国人民公安大学出版社1989年版，第116页。

作方法的繁琐和冲突。

第一步是按事物的性质得出法律推理可以适用的模糊性大前提。一般而言，法律推理的过程是从前提到结论的过程。但是实际上人们作出判断的过程"很少是从由此得出结论的一个前提开始的，相反，它一般是从一个模糊地形成的结论开始的，即从这样一个结论出发，然后试图找到将证明这一结论的前提"。[1] 司法判决同样如此，它也是一个逆求的过程：由模糊的结论反向地寻求理由和前提。这就意味着法官通过预感而得出一个模糊的结论，即根据事物的性质认为这是一个合理的判决结果。由于法官个人因素多样以及事物评判标准多元，因而同一事物会因不同的合理性标准得出两个以上都认为是合理的结论，由此逆推所得大前提因之亦呈多元。此时推出的大前提符合法的理性价值，因为它是以事物的性质为基础的，但其是否正义则须用以下的步骤来进一步地检验。

第二步是按这些具体方法所揭示的法源进一步确立大前提。检验上述大前提的正义性就是要把逆推的结果归于某一实在规范体系下的过程。首先，我们可以根据法律的精神和衡平方法来进行初步的检验，其目标在于保证辩证推理大前提的合理性。其次，我们可以根据国家政策、法律原则及习惯和法理来判断推理的前提和理由的合法性，其目标在于使推理和论证的理由更为具体化和确定化，并赋予大前提以时间上的合理性。最后，便是按照法律的或伦理的意识作出判断和决定，其目标在于更进一步地检证前面所得的结论，选择符合道德的大前提，从而进一步满足辩证法律推理的正义性要求。

第三步则是通过价值判断选择大前提。如果前面所得的前提

---

[1] 沈宗灵：《现代西方法理学》，北京大学出版社1992年版，第337～338页。

已为唯一,则辩证推理结束;如仍为多元,即所得的前提仍合理、合法且多元,那么就进行更高层次的合理性选择——价值判断。这里,毋容讳言,其所涉及的乃是一个利益选择的问题。法律推理中价值判断的问题将在本章第三节加以详细的分析。

(三)判决书中如何使用这些具体方法?

接下来的一个具体问题便是:我们应该如何在法律判决中使用这些方法,从而合法地援引这些方法所提供的法源范畴呢?又如何能从制度设置上加以制约并保证辩证法律推理不被滥用呢?首先,我们认为,我国司法制度应该允许法官在司法判决中直接援引这些法源范畴,形成它们有说服力的法律理由,从而论证法官认为是合理的判决。在某些场合下为实现正义的辩证法律推理不应当被视为是对立法权力的侵越。其次,我们认为,因这些方法而带来的对法律确定性和稳定性的担忧可以用下列制度设计而打消:一种方法是规定法院在运用某些辩证法律推理时须报经最高人民法院核准以获得统一性。如我国学者谢怀栻先生在讨论制定我国《合同法》的立法方案时,建议规定:在现行法虽有具体规定而适用该具体规定所获的结果违反社会公正时,法院可以不适用该具体规定而直接适用诚实信用原则;但这种情形应报最高人民法院核准。[1]另一种方法是报上级审判机关批准,同时允许当事人可以越级上诉,以获得上诉审的监督。最后,笔者认为,辩证法律推理方法在大多数情况下往往是和法律的形式推理结合在一起而使用的,这意味着即使是有明确法律规定的案件,我们仍应加以辩证分析,以进一步求证。这说明简易案件与疑难案件的区别只是相对的,因而我们没有必要拒绝法律之辩证推理的必要性和合法性。

---

[1] 参见梁慧星:《民法解释学》,中国政法大学出版社 1995 年版,第 312 页。

四、辩证法律推理的客观性检讨

(一) 辩证法律推理客观性之否定论

法官在创制新的规则、填补法律空白、依据正义感等作出法律推理并进行司法判决时，表现出明显的价值判断倾向，因而这一推理过程看起来完全是纯粹主观的、完全意志化的过程。因此，这种法律推理方法似乎超出了理性推理的范围，而表现为"情感意志的东西"。[1] 学者们正是抓住法律推理的这一特征而大肆怀疑或否定这种推理的客观性的。比如，丹麦法哲学家 A. 罗斯认为，当形式逻辑（比如演绎、归纳、类比）作为推理方法失败时，法官的判决将必然地取决于他的个人价值观或社会的偏好，因而就包含了武断的成分。[2] 在这种观点看来，法官用辩证推理来论证他的"选择"结果，这只不过是在进行事后的合理化工作而已。从根本上来说，这一选择的结果原本基于他的愿望和意志，或者个人偏好。

关于这一点，美国法学家 J. C. 哈齐森（Hutcheson）法官的"直觉预感"理论更加严厉地予以揭露。他认为，法官们往往是在他们想象力的闪念间发现了法律的解决办法，但因它成功，后来则被别人作为智慧、公平和正义的体现。他说，法官们所公布的判决意见书通常只不过是用来论证判决的东西而已，它的目的在于使以后人们对之感到无话可说。尽管法官们获得某一结论是武断的，但是他们必须掩盖这一点，必须使它显得合理，这是

---

[1] Edgar Bodenheimer, "A Neglected Theory of Legal Reasoning", *Journal of Legal Education*, vol. 21, No. 4, 1969, p. 397.
[2] A. Ross, *On Law and Justice*, Stevens Press, 1958, pp. 140~141.

大众对他的要求。[1]美国哲学家杜威从实用主义的角度说,在作出决定时:"我们一般都是从某些模糊的结论预期开始,或者是对多个不同结论的预期,然后我们再去查找原则和资料,以列举事实支持该决定,或使我们在冲突的结论之间作出聪明的选择"。[2]因此,法官之作出判决,与此相似,无所谓客观性之谓。

这些观点总结起来不外乎两个方面。一个方面认为辩证推理只不过是在虚张声势,以掩盖它的主观武断性,从而取得公众的信任。[3]而另一个方面则认为辩证推理无法保证法律推理的客观性、合理性,它是价值判断的产物,必然含有人的主观意志因素的介入。基于这两个方面的原因,这些观点都否定辩证推理的客观性之说。

(二)辩证法律推理的客观性基础

如何认识上述否定论的观点呢?我们认为,它对法律推理的描绘错误在于:他们认为法官在直觉预感和闪念顿悟之间有权自由地、任意地处理法律的传统交给他们的相关材料,只不过他们要把他们的专横任性掩饰在"推理"的假象之后。客观地讲,我们不能把法官的主观意志等同于客观合理性,但是我们仍然必须

---

[1] Joseph C. Hutcheson, Jr., "The Judgement Intuitive: The Function of the 'Hunch' in Judicial Decision", in Edward Allen Kent ed., *Law and Philosophy: Readings in Legal Philosophy*, Prentice-Hall, Inc., 1970, pp. 407~411.

[2] John Dewey, "Logical Method and Law", in Aulis Aarnio and D. Neil MacCormick eds., *Legal Reasoning II*, Dartmouth Publishing Company Limited, 1992, pp. 17~18.

[3] 美国批判法学运动的代表人物凯尔里斯甚至把法律推理与宗教相比拟,认为二者同样是麻醉剂,参见朱景文主编:《对西方法律传统的挑战》,中国检察出版社1996年版,第298页。

坚持要采取措施避免法官把其主观意志任性地强加到任何案件上。尽管这并不是在所有的案件中都能办到的，但有一些控制的办法，这些办法有助于获得客观合理性这一目标。

首先，我们需强调司法预感的信息基础。法官在司法判决中："预感"的形成只是最初的一步，但一般而言，它是具有其信息基础的，绝不是毫无根据的猜断。人们的思想观点和行为方式实际上都不可避免地受到传统的、环境的影响，因而它不可能是完全独立无援的。德国哲学家尼采曾说："成为你自己！当前的你，不论是思想或是欲望，都不是真正的你。"[1] 也就是说，你的观念事实上大部分是受到你过去所接受的学校教育、家庭教育、大众传播、朋友、所阅读过的书籍等生活的周遭环境，以及所生存的特殊传统教育文化模式，甚至是当代人类的共同思想潮流的影响而形成的。上述这些因素往往在我们心灵上或潜意识中烙下了一些痕迹。[2]

同样，法官是长期接受过法学教育和法律职业训练的，他是在对法律制度的习知的作用下作出裁决的。这种作用在实际上的各种考虑之初可能是潜意识的。但从对它的研究中："法官吸收了对它的道德精神的情感，接受了价值模式，而这一模式在缺乏具体制定法或判例法的指导的案件中形成法官的裁决"。[3] 由此看来，法官的"司法预感"或司法判决绝不是像哈齐森所说的

---

[1] [德]尼采：《尼采论叔本华》，蔡文英译，台北龙田出版社1979年版，第20页。尼采的这种反理性主义的思想倾向参见全增嘏主编：《西方哲学史》〈下〉，上海人民出版社1985年出版，第416~420页。

[2] 参见杨士毅：《逻辑与人生——语言与谬误》，台北书林出版有限公司1987年版，第56页。

[3] Edgar Bodenheimer, "A Neglected Theory of Legal Reasoning", *Journal of Legal Education*, vol. 21, No. 4, 1969, p. 393.

"帝王般的任意决断",法官的裁决将受到各种法律因素的制约。[1] 用 R. 庞德的话说:"法官受过训练的直觉持续不断地引导他获得正确结果,尽管他难于给出无可挑剔的法律理由"。[2]

其次,辩证推理的客观性基础还表现在对理想结果的不断检证和修正方面。法官在经过了何为最理想结果的初步反应之后,他的责任心常常使他还要细致地检查相关的法律渊源材料,以便检证其尝试用以解决该问题的规范性假设是否获得实证法制度的支持。然后,他根据这一检证过程而不断地修正早期的结论。[3]

由此可见,即使是法官在有些案件中并未找到实证法渊源,或者发现同时有好几个大致相当的竞争性渊源,他在最终裁决这些案件的时候亦不是完全自由放任的。在他们的裁决过程中,存在着许多不太正式的司法判决渊源,它们往往会战胜法官的主观偏爱,能够产生一定程度上的客观性。其中有些是用以支撑实证法体系的某些文化规范和价值模式,普遍接受的传统准则和习惯的行为方式,某些早已确立的公共政策原则。这些传统、社会信念以及社会意识形态的基本前提通常用作裁决过程中意志情感因

---

[1] See Martin p. Golding, "A Note on Discovery and Justification in Science and Law", in A. Aarnio and D. N. MacCormick eds., *Legal Reasoning* I, Dartmouth Publishing Company Limited, 1992, p. 111.
[2] Roscoe Pound, "The Theory of Judicial Decision", 36 *Harvard Law Review*, 951 (1923).
[3] 法官们往往是通过多次这样的反思而获得平衡,以最终获得和谐的法律结论的。See B. B. Levenbook, "The Role of Coherence in Legal Reasoning", *Law and Philosophy* 3 (1984) 355~374. 德沃金则把法官的判决视为写连续小说一样,进行不断的想象与修正,以保持小说的连续性,参见(台)王文宇:"论德沃金的司法判决理论",载《台大法学论丛》1995年第2期。

素的限制性条件。[1]

然而，这些精神并不构成限定法官活动范围的绝对标准。尽管在通常情况下在社会责任和个人良知发生冲突时，法官必须服从前者，但也有可能有些例外的情况，即基于明显的证据，法官认为，流行的正误标准、主流的公共政策原则都是通过错误信息、不正确的宣传或者不合理的情感任性所误导而形成的。此外，如果法官通过艰辛的调查研究之后得出结论：人们的这种规范性态度缺乏经验的事实基础，那么法官的这种信念就是合理的。在这种案件中我们应该授予法官不服从"社会信念"的权利。因为从本质上来说，法律是理性的工具，[2]因而，完全没有合理基础的信念对法律的解释者和执行者没有强制性。在这种罕见的或不寻常的情况中，辩证推理就不能诉诸于"一般意见"，而可能不得不命令他自己服从"智者的意见"。[3]

最后，辩证推理的客观性基础还在于价值判断的类型化、体系化。判决是法律价值的具体化，随着时间的发展，这些价值判断往往会加以类型化、体系化，从而形成共同的价值判断。法官在作辩证推理时，必须以此为基础来进行批判、检证或反驳，从

---

[1] See Steven J. Burton, *Judging in Good Faith*, Little, Brown and Company, 1992, pp. 13~17. 实证主义之父孔德曾有个基本的哲学格言："我们研究人的方法确实是主观的，但却不可能是个人的"。这里，他把主观判断的客观性与个人恣意的任意性作了明确的区分。笔者认为这一区分同样适用于我们对法官司法行为的说明。参见〔德〕恩斯特·卡西尔：《人论》，甘阳译，上海译文出版社1985年版，第82页。
[2] 谢鹏程博士认为："法律是理性人集体选择的行动方案"。参见谢鹏程：《作为法律价值的公平与效率》，中国社会科学院研究生院博士论文1996年，第3页。
[3] Edgar Bodenheimer, "A Neglected Theory of Legal Reasoning", *Journal of Legal Education*, vol. 21, No. 4, 1969, p. 394.

而使价值判断趋向于客观。[1]

由上可见,辩证推理是有其客观基础的;但是这种客观性基础在某些情况中又不是完全绝对的标准。法官的"创造权利"不应否定,这根源于法律作为实践理性之体现,最终必须服从于人的理性原则。[2]

(三) 如何理解辩证法律推理的客观性

尽管法律推理的辩证形式超出了形式的、分析的逻辑范畴,但我们不能仅因为这一点就把它们视为情感的、武断的或者纯主观的东西。这些推理形式与传统的演绎和归纳逻辑不一样,它们有着自己的逻辑形式,并不缺乏坚实的客观性基础。辩证推理是在面对新的模棱两可的法律问题时,说服其论证的对象,使他相信法官所作出的裁决是符合该社会的价值观和共同信念的,而且这一处理也是令人满意的结果。在这种推理的过程中,司法判决领域中有许多规则、原则、传统、价值观等因素的限制,它们限制着可以接受的论据的范围。所以说辩证推理并不是完全只讲目的的、工具式的逻辑方式,它有其客观的基础。这种客观性所追求的是"不依每个个人喜好而转移的,具有社会普遍意义的效

---

[1] 关于价值判断的客观性问题参见(台)吕荣海:《法律的客观性》,台湾蔚理法律出版社1987年版,第168~174页。
[2] Jacques Lenoble, "The Function of Analogy in Law: Return to Kant and Wittgenstein", in Patrick Nerhot ed., *Legal Knowledge and Analogy*, Kluwer Academic Publishers, 1991, p. 107.

准。以这一客观效准，指的是主体间的一致性"。[1]

　　人们之所以认为辩证推理不合理、不客观，其中一个很重要的原因就是我们坚持笛卡尔以来的狭义的"合理性"概念。笛卡尔的客观知识原则把"合理性"（rationality）等同于具有不容置疑特征的知识。对笛卡尔而言，一个命题要证明为合理的，就必须要求具有绝对确定性的知识，就像数学上的知识一样，它具有对与错的绝对二分。而所谓的可能知识则不符合这种标准。笛卡尔认为人的理性活动要服从一定的规则，即"绝不把任何我没有明确地认识其为真的东西当做真的加以接受。也就是说，小心避免轻率的判断和偏见，只把那些十分清楚明白地呈现在我的心智之前，使我根本无法怀疑的东西放进我的判断之中"。[2]

　　如果我们按这种合理知识的标准来衡量，那么值得称为"合理的"那些法律命题、陈述和论证将变为很小的一部分，肯定只有法律中的三段论结论（且不论其存在与否）符合笛卡尔的观念。然而，简单、不证自明的制定法规则在实际运用中很少出现什么困难。一般而言，律师在审查委托人所提出的一些事实后，常常会因为该案结果是否预先确定无疑而劝阻委托人提起诉讼。这些案件并不是法院（尤其是上诉审法院）所受理的案件。相

---

[1] 冯平：《评价论》，东方出版社1995年版，第261页。客观性一般与"主观性"相对，不过人们在使用此词时，含义却并不十分清晰。黑格尔曾列举过"客观性"的三个重要意义。"第一为外在事物的意义，以示有别于只是主观的、意谓的或梦想的东西。第二为康德所确认的意义，指普遍性与必然性，以示有别属于我们感觉的偶然、特殊和主观的东西。第三，……，客观性是指思想所把握的事物自身，以示有别于只是我们的思想，与事物的实质或事物的自身有区别的主观思想"。[德]黑格尔：《小逻辑》，贺麟译，商务印书馆1980年版，第120页。

[2] 转引自全增嘏主编：《西方哲学史》（上），上海人民出版社1983年版，第513～514页。

反,他们所受理的案件大多数是无法用不容置疑的确定性加以预测的案件,他们裁决的正确性仍要受到合法的质疑与挑战。[1]

所以说,笛卡尔式的"合理性"概念太狭窄,我们应该加以扩大。如果一个陈述有好的理由来支持,因而易受到人们的接受,那么尽管它的有效性和准确性并未摆脱争议,但仅就此而言,它就是"合理的"。[2]合理性论证一般通过诉诸人类的正义感等来说明该案中需要保护的利益是至关重要的,那么当支持该裁定的论证的力量远远超过相反论证的力量,该裁决通常就被认为是"正确的"。[3]

美国法学家 E. 博登海默认为,在美国的判例法制度中,有大量的判决并不是由明确、肯定的法律规则来判断的,因而它们需要辩证的列举证明。由于人们很难或不可能提出有效的反论来反驳它们,所以这些判决中的许多都获得了广泛的(甚至是普遍的)赞同和接受。它们的信服力来源于它们反映了美国制度的精神,美国社会的主导价值观,大多数人的公共政策偏好,或者文明人的正义感。然而这些因素都是不能精确测量的、看不见的因素,而且从根本上它们不能免于批判性的评估。[4] 因而法院判

---

[1] E. H. Levi, *An Introduction to Legal Reasoning*, University of Chicago Press, 1948, pp. 8～10.

[2] 参见冯平:《评价论》,东方出版社 1995 年版,第 246～251 页; Also see A. Peczenik, *On Law and Reason*, Kluwer Academic Publishers, 1989, p. 155. 笔者以为,正是这种合理性观念才使我们足以摆脱许多理论的困境,因而为各国理论界所广泛接受。

[3] See Ronald Dworkin, "No Right Answer?", *New York University Law Review*, vol. 53, No. 1, 1978, p. 32; Steven J. Burton, *An Introduction to Law and Legal Reasoning*, Little, Brown and Company, 1995, pp. 52～58.

[4] Edgar Bodenheimer, "A Neglected Theory of Legal Reasoning", *Journal of Legal Education*, vol. 21, No. 4, 1969, p. 399.

决的有效性主要立基于辩论的说服力，而绝不是业经证明的真理的必然结果。正如卡多佐法官所说，这种裁决通常必须用"或然性逻辑——而不是必然性逻辑——来检验"。[1] 一般说来，如果一个原则或者规范性命题的概率较高，同时人们经过仔细地考察亦发现它是有效的或正确的，并且在将来还将得以适用的话，我们就可以把它视为权威性的，看做已确定的东西。从相反的方面来说，即使是从制定法或判例法演绎或类比推导出来的法律命题，它们也不是完全确定、不证自明的。法院同样可以采用其他的办法，因为法律制度往往允许他采用各种衡平的措施。

前面我们已经分析过，科学绝对性的陨落说明了理论的不断证明、不断推翻是在所难免的事情。哲学中同样包括大量只具有概然性或者似乎是有道理的命题，它们从来不是绝对确定地建立起来的。我们必须承认："在我们的研究中，大多数解决办法只是尝试性的、不确定的，还要经受未来的修正；但是，如果它们是经仔细考虑、充分推理，并且是有说服力的论证，那我们就把它们归属于科学事业"。[2] 法律推理同样如此，具体法律争议的解决办法从来无法宣称具有绝对保证的准确性，法律论据往往会受到不断的怀疑和反对。"法律领域中的决断依赖于论证的优势，而不是毫无合理怀疑的命题证明（proof）"。[3] 但这一点并不能否认法律的科学属性，只要我们在寻找公正和有效的冲突解决办法时努力追求个人的正直以及合理的超然中立，它便遵循了科学

---

[1] B. N. Cardozo, Selected Writings 200 (Hall ed. 1947).
[2] Edgar Bodenheimer, "A Neglected Theory of Legal Reasoning", *Journal of Legal Education*, vol. 21, No. 4, 1969, p. 402.
[3] Edgar Bodenheimer, "A Neglected Theory of Legal Reasoning", *Journal of Legal Education*, vol. 21, No. 4, 1969, p. 402.

原则。[1] 正是从这个意义上说，辩证推理亦具有客观性，而不是完全主观任性的托辞。

第三节 法律推理中的价值判断

一、价值判断的必要性分析

德国法律社会学家韦伯关于形式合理性法律与实质合理性法律的划分之根本标准在于法律的价值判断在司法审判中的地位和作用。[2] 当代的美国哈佛大学的法学教授昂格尔把法律推理划分为目的的法律推理和形式的法律推理，其中的关注重心为法律推理中目的（价值）判断所处的地位，以及法律程序与实体的关系问题。[3] 这些都表明，理论家们视人之价值判断为法律推理之祸，从而把法律现代化的希望寄托在对它的不断克服与抑制上。[4] 正如前述，近代以来的法治理想便是最大限度地限制司法审判中人的主观恣意、控制人自身的局限性。

在法律推理中法官要尽可能地掩饰其主观色彩的部分，而尽量使其判决显得客观化，从而使其获得合理性、合法性。应当说，从法律及法律推理中排除价值判断的作用或因素具有极大的

---

[1] [波兰] 齐姆宾斯基：《法律应用逻辑》，齐圣恩等译，群众出版社1988年版，第350页。
[2] 参见苏国勋：《理性化及其限制——韦伯思想引论》，上海人民出版社1988年版，第219～222页。
[3] 参见[美]昂格尔：《现代社会中的法律》，中国政法大学出版社1994年版，第43～47页。
[4] 参见夏锦文：“司法的形式化：诉讼法制现代化的实证指标”，载《南京师大学报》（社科版）1995年第4期。

意义。首先，它将满足法律安定性和可预测性的需要；其次，它极大地保障同等情况同样对待原则的实现，以确保形式主义的基础。博登海默教授说："先进的法律制度在司法程序中倾向于限制价值论推理范围，因为以主观的司法价值偏爱为基础的判决，在正常情况下要比以正式或非正式的社会规范为基础的判决表现出更大程度的不确定性与不可预见性"。[1] 拉伦兹教授亦言："司法主观主义既与法律确定性中的公共利益不一致，亦与同等情形应当一视同仁的正义要求相违背"。[2] 这些论述都极力地主张从司法中排除价值判断。

但是，在法律推理中排除价值判断的作用以获得绝对客观性，谈何容易？

1. 立法本身是一套价值观念的体系化。这说明作为法律推理的大前提本身就是内含有价值之判断的。在进行立法之前，一般都是在形成了对某类社会关系的价值评断之后，才进行立法的；比如先有对"不应偷窃"和"损害他人应负赔偿责任"等社会共同的价值判断后，才由立法机关进行立法，作出具体的规定："盗窃公私财物，数额较大或者多次盗窃的，处3年以下有期徒刑、拘役或者管制……"(《刑法》第26条)；"侵害公民身体造成伤害的，应当赔偿……"(《民法通则》第119条)。正是在此意义上说，立法是对现行社会法律价值观念的总结和强化，并赋予强制执行。因而，要想从法律领域中完全把价值判断排除

---

[1] [美] E. 博登海默：《法理学——法哲学及其方法》，邓正来等译，华夏出版社1987年版，第487~488页。
[2] 转引自 [美] E. 博登海默：《法理学——法哲学及其方法》，邓正来等译，华夏出版社1987年版，第488页。

出去是不现实的。[1]

2. 从司法判决的过程来看，法律的价值判断在法律推理中具有更大的作用，而且无论是形式的法律推理还是辩证的法律推理，其中都免不了人的主观价值判断的发挥。与立法过程相反，司法审判是把法律中所包含的价值观念具体化的过程。"判决是特定法官利用审理特定案件的机会，将一项价值具体化的过程"。[2] 法律价值判断的这种作用体现在以下两个方面：

（1）法律的形式推理过程也离不开法官的价值判断。法律规范往往以普遍的形式加以陈述，而案件的事实则相对是以较为具体的命题形式加以陈述的。适用规则的过程往往是一个法官在两者之间相互适应的互动过程。[3] 特称命题（概念或范畴）是否能够归摄于普遍性的规范之中，这是一个法官不断地运用主观判断的过程。人类活动的本质特征在于其合目的性与合规律性的统一。[4] 法律也是人类理性活动的产物，对法律的制定、认识和适用同样必须遵循人类活动合目的性与合规律性的统一的原则。法律推理中发挥人之价值判断的作用有利于实现法律的价值和使命，从而缔造一个和平而正义的社会。

在法律推理这一思维过程中，有许多需要法律推理者作出选择、判断和归类的活动。比如法律条文的选择、事实的法律化，

---

[1] 正是由于这一原因，分析法学或纯粹法学都先后修正自己原有的主张，积极地向自然法学和社会法学靠拢，参见吕世伦主编：《西方法律思潮源流论》，中国人民公安大学出版社1993年版，第201～214页。严存生教授亦探讨了法律价值评价标准的确立与运用的问题，参见严存生：《法律的价值》，陕西人民出版社1991年版，第214～229页。
[2] （台）吕荣海：《法律的客观性》，台湾蔚理法律出版社1987年版，第171页。
[3] 参见（台）黄茂荣："法律解释学基本问题（II）：法律补充"，载《台大法学论丛》1997年第2期。
[4] 参见冯平：《评价论》，东方出版社1995年版，第2页。

即以何种法律范畴来概括这些千差万别的具体案件事实。这种事实的描述和归摄的过程必然地注入审判者的主观判断,价值判断由此产生。这说明即使是在法律推理的逻辑推导过程中亦免不了价值判断。[1]

(2)在法律推理的辩证过程中则更是以法官的价值判断为依据。在此过程中,法官(或推理者)必须考虑,作出什么样的判决才最符合该法律体系中的价值判断。如果依据法律条文的字面含义来进行逻辑推导的结果与该价值判断的事实过程一致,就不存在太多的问题。但是,现实情况常常会产生不一致的情况。出现这种情况,就产生了法官如何理解法律条文、如何解释的问题。

很明显,现代法制绝对不允许法官做出恣意的判断,法官要受到法律的制约。"但当依据条文的字句所做的形式逻辑推理的结果与法律体系的最终的理想和目标相矛盾时,法官就不能将形式逻辑推导出来的结果宣称为审判的结论"。法律中的概念、逻辑与数学和科学中的概念、逻辑不同:"因为它只是实现法律体系中蕴含着的理想(价值)的工具。"[2] 如果审判的结果为了手段而牺牲了目的,则明显地违背了人类活动的合目的性的本质,有悖于法官的使命。那么,为了解决这种矛盾,法官就必须利用其价值判断的功能,为法律推理重新构筑前提条件,以获得公正的结果。

---

[1] 笔者在此探讨的是法律推理的哲学问题,一般人所说的"形式推理为法律的直接适用,不须作价值判断",与笔者所分析的角度与层次不同。我们认为对法律推理的分析应该更进一层,而不能仅停留在形式的三段论表象上,空喊"以事实为根据,以法律为准绳"的口号。参见朱苏力等:"关于司法改革的对话",载刘军宁等编:《市场社会与公共秩序》,三联书店1996年版,第150~152页。

[2] [日] 川岛武宜:《现代化与法》,王志安等译,中国政法大学出版社1994年版,第245页。

在实际生活中,有许多案件仅仅依靠法律条文的字句进行逻辑推论是无法加以解决的。出现这种状况通常是由于法律条文中概念的模糊不清和模棱两可;由于法律概念无法包括具体生活的方方面面所造成的。所有这些情况,仅依据条文的字句(或平意)进行逻辑推导是不可能得出审判结论的,即使得出结论,也可能不恰当,说服力不强。这就要求我们承认,法官在具体的事件中必须依据各种事实关系与条文规定的内容进行对照,自己作出价值判断,以形成最优的法律理由,作出最有说服力的法律论证。

由此可见,无论是在法律推理的逻辑推导中,还是在法律推理的辩证形式中,法官都须进行价值判断。他绝对不是机械式的绞肉机;而且"这种作为审判依据的价值判断往往与审判的逻辑说明同时,或者先于逻辑说明进行,二者在现实中相互交错、相互影响"。[1]有的学者认为:"在司法判决中,应排斥道德标准,让法律优先,因为道德评价作为一种社会评价,它是多元化的"。[2]这种观点企图用统一的法律标准来完全排除司法判决中的价值评价,但却完全忘记法律标准本身也会是不统一的、多元的、模糊的,或者根本就没有法律标准。这时,法官之价值判断必不可少。

二、价值判断的性质分析

对于价值判断的性质以及其在法学与法律实践活动中所起的作用,法学家们有不同的看法。

第一种观点认为,价值判断确实是一种主观的判断,对于价

---

[1] [日]川岛武宜:《现代化与法》,王志安等译,中国政法大学出版社1994年版,第246页。
[2] 徐永康、吴晓梅:"儒学与现代道德和法治的对话",载《法律科学》1997年第3期。

值的高低优劣,并没有一种客观的方式或标准可加以决定,价值的正确与否是理性所无法认识的,而只能透过意志的作用来加以决定。这是一种典型的价值(伦理学)不可知论。凯尔森是其在法学界的重要代表。因此对其而言,法律中需要评价的部分仍然只能由法官自己决定,法律本身不能提供标准。[1]

第二种看法则主张,对于法学中各种需要评价的问题,可以透过探求社会政策之目标或社会中既有的伦理评价来加以决定。在这种观点之下,是将法律规范与社会政策目标或社会道德规范相关联,指出法律中的许多价值问题是与社会之伦理价值相关的。[2]

第三种主张则认为,在实证法之外有一些永恒不变的价值原则,或存在一种客观的价值秩序,而法律也是建立在这种客观价值秩序之上,法律中的评价问题,当然也必须以此种一般被称为自然法的规范为依据。这种自然法学的观点的最大缺点,就是难以证立自然法规范体系的客观性,因此总免不了直观主义的色彩。尤其在变动快速、价值多元化的现代社会,显然不可能成为解决法律问题的良好指引。[3]

第四种看法认为,法律中的价值评价因素应以法律秩序之内在价值关系或内在价值体系为依归。法律规范体系之不足或漏洞,可以透过对价值体系的探求加以补足。此为价值法学的典型

---

[1] 参见〔奥〕凯尔森:《法与国家的一般理论》,沈宗灵译,中国大百科全书出版社1996年版,第102页。
[2] 参见刘清波:"法律价值的现代理念",载刁荣华主编:《中西法律思想论集》,台湾汉林出版社1984年版,第281页。
[3] 参见〔德〕拉德布鲁赫:《法学导论》,米健、朱林译,中国大百科全书出版社1997年版,第102页。

主张。[1]

以上各论都从某个方面揭示了价值判断在法律推理中所起的作用或者所产生的局限，应该说都有一定的可取性或科学性。但同时，正如文中所分析的那样，又都存在着某些方面的不足。因而，笔者将在吸收各论合理观点的基础上，以法律推理和谐论模式为基础，来评述法律价值判断的客观性及其运作过程。

三、价值判断的基础：法律的信念之网

前面所论已经说明，法律推理必然引入价值判断。那么这种价值判断的客观标准是什么呢？它是否会带来司法中的恣意专断呢？这样的审判结果如何能让当事人心服口服地接受呢？的确，历史上的主观擅断曾给人类带来了灾难，成为司法史上黑暗的一页。擅断的特点有三个：一是不讲科学的方法；二是不讲结论的理由；三是结果的偶然性。[2] 正是在这一背景下，古典的法治理想力图从司法领域中排除人的主观因素，强调司法三段论的作用。在现代民主社会中，毋庸置疑，法官所受到的法律约束是比较多的。在这种制度下，法官的价值判断与主观擅断有着明显的区别。与之相对应，这样的司法判决特点有以下几点：一是强调各种理由的说明；二是注重结果的说服力；三是强调使用科学的方法（包括推理和解释）。司法推理和我们的日常推理其实并没有太大的区别，其独特之处无非在于法官是受到更多的规范性约束、对现代法治负有职责的群体。尽管如此，我们从对日常推理的说明中可以看出它们的共性，从而可以找到法官的价值判断的基础，

---

[1] 参见沈宗灵：《现代西方法理学》，北京大学出版社1992年版，第37～38页。
[2] 孙笑侠：《法的现象与观念》，群众出版社1995年版，第258页。

即法官经过长期学习、训练、实践而获得的法律信念之网。[1]

(一) 信念之网

在我们的日常生活中,我们往往会经过我们先天的或后天的、固有的或习得的而形成我们的知识结构和认知结构——信念之网(web of beliefs)。当我们判断某事或者接受别人的建议时,我们往往根据这一信念之网来区分其可信性,判断其性质和说服力。我们会"尽量保留旧看法,因为在信念这个问题上,我们大家都是极端保守的,……首要的原则是忠于旧真理——在大多数情况下这是唯一的原则"。[2] 当新事物、新观念与我们已有的知识结构和认知结构相吻合时,我们就肯定它、相信它;而当它与我们的信念之网发生根本冲突时,我们便反对它、否定它。但情况远不只这两种,在这两者之间还有许多让我们感到似是而非的情况。在这种情况下,我们就根据我们所面临的事实资料,对我

---

[1] 笔者把法律推理之价值判断的客观性基础寄望于法官之"信念之网",这根源于以下方面的启迪:哲学家托马斯·S.库恩用"范式"(Paradigm)来指称"一个科学共同体所共同的全部规定",强调了它对科学研究的基础作用,参见《必要的张力:科学的传统和变革论文选》,纪树立等译,福建人民出版社1981年版,第290页;法哲学家们(如 A. Peczenik、J. Habermas 等)借用了此概念,提出"法律范式"一词,揭示它对法律推理客观化、合理化的意义,See A. Peczenik, *On Law and Reason*, Kluwer Academic Publishers, 1989, p.138; J. Habermas, *Between Fact and Norm*, tran. by William Rehg, Polity Press, 1996, pp. 388~391. 除此之外,德沃金提出的"法的整体性"、波斯纳提出的"法律共识"、费什提出的"阐释共同体"概念都有助于笔者思考这一问题,参见[美]德沃金:《法律帝国》,李常青译,中国大百科全书出版社1996年版,第193页;[美]波斯纳:《法理学问题》,苏力译,中国政法大学出版社1994年版,第161~166; See Owen M. Fiss, "Objectivity and Interpretation", *Stanford Law Review*, vol. 34, 1982, pp. 739~763.

[2] [美]威廉·詹姆斯:《实用主义》,陈羽纶、孙瑞禾译,商务印书馆1979年版,第34页。

们的信念之网作出适当调整,对之加以修正。而那些需要作最少修正的情况往往最易为我们所接受。[1]

在这张网中,每个信念总会和别的相关信念相联,同时又与我们所拥有的众多信念相互交织。这张网是一张"无缝的网",没有哪一个信念是所有其他信念都须遵从的起点。[2] 每个信念都由一个复杂的网络来支持,而在此网络中所有的信念最终根据人们的实践和生活经验而相互加强。任何一个信念的变化都会波及众多其他信念,从而引发许多其他信念的变化。假如随后我们作出相应的变更而没有造成整个信念之网的破烂不堪,那么其中的任何信念都能加以变更。从逻辑上说,当面临抉择和作出判断时,任何人在这些情况下都可以选择任何一种办法,只要他愿意调整他的信念之网,以适应他所选择的办法。然而从心理上说,我们每个人都有可能选择那些需要最少调整的办法,以保持我们信念之网的和谐。[3]

(二)法律的信念之网

法官之为人,其法律推理的方式与此大致相同,只不过是他们的各种反应应该受到更多的法律限制与制度约束。有关司法职责的信念则应当成为法官的核心信念;法官有责任维护法律,而

---

[1] 伯顿以专家、外行等不同的人对公园的那只鸟到底是乌鸦还是乌鹊的争论为例,生动地说明了对话者不断修正其原有信念之网的过程,See Steven J. Burton, *An Introduction to Law and Legal Reasoning*, Little, Brown and Company, 1995, pp. 124~127.

[2] 凯尔森力图建立一个纯粹的法律体系,但他把体系的最后基础归诸于"基本规范",我们无法在他那里继续寻找"基本规范"的内容和基础。笔者认为,这个"基本规范"仍需要有其他信念的支持和协调,否则我们会落入"神意"等窠臼中去。参见 [奥] 凯尔森:《法与国家的一般理论》,沈宗灵译,中国大百科全书出版社1996年版,第130页。

[3] 参见潘久维:《审判心理学》,四川科学技术出版社1989年版,第296页。

不得根据与法律不一致的个人观点来判决。法官所作出的判决应该与法治以及该理想所要求的一切相互协调一致。

在面对复杂的疑难案件之前，法官往往拥有一张法律的信念之网，它们在此之前保持着协调一致。比如在前述里格斯诉帕尔玛一案中，在法官的信念之网中以下原则和政策都是协调的：①在此情况下法律应该保证财产有序而公正地继承与转移；②法律应该实现遗嘱人所公开表明的意思，避免去猜想死人意图；③法院应当首先遵循立法机关制定的法律；④完全按照遗嘱的字面意思办事并不总是可以实现法律的目的与价值；⑤正常的人绝不可能愿意把他的财产遗留给杀害他的凶手；⑥正常的立法机关也不会赞同此种结果；⑦任何人不得从其非法行为中得利是一项基本的法律原则的要求。所有这些可能都会影响到法官的推理活动。尽管在以前的审判活动中，法官曾保证了这些信念之间的和谐，但一旦出现新的情况时，法官又感到价值的冲突，法律的和谐性便又遭到破坏。

在审理该案时，法官必须重新审视自己的法律信念之网，并根据其以往的法律信念之网来作出价值判断，从而决定调整其中的哪些部分，以尽可能一致地适应该案的判决。从逻辑上说，如果法官愿意对他自己的法律信念之网进行必要的调整，那么法官可以把遗产判归其孙子，也可以否决此请求权。跟平常人一样，法官要从各种逻辑可能性中根据有关目的挑选出那些与过去经验相一致的办法来。对于平常人而言，如果一个信念与他自己过去的经验一致，而且将来也不会造成令他失望的结果，那么他就会认为该信念运作良好。但与此相反，法官是一个正式的职业法律共同体。因而对法官而言，如果一个信念与法律共同体过去的经验相一致，将来也不会造成令法律共同体不快的结果，法官就会认为该信念有效。这样，为了使自己的判决与法律体系中早已存在的法律和判例协调一致，法官就根据法律共同体为过去情况所做的习惯性证明理由，努力地作出最小限度的调整。

法官有维护法治的义务，这一义务要求他使自己的行为与其他法律工作者的行为保持一致和协调。法官要做到这一点，就必须在自己的法律信念之网努力地吸收法律传统中惯例性的正当理由，这种传统是保持一致性和协调性的关键。在法律信念之网中，秩序和公正能够有效地维持信念之网的其他部分，因而是信念之网的核心。为了实现秩序和正义的价值目标，法律信念之网应当尽可能地把法律经验和法律目的整合为一个和谐有效的整体。法律共同体的传统习惯性正当理由常常包括一些法律原则和政策，这些原则和政策可以有效地保持法律规则和判例的协调性。设定秩序和正义的核心价值地位以后，法官在作出判决时要尽可能地维持和加强法律的协调性，尽可能作最少的信念调整。所以法官应当放弃或修正那些偏离法律共同体惯例的法律信念。可见，法官要考虑整个法律共同体过去的传统，要考虑整个法律的价值体系。从此意义上说，法官之价值判断离不开其整个法律信念之网，离不开社会的法律价值体系。[1]

四、价值判断的体系化

法官的这种信念之网是以法律之价值和价值体系化的存在为前提条件的。"人们的行为总是支持或共有着在该社会中处于支配地位的价值，并由该价值获得行为的动机"。[2] 同时在社会的各种群体、集团、阶级中，各种价值相互关联并形成一定的体

---

[1] 参见（台）吕荣海：《法律的客观性》，台湾蔚理法律出版公司1987年版，第168~174页。
[2] ［日］川岛武宜：《现代化与法》，王志安等译，中国政法大学出版社1994年版，第246页。

系，即"价值体系"。其中法律所追求和保护的价值即法律价值，主要包括秩序和正义两种价值。[1]

法律的价值体系往往是由法律职业和社会共同体的人们所共有的价值观念所构成的。因而，"对于判断主体来说，价值判断这种行为是一种以价值的优先选择为媒介的、具有高度主观性的活动，价值判断内容的客观性只与依相同的社会价值获得行为动机的人们的范围大小相适应——只在社会中的一定范围内的人们之间通用"。[2]人们的知识和见解是社会和周围环境所决定的，因而法律的价值判断与选择也并不是判断主体的个人主观意见；其受到众多因素的制约，包括自觉的或不自觉的，内在的或外在的。所以说，那种认为法律推理中的价值判断是完全任性的观点是有失偏颇的。[3]美国批判法学运动的先锋人物凯尔里斯曾列举和对照了美国最高法院有关言论自由的两个案件的审判。一为1968年法院在混合食品地方工会诉罗甘集市广场一案中，判定工会会员在私人商业中心广场集会和演说是合法的。二为1972年法院在洛德诉坦纳一案中，则判定反战分子无权在私人商业中心散发传单，理由是他们侵犯了私人财产权。他认为，这两个判例相互矛盾，以后案件的推理就须在此二者之间进行选择。从这里他得出法官之价值判断完全是自由的，法律推理仅仅是神秘

---

[1] See Steven J. Burton, *An Introduction to Law and Legal Reasoning*, Little, Brown and Company, 1995, p.115.

[2] [日]川岛武宜：《现代化与法》，王志安等译，中国政法大学出版社1994年版，第246页。

[3] 埃米尔·德尔克海默说："社会判断与个人判断相比，要客观些。价值观的范围因此从个人的各种主观的评价中解放了出来。"转引自[美]E. 博登海默：《法理学——法哲学及其方法》，邓正来等译，华夏出版社1987年版，第488页。

化、合法化的手段,完全是虚假的东西。[1]

我们认为,批判法学者在这里完全忽视了法官之价值判断的"客观性"因素或要求:法律的价值判断应该以法律的信念之网和体系化的价值判断为基础。因为判例法或制定法本身就是法律价值的外在表现和实物形态,法官的信念之网就是对它的主观反映。这样法官的行为(即裁判)就应该以这一意识形态中的一定的法律价值体系为前提并服务于该特定的法律价值体系。这种价值观念往往也会随着时间的推移而发生改变。凯尔瑞斯的错误便在于把不同的时期不同的法律目的和价值取向混在一起,从而把价值体系的变化等同于人的主观恣意。其实,我们认为,法官在法律推理过程中所做的价值判断不能成为完全主观恣意的,他所作出的判决因而就不是他的主观擅断。他有义务为该价值体系——成文法的一种表现形式——服务,并只能依据价值体系做出判断。[2]

这种价值体系在一定意义上说,也有层次之分,最基本的一些抽象价值(如正义、平等、自由等)与各种具体条件下的具体的价值则是一个互相协调的统一体。[3] 法律之价值体系是为赋予构筑社会秩序的行为以动机而存在着的,所以它必然拥有统一协调并维护其存在与发展的力量。然而,这种体系并不是说就总是处于统一和协调之中的。这是因为任何社会都存在着矛盾的对

---

[1] 参见[美]戴维·凯尔瑞斯:"法律推论",载《中外法学》1990年第2期;朱景文主编:《对西方法律传统的挑战——美国批判法律研究运动》,中国检察出版社1996年版,第297页。

[2] 川岛武宜教授认为:"法官之价值判断的客观性在于支持法官所服务的价值体系的人们的范围内,价值判断的客观性程度与支持范围内人数多少相关"。[日]川岛武宜:《现代化与法》,王志安等译,中国政法大学出版社1994年版,第246~248页。

[3] 参见张文显主编:《马克思主义法理学》,吉林大学出版社1992年版,第250~254页。

立，有利害的冲突关系，因此便有着反映这种对立和矛盾的价值观念。[1] 因而，法律之价值体系的统一和协调往往是在矛盾运动中完成的一个过程。由此法律的信念之网亦随着发生不断的变化。但从总的发展趋势来说，社会秩序的内在规律性必然要求其内部的和谐和统一。如此反反复复，这一运动就永无停息之日。这样，从长期来看，法官价值的选择与判断变化甚剧，但就某个特定时期而言，其稳定的、客观的一面仍然是明显的。

法官在司法推理的过程中要对具体的问题进行法律的价值判断，法官应该注意该具体的价值判断不应该与基本的法律价值相矛盾。对法律推理而言，价值判断的这种体系上的整合性要求是非常重要的。因为每一个具体条件下的具体的价值判断若不与体系保持整合性，具体的价值判断的最终结果就会导致否定根本的、比较重要的法律价值。[2]

尽管如此，随着社会的发展变化，价值体系的内容亦发生改变。这种变化产生的方式有两种。其一，革命式的突变，通常是由立法造成的。例如法律规定取缔卖淫、赌博活动，便从价值判断方面对此两种行为给予了明确的否定。其二，渐进式的变革，即价值体系的变化是部分的、缓慢的，通常是通过对每一个具体事件的审判而进行的。这种循序渐进式的变革，虽然比较缓慢和弱小，但它总会或多或少影响到法律价值体系的其他部分，进而

---

[1] 黄茂荣先生从法规范的适用方面把价值判断的冲突或矛盾划分为四种类型，并详细地加以分析，参见（台）黄茂荣：“法律解释学基本问题（II）：法律补充”，载《台大法学论丛》1977年第2期，第19~22页。

[2] 德沃金尤其强调法官为"法的整体性"理想或事业而作出的努力，把之比喻为不同的法官共同续写一部"连续小说"，从而保持整体的完整性、连贯性。价值观念的整合性是这种事业完成的基本前提和保证。参见[美]德沃金：《法律帝国》，李常青译，中国大百科全书出版社1996年版，第204~207页。

实现价值体系的新的统一、新的均衡。[1]

前面所列举和分析的有关言论自由和所有权至上方面的例证都说明了随着社会的变化，价值体系内部也发生变更。这种变化并不否定在当时情况下支持该价值体系的人们的范围之内该价值判断的客观性。所以批判法学者以此例证之矛盾来否定法律推理之相对客观性，[2] 把法律完全视为政治活动，把法律推理视为自欺欺人的麻醉剂，就犯了根本性的错误：是一种孤立静止的观点。他们看不到法律价值的统一和协调是在社会的动态中实现的，其客观性存在于支持该价值体系的人们的范围之内，而企图把法律（推理）之客观性等同于科学推理之真理性（必然性），以此为基础展开"批判"，实则犯了"攻击稻草人"的错误。

五、价值判断的过程

那么，法律推理过程中法官的价值判断是如何进行的呢？它经过了哪些环节呢？如何才能避免法官的价值判断与法律价值的体系发生矛盾呢？这些问题是比较复杂的，因为法律价值体系的内容是比较复杂的；在同一时期内法官必须遵从多种法律的价值。选择一种法律价值加以强调往往会忽略或者否定其他的法律价值。那么，在法律价值的体系中，法官该如何避免每一具体的价值判断与法律的价值体系发生冲突呢？

---

[1] 参见 [美] L. M. Friedman:《法律与社会》，吴锡堂、杨满郁合译，台湾巨流图书公司1991年版，第125～126页。
[2] 魏因贝格尔指出法官所追求的只是"相对客观性"（relative objectivity），See Ota Weinberger, "Objectivity and Rationality in Lawyer's Reasoning", A Peczenik et al. (eds.), Theory of Legal Science, D. Reidel Publishing Company, 1984, p. 217.

（一）法官须培养起自己健全的法律感觉

"感觉是主体对外界刺激的一种直接反应,类似于动物所具有的本能反应"。[1] 社会生活中的每一个人长期以来便接受着社会外界的教育、熏陶,经受在社会上居于主导地位的价值体系的传播与教育,从而形成自己以应变社会的感觉本领。感觉就其本质而言,是特定社会文化中的人对外界刺激的一种心理反应。正如马克思所说:"五官感觉的形成是以往全部世界史的产物"。[2] 正是由于这种原因,阐释学与现代认识论都特别强调人的"前见"、"视域"在认识事物中的作用。[3] 同样,法官的法律感觉也是他以所获得的法律信念之网为前提,对案件事实作出的心理反应。在这里,法律的价值判断以法官的"法律感觉"为基点或起点。[4]

在复杂的法律活动中,这种健全的法律感觉对从事立法和审判活动的人很重要,他们必须拥有高水平的、统一的、和谐的、敏锐的法律感觉。这是法官在审判活动中进行价值判断的基础和前提:当价值客体(判断对象)引起价值判断主体(法官等)的快乐、幸福的感觉时,判断者便认为价值客体是具有正价值的,它就值得维护;当价值客体引起价值判断者的厌恶时,评价者便认为它具有负价值,它就应当受到抵制;当价值客体不能引起评价者的任何感觉时,评价者便认为它无价值,它就不会引发追求的动机。

但是,我们不容否认,每个人的法律感觉仍会有不同之处,

---

[1] 冯平:《评价论》,东方出版社 1995 年版,第 115 页。
[2] [德]卡尔·马克思:《1844 年经济学——哲学手稿》,齐丕坤译,人民出版社 1979 年版,第 79 页。
[3] 参见梁慧星:《民法解释学》,中国政法大学出版社 1995 年版,第 108~112 页。
[4] 参见 [日] 川岛武宜:《现代化与法》,王志安等译,中国政法大学出版社 1994 年版,第 250 页。

会因人而异；况且人们的价值观念体系还与他们的社会地位休戚相关；价值观念体系还会随着社会的发展而逐渐地发生变化，因而当价值判断仅仅凭借法律感觉去进行时，由于各自所做的价值判断的出发点（法律感觉）是不相同的，结论当然也就不会相同。由此可见，法律审判活动不能单凭各自的法律感觉，法官之价值判断仍有待客观化、合理化。

（二）法律价值判断的客观化、合理化[1]

法官仅凭自己的法律感觉，其结果可能千差万别，这就需要有某些外在的制约条件。这种制约条件表现在两个方面。

1. 法官首先应该明白构成价值判断基准的法律价值之内容，对法律价值体系的内容有一个明确的了解。一般而言，评价主体的价值观念体系的深层结构或内核是评价者的关于客观世界意义的基本信念。价值观念体系中的这一深层内核，是以其最基本的公理为起点的。对于这一观念体系而言，这一公理是自明，也是不可证明的。同时，也是价值观念的持有者不加怀疑未感到需要证明的信仰。这一深层结构是较为稳定和单一的。价值观念体系的次一层次或曰它的中层结构是各种规范和准则。这些规范和准则构成了评价的基本取向、基本标准。价值观念体系的最外层，即价值观念体系的表层，是许许多多具体的评价标准。这些评价标准一方面受价值观念体系内核和中层的制约，另一方面又受评价情境的影响，有较大的境遇性。[2] 由此可见，在法官的法律信念之网中各种信念仍旧有层次之分。比如在市场经济的法律体系中，意思自治、所有权保护和契约自由应当就是最基本的法律

---

[1] 参见［日］川岛武宜：《现代化与法》，王志安等译，中国政法大学出版社1994年版，第251页。
[2] 冯平：《评价论》，东方出版社1995年版，第61~66页。

原则，它们就应当成为法官之法律感觉的核心内容。[1] 价值判断要与这一价值体系相适应，要注意层次之间的和谐性。

2. 每一个价值判断要合乎法律价值判断过程中的技术性要求。每一个社会的法律制度都形成了复杂的技术性要求，法官在作出价值判断时不能单凭其主观的价值判断，他还必须以此技术要求来核验其判断，以使其价值判断更为合理，从而也更为有效，取得社会和法律职业共同体的认可。法律的价值判断是一种手段，它一般都以应然形式表现出来，从而要求人们为一定的行为，并通过这一形式作用于社会，进而形成一定的社会秩序并对其加以保障。也就是说，法律价值判断的内容是依"存在什么样的事实关系时，应要求什么样的行为"的方式来决定的。[2]

就具体的审判过程而言，由于审判是以对现实中发生的具体事件所做的价值判断为内容的，因而它所做出的价值判断与立法过程中所做的普遍性的价值判断不同，它只是一次性的。但审判是一种手段，通过它可以形成并维护社会秩序，因此在这一过程中理所当然地应同时包含着具有普遍性的价值判断。从而现代的法官已经自觉地意识到了这种要求，因此他们在对作为审判行为客体的具体事件进行审判时，往往不只是将其作为一次性的事件，而是力求从每一次的审理中抽象出具有普遍性的社会关系的类型并进行深入的分析。因而日本学者川岛武宜认为，审判与立法一样，同样需要进行社会工程学性质的社会学分析，同样存在科学的问题。[3] 故而，为了实现法律判断的合理化，并进而实

---

[1] 参见张文显："市场经济与现代法律精神论略"，载《中国法学》1994年第6期。
[2] 参见［日］川岛武宜：《现代化与法》，王志安等译，中国政法大学出版社1994年版，第252页。
[3] 参见［日］川岛武宜：《现代化与法》，王志安等译，中国政法大学出版社1994年版，第253页。

现社会控制的目的，社会对法律技术的要求必将导致法律价值判断必须是一个科学的过程。技术先行于科学，同时，科学的发展又必须以技术的内在要求为依据。[1]

综上所述，法律推理（无论是形式的推理还是辩证的推理）都无法绝对地排除价值判断的作用，尽管这是人类的理想与追求。这首先根源于立法本身是一套价值观念的体系化；其次根源于司法审判本身是将法律所包含的价值观念具体化的过程。我们认为，法官的价值判断并不是完全等同于他的个人之主观恣意，相反，它也包含有客观性的一面（即相对客观性）；"主观的"并不等于就是"个人的"。[2] 法律推理的和谐这一目标始终制约着法官价值判断的发挥。和谐的基础在于法官的法律信念之网，在于价值判断的体系化。法官在进行价值判断活动时，首先，须培养起自己健全的法律感觉；然后，再通过探求基准性法律价值，进而用法律中的技术性要求来核验其价值判断，因此实现其价值判断的客观化、合理化。我们认为，既发挥好法官的价值判断的作用，又克服其中的不确定性东西，能够更好地完成法律推理的工作，尤其是可以更好地解决辩证推理中的疑难问题。

第四节 结 语

辩证的法律推理方法之必要性根源于以下几个方面：①法律逻辑体系的缺陷，即它具有模糊的不可消除性、内在的不和谐性

---

[1] 韦伯根据法律制度中技术化的程度不同，把法律划分为形式合理性的法制与实质合理性的法制，参见［德］马克斯·韦伯：《经济与社会》（下卷），林荣远译，商务印书馆1997年版，第138～140页。

[2] 参见［德］恩斯特·卡西尔：《人论》，甘阳译，上海译文出版社1985年版，第82页。

以及体系的不完备性；②法律推理的独特性，即大小前提的建构因人而异，法律的任务不仅仅是真理，而且还有公正、合理等，以及纠纷解决的紧迫性；③疑难案件的产生和出现，导致法律推理者价值判断不可避免地要渗入其中。这些共同决定了以和谐为目标的辩证推理的重要性。

辩证推理的具体方法综合起来有以下几种：其一，利用法的精神的解释来建构大前提；其二，通过衡平克服法律的僵化，从而谋求个别公平；其三，根据国家政策或法律的一般原则作决定，克服形式推理的困难；其四，根据习惯、法理来作判断；其五，根据法律、伦理意识来作判断；其六，根据事物的性质来作判断与推理。这些方法的大致步骤为：第一步，按事物的性质得出大前提；第二步，按法源诸范畴检验、确立大前提；第三步，依价值判断选择大前提。辩证的法律推理由于具有司法预感的信息基础、对理想结果的不断检证与修正以及价值判断的类型化、体系化而获得客观性基础。

由于立法本身就是一套价值观念的体系化，司法则是价值观念的具体化，因而把价值判断从法律推理中驱逐出去不可能，即使是在形式的法律推理中也是如此。价值判断的基础在于法律推理者的法律信念之网，这种体系化的信念之网使法官之价值判断区别于他个人的主观恣意。因而，我们可以利用价值判断之过程形成和谐的法律推理，以解决法律中的疑难问题。这样，形式的法律推理与辩证的法律推理就可以共同完成司法判决的论证任务，获得依法的公正判决。如何通过和谐的推理模式实现这种目标，如何处理这两种目标之间的张力，这些正是下一章所要解决的问题。

第五章　法律推理的张力及其缓解

> 确定性是一种幻觉，宁静不是人类的命运。逻辑形式背后隐藏的是一种判断，是对针锋相对的各种立法考虑因素的相对价值和重要性的判断，尽管这些常常是不清楚和无意识的判断，但它是真实的，是整个诉讼程序的根基和叶脉。
>
> ——［美］O. 霍尔姆斯

前面对法律推理的运行考察可以说明，在法律推理的运行过程中始终存在着这样一种冲突：即一方面是要严格按照法律的规定进行逻辑的推演活动，以求维护法律的安定性，以追求法律推理的确定性；而另一方面是要严格按照人之理性理解来为法律疑难案件建构合理的大前提，用辩证推理的形式追求案件的公平与正义，以求维护法律的妥当性，以追求法律推理的可接受性。着重于前者的法律家们声称法律是确定的，因而判决法律案件应追求法律的正确答案；而偏重于后者的法律家们则力陈法律推理之不确定性，认为司法判决无非是法官的主观价值癖好的产物。

法律推理的张力（tension）是指法律推理者在利用法律理由的过程中必然会碰到的一系列价值选择的冲突，而且这种冲突是内在于这一活动中的,它只能从一定程度上予以减轻和缓解,而无法从根本上加以消灭。这一张力表现为法律推理的合法性要求与合理性要求之间、稳定性要求与灵活性要求之间,以及表现出的确定性与非确定性之间的冲突或矛盾。本章主要探讨最后一对张力的产生、表现及其缓解和协调。

第一节 法律推理的确定性问题

自从美国大法官霍姆斯提出"法律的生命历来不是逻辑而是经验"之论后,法律中的二元传统(即逻辑和经验的分野)更显突出。[1] 重逻辑的法哲学(如概念法学)认为法律的运作如同一台绞肉机,只要上面投入法律的事实,下面便得出确定的法律结果;而重经验的法哲学(如现实主义法学)认为事实和法律都是极不确定的,因而法律的判决只不过是法官的一顿不愉快的早餐的结果。此后,法律的确定性受到挑战和质疑。这种怀疑论往往从实践经验和哲学理论两个层次上寻找根据。他们得出的最后结论是:法律是不确定的,法律推理也是不确定的,因而法律问题没有正确答案可言。

但相反的一种观点(如德沃金)则认为,法律问题有"唯一正确的答案",法官有义务和责任努力地达到它。哈特称之为一个"高贵的梦",因为他要求法官成为"赫拉克勒斯"(Hercules)式的法官。[2] 正由于现实的法官往往无法达到他的要求,

---

[1] See Oliver Wendell Holmes, *The Common Law*, Mark D. Howe ed., Boston: Little, Brown and Co., 1963, p. 5.
[2] 赫拉克勒斯是希腊神话中的大力神,德沃金用以指无所不能的、智慧的法官。参见[美]德沃金:《法律帝国》,李常青译,中国大百科全书出版社1996年版,第300~301页。

所以此后的许多法哲学家都在吸收德沃金之理论的基础上，予以一定的缓和，从而提出法律问题有正确答案，但没有绝对的正确答案。法律推理的不确定性与确定性之间存在着必然的冲突。本节将主要集中在对法律推理的确定性问题进行分析，阐述这种内在张力的具体表现。

一、法律推理不确定论

不确定论认为法治的古典主义（形式主义）过于理想化，不符合现实的司法判决情况。形式主义所描述的理想蓝图是：法律是一个包罗万象、完整无缺的规则体系，每项规则便是一个一般性的命题，只需适用逻辑上的演绎法，把它适用于个别具体案件之中，便能得出正确的判决。由于法律体系是完备的，所以就每个案件而言，法院都能找到一个唯一正确的解决办法。法院不可使用自由裁量权，否则便是对法治原则（职能分工原则）的破坏。

1. 怀疑主义者认为法院在作出司法裁决的过程中，其实并不真正受到所谓法律规则的制约。法官有高度的自由裁量权，随心所欲地进行判决。法律规则只是达到法官所喜欢的判决的籍口、可供其利用和摆布的手段，它并不对法官得出判决结果的推理过程发挥规范作用，因为法律规则具有高度的不确定性，法官可以随意解释有关规则、制造例外情况或在适用规则时作出变通，从而得出他希望作出的结论。所以说，法律问题无所谓正确答案问题。法官的判决只不过是法官个人化的价值观、政治态度的偶然反映。

一方面，他们从经验方面指出这种不确定性的表现。D. 凯尔里斯（Kairys）从分析遵循先例原则入手，经验地证明法律推理的非确定性。[1] 他指出，对于一个案件常常会有支持两种相反意见的判例，这时法院到底该受哪个判例的约束，法官如何看待这些模棱两可的判例，这些都不能通过先例原则来解决。他说先例原则在具体案件中既没有导向也没有要求任何特定的结果或观点；司法判决最终依赖基于价值和倾向性而作出的判断，而这种判断因法官的不同而不同；法律不过是另一种形式的政治。法律推理同宗教一样，是一种麻醉剂。关于这一点，M. 图什内特（Tushnet）亦指出，在一个拥有大量判例和发达的推理技术的法律体系之中，要证明今天的判决与过去的某判决一致是完全不成问题的。所以法律推理并没有确定性，法律问题并没有"正确答案"之说。[2]

另一方面，他们从理论上加以论证，以说明法律推理的非确定性。他们的这种证明往往是借助语言哲学和文学理论来进行的。G. 皮勒（Peller）从词和概念出发，说明语言本身具有非确定性。他认为指称和被指物之间并没有"自然的联系"，相反，这种联系是人为设定的。语言不是对世界的再现，而是对世界的解释，由于它的意义不过是在表达的过程中积极地获得的，它在一定程度上带有非决定性的属性。由此看来，法律语言也是不确定的。[3] 同时，皮勒又从文学理论出发，说明读者和作者在理解上存在着难以克服的差别：其一，读者和作者各有其历史，从

---

[1] See David Kairys, "Legal Reasoning", in *The Politics of Law*, Pantheon Books, 1982, pp. 11~17.
[2] See Mark Tushnet, "Following the Rules Laid down: A Critique of Interpretivism and Neutral Principles", in Allam C. Hutchinson ed., *Critical legal Studies*, Rowman and Littlefield Publishers, Inc., 1989, pp. 172~176.
[3] See Gary Peller, "The Metaphysics of American Law", 73 *California Law Review*, pp. 1164~1168 (1985).

而各有其再现活动的方式；其二，读者往往根据自己的意义结构来抽取无数的意义。这就使得法官对法律的理解也具有语言和理解固有的局限，从而决定法律推理并不能帮助法官决定案件的结果，而真正对法官起作用的无非是社会的文化与意识。[1]

2.R.波斯纳从经济分析法学的角度出发来论证法律问题的不确定性。他十分赞同现实主义法学和批判法学对法律适用于具体案件时的高度不确定性的分析，即在判案时法官的直觉、价值判断、个人偏好和政治取向是有最决定性的作用的。同时，波斯纳对后现代主义的语言分析、解释的客观性和普遍真理的怀疑态度也表示同意，从而反对德沃金对法律整体提供解释和指引的宏观理论建构，反对德沃金的"唯一正确答案"论，主张以实用主义哲学的精神来审视法律现象。[2]

首先，他认为在法律的疑难案件中，各种用以推理的法律理由（或论点）是不能"权衡"的，无法说明哪个论点更强有力一些，所以此纠纷的解决是无法确定的。法律推理是实践理性的一种。法官在判案时应小心研究有关事实情况，即如果案件涉及社会政策、公共利益的考虑，那么法官必须充分掌握有关的资料，不单是案件当事人的材料，而且包括有关社会现实情况和有关法律规范的实际运作的资料，然后（在难于推理和判决时，法官可自由选择不同解决方法的情况下）凭良心、直觉作出判决。

其次，法官往往通过由诉讼的一方当事人来承担说服责任，以此来解决案件的不确定性难题，从而填补了审判者信息不足的

---

[1] See Gary Peller, "The Metaphysics of American Law", 73 *California Law Review*, p.1172 (1985).
[2] 参见［美］R.波斯纳：《法理学问题》，苏力译，中国政法大学出版社 1994 年版，第 571 页以下。

问题。由此可见，判决的结果有可能取决于举证责任，或法院的偏见和成见，而不取决于"真实"。同时，法院除了求真的目的以外，还有许多目的，诸如经济性的考虑，它们是相互竞争的因素。这些都说明司法推理只是偶然成分的结果，其确定性大打折扣。

最后，确定性的假设前提是相同的背景使解释一致，而客观的解释则是以一个单一文化的解释团体的存在为前提的。但这种团体在现实生活中很少见。正是由于法律团体的多质性与多种法律形式之间的互动创造了一个法律领地，在这个领地里无法获得一种可以用来确定法律决定之前提从而允许法律按照逻辑轨道前进的共识。为此，他还提供了一个经验事实，即诉讼有一种倾向，选择审理的恰恰是那些事实不确定的案件。他们不在庭外了结，很大程度上是无法确定法官的立场的。[1]

3. H. L. A. 哈特认为"形式主义法学"和"规则怀疑主义"的法学对法律的确定性问题的看法都失之偏颇，因而他力图走一条中庸之道。他认为，只有在疑难案件中法官才有相当广阔的自由选择的空间，法律不能提供一个唯一的正确答案。哈特此论是以语言分析哲学为依据的。哈特指出语言文字和以语言文字表达的法律规则有一定程度的意义的可确定性：每个字、词语和命题在一定范围（核心范围）内有明确的含义，其适用于某些案件的结果，也是显而易见的，具有高度的确定性和可预测性。

但是在另一个方面，语言和规则也有"开放性"的结构（Open texture）。因为语言不是绝对精确周密的示意工具，加上立法者在起草法规时不可能预见到所有将来可能出现的情况，所以在某些范围（边缘地带）内，语言和规则的适用具有不确定

---

[1] 参见［美］R. 波斯纳：《法理学问题》，苏力译，中国政法大学出版社 1994 年版，第 250 页以下。

性。在这些范围内，法官在决定作出怎样的判决时，的确享有裁量权和创建新的规范的权力。在这些疑难案件中，并不存在一个由现有法律所决定绝对正确的答案，法官需要在多种可能解释和可供采用的推理途径中作出抉择。在此过程中，道德价值判断、公共政策的考虑、不同利益的权衡、不同判决对社会的影响等因素，都会左右到法官的最终判断。[1]

综上所述，法律推理不确定论的论据主要集中在以下几个方面。首先，从司法判决的经验事实来看，只有当事人对法院将来的判决无法确定时，案件才可能诉诸法院，而不是庭外了结。此外，"法律规则并不是法官判决的基础，司法判决是由情绪、直觉的预感、偏见、脾气以及其他非理性的因素所决定的"[2]。其次，法官往往在审判中广泛地行使自由裁量权，而且创制新的规则，具有法律创造功能。正由于此，法律的适应性、实用性在很大程度上削弱了法律的确定性和稳定性。最后，他们大多采用语义分析哲学和文学理论作为立论的基础。正是因为语言的模糊性、意义的不确定性以及理解的可能性等造成了法律推理和适用中的不确定性问题。所以说，不确定论认为法律问题，或者说疑难案件中的法律问题，是没有唯一正确的答案可言的，法律的确定性只是古典主义理想的图画，它必将为各种现实的不确定因素所粉碎。

二、法律推理确定论

西方社会20世纪六七十年代发生了大规模的社会动荡和经

---

[1] 参见［英］哈特：《法律的概念》，张文显等译，中国大百科全书出版社1996年版，第124页以下。
[2] 杰罗姆·弗兰克（Jerome Frank）的观点，转引自［美］E. 博登海默：《法理学——法哲学及其方法》，邓正来等译，华夏出版社1987年版，第150页。

济危机,从而导致人民对西方社会、政治和法律制度的"信任危机"。在此情况下,美国法理学家德沃金教授提出了一种较新的理论来缓和这种"合法性危机"。他认为,法律和法律推理都是确定的,法律问题有"唯一一个正确答案",法官应努力地去达到它,去"发现"当事人所固有的权利。[1]

首先,德沃金从体制和经验上作出反思。他认为不确定论有违立法至上的宪政原则。如果法院在处理法律并没有提供明显答案的疑难案件时,享有高度的自由裁量权,并实际可以创造出新的规范,那么法院其实便是超越了宪制所赋予法院的司法职能,篡夺了本应由民选议会掌握和行使的立法权;同时也意味着这些法律规范具有了溯及力,违背了法治的精神。此外,这种处理方式也不符合律师和法官的经验和他们讨论法律疑难问题时背后的前提:即假定就这个问题来说存在着客观的、唯一正确的答案,这个答案在问题被提出之前已经存在于法律之中,而在解答它们时,法院只是对一些原已存在的权利和义务予以确认和执行,而不是在设定新的权利和义务。

其次,德沃金认为不确定论往往有两种观点,他分别予以批驳。[2] 不确定论的第一种观点认为,在每一个肯定性的法律概念和它的明显否定之间有一个逻辑区间,它们由诸如"未遂合同"等特殊概念构成。德沃金认为这一观点违背了法律的明确性要求。比如法律规定"亵渎神灵的合同是无效的",那么"安息日签订的

---

[1] See Ronald Dworkin, "No Right Answer?", *New York University Law Review*, 53 (1978) 1~32; Ronald Dworkin, *Taking Rights Seriously* (Cambridge: Harvard University Press, 1977), pp. 81~130; Ronald Dworkin, *A Matter of Principle* (Cambridge: Harvard University Press, 1986), pp. 266~271.

[2] See Ronald Dworkin, "No Right Answer?", *New York Uni. L. Rev.*, 53 (1978), pp. 1~32.

合同是否有效"则是该社会的法官应该考虑的问题，因为安息日不得做工。那么，第一种观点此时似乎就是说："在法官有义务执行合同的命题和法官有义务不执行合同的命题之间有一个逻辑区间，该区间由他有执行与否的裁量权命题来支配"。这显然与实践中要么有义务执行、要么予以否定的做法相悖。

不确定论的第二种观点认为，法律推理之所以不确定，其根据在于语言和概念的模糊性，或者在于没有证据来证明此类法律问题。例如"查尔斯是否勇敢？"，倒不是因为"勇敢"一词模糊，而是因为如果查尔斯已死，且他从未经历过任何危险情况，则此问题便无正确答案。德沃金认为这些论证归纳起来不外乎以模糊性、实证主义和争议性的论据来说明法律推理是不确定的，法律问题并没有什么无正确答案。德沃金对这三个观点一一加以驳斥。

（1）由于法律规则的模糊性而产生不确定性。这种论据在德氏看来没有把规则之法律语言模糊的事实和结果区分开来，因而它犯了两个错误。其一，它混淆了立法机关使用模糊术语的情况和其规定一个允许不同理解的概念的不同情况；其二，该论据假定：如果一立法机关制定一项法规，由于法律规则不过是通过它所使用的词语的抽象意义固定下来的，其作用必定会产生某种程度上的不确定性。但这个假定明显是错误的，因为法律者用以确定法律规则之作用的标准可以包括成文法解释或建构规则，它们决定在一定的场合中模糊词语必定被认为具有何种力量。也就是说，通过问哪种解释更好地促进了那些为制定法提供最好政治合理论证的一系列原则和政策，制定法的意义和作用便是确定的了。它表明规则性的法律语言中的模糊性并不能保证必然导致法律命题的不确定性。

（2）由于实证主义观点产生的不确定性。实证主义认为，只有立法者肯定或否定那些法律命题时，其他法律参与者才可以肯定或否定法律命题。换句话说,只有立法者有权对法律规定作出判断和解释。德氏认为这是毫无根据的。相反,法律活动的参与者可以肯定(或否定)那些提供了较好(或不好)正当理由的法律命题。如果我们采取后一种观点,那么大多数法律问题肯定会有一个正确答案,这个答案为法律问题提供一个较好的、切合的解决。

(3) 由于法律命题不能证明为真而产生的不确定性。这种观点相信,如果一个命题不能被证明为真,那它便不是真的,尽管有可能与它的真实性相关的物质性事实已经被知晓或者已经为人们所约定。如果我们持这种观点,那就肯定有不能给予正确答案的法律问题。但德氏认为,我们没有必要相信这种观点。因为世上除了有这种物质性事实以外还有别的一些东西,比如道德事实。正是由于这些道德事实,我们就可以判定有些法律命题不是真的。如一个社会制度(奴隶制)可能是不公正的,这倒不是因为人们认为它不公正,或者有据此认为它不公正的惯例,而是因为奴隶制本身是不公正的。如果有这类道德事实,我们就可据此判断该法律命题为真。所以说,一个法律命题,如果最好的正当理由为该命题提供了较好的证明,那么该命题就是正确的。

最后,德沃金的"唯一正确答案论"在后来"法的整体性"理论中得到了系统化。该理论认为,法官如果能够掌握法律的原则,采用"建设性阐释"的方法,追求法的整体性理想,他便能够找到正确答案。具体而言,它包括两个方面的要求,即法律解释和适用符合"适切性"和"正当性"两个方面的要求。所谓"适切性"是指解释者和适用者必须使其工作符合对象(如法规、判例)所提供的信息。而"正当性"要求是指法官在赋予解释和适用于自己的价值或目的时,必须选择一个最能显现法律价值的最佳解释。对正确答案的这种寻找方法便要求一种解释性的、自我反省式的态度,甚而是一种博爱的态度。作为这一理论的必然结论,他要求我们的法官像大力神赫拉克勒斯一样,具有超凡的智慧和耐心,并适用其高深的理论来断案,并最终把法律问题的正确答案之获得寄希望于政治道德。

三、如何理解法律推理的确定性问题

法律推理的确定性之争的主要问题关涉到法律的客观性或确定性、法官的司法自由裁量权以及个人权利的认识和保护等一系列重大的法哲学问题,因而受到广大法哲学家们的关注。我们认为,在法律的确定性和不确定性、逻辑和经验之间不可避免地存在着张力,这是法律这一范畴本身所具有的。如何理解法律及法律推理的确定性问题呢?近年来,有的法学家从超越法律形式主义和规则怀疑主义的角度,提出了交谈合理性、合理的可接受性等概念,有力地促动了对此问题的思考。

在法律问题的法学探讨中,法律及法律推理的客观性往往是与确定性、非个人化等用语同义使用的。它大致可以区分为三种强弱不同的涵义,依次是:①形而上的或本体论上的客观性(objective),指对法律问题的认识和处理与某种外部实在或客观真理相符合;②科学意义上的可复现性(replicable),即对法律问题的认识和处理如同科学实验一样,只要运用正确的方法,那么不同的研究者对同一问题就能找到相同的答案;③交谈或交流意义上的合理性(reasonable),即对法律问题的认识和处理是基于有说服力的合理根据而非主观任意的判断,它在交谈中被认同,并可合理地加以修改。美国法学家波斯纳认为,如果我们所说的客观性是指前两种意义上的含义,那么当人们面临疑难案件的法律问题时,就不得不在形式主义的确定性和规则怀疑主义的不确定性之间作出抉择。但如果我们采取第三种意义上的含义即交谈的合理性,我们就能超越这种非此即彼的抉择,采取一种中间立场。在一个社会或共同体中,组成人员在政治思想、文化传统、价值观念、生活方式等各方面的同质性(homogeneity)程度越高,他们就法律问题达成共识的机会也就越大,对法律问题的处理也就越具有客观性。这一认识实现了法学研究和法治实践的重大转变,即他把分析确定性和客观性的视角从追求答案的"唯一正确",转向获得答案的过程和理由的合乎情理。作为交谈合理性的客观性概念,既超越了传统确定性观念中对客观和主观、确定和不确定、非个人化和个人化的截然两分,使人们看到在对立的两极之间有许多疑难的法律问题处于"灰色地带",而且还通过对"有说服力的合理根据"和"可合理修改"的强调,突出了在这些问题的认识和处理上客观、确定和非个人化的一面。[1]

德国法哲学家哈贝马斯特别关注法律(包括立法和司法)的正当性(legitimacy)或合理的可接受性(rational acceptability)问题,它包括法律的确定性(稳定性)与它的正当性之间的张力。他认为德沃金的建设性阐释和法的整体性理论正是面对这种张力的理性设计、理想性的规范和要求。如何认识审判领域中法的确定性问题呢?他认为:"在审判领域中法律的真实性(facticity)和有效性(validity)之间固有张力本身表现为法律确定性原则和对法律的合理适用要求,即对提供准确或正当判决的要求之间的张力。"[2]这里哈氏批判地继承了德沃金的学说,他说:"为实现法律秩序的社会整合功能及法律的合理性要求,法

---

[1] 参见张志铭:《法律解释操作分析》,中国政法大学出版社 1999 年版,第60~61页。
[2] Jurgen Habermas, *Between Fact and Norm*, Tran. by William Rehg, Polity Press, 1996, p. 179.

院裁决必须同时满足协调的判决制作条件和合理的可接受性条件。"[1] 那么,一方面,法律确定性原则要求判决是在现存法律秩序的框架内协调地作出的;另一方面,合理性要求判决不仅要与过去的类似案件的对待相一致,同时要与现行法律制度相一致。它们亦要求基于问题本身的合理基础,以致所有参加者都能把它们作为合理的来接受。

现在的问题是,偶然出现的法律的适用怎样才能在内在一致性和合理的外在正当理由之间完成,以至于能同时保证法律的确定性和它的正当性呢?哈贝马斯认为,如果不再使用自然法标准,那么我们从开始便有三个办法来对付这个问题,即法释义学、法律现实主义和法律实证主义。法释义学企图用过程模式(a process model)来解决事实和规则之间的张力问题;法律现实主义认为法律与政治不再有任何区别;而法律实证主义把法律秩序的合理性转到它的根源(基本规范和承认规则),但后者自身是不需证明的既定规则。[2] 所有这些都未能解决或者回避了合理性与确定性之间的张力问题。德沃金则试图避免这些解决办法的缺陷,他转而求助于道义逻辑的权利概念,把康德的权利原则和罗尔斯的正义第一原则结合起来,即根据这些原则每个人都有平等自由的权利。哈氏评价说:"法律的和谐论可以避免由于法律制度的冲突结构而带来的非决定性,仅以理论本身成了某种

---

[1] Jurgen Habermas, *Between Fact and Norm*, Tran. by William Rehg, Polity Press, 1996, p. 198.
[2] 基本规范(Basic Norm)是由奥地利法学家凯尔森提出来的,它指的是法律体系中"一个不能从更高规范中引出其效力的规范";而承认规则(Rule of Recognation)则是英国法学家哈特首先使用的一个概念,它指的是承认或授权主要法律规则取得法律效力的规则。参见沈宗灵:《现代西方法理学》,北京大学出版社1992年版,第168、189页。

不确定的东西为代价。"[1]

哈贝马斯认为，法律的确定性本身就是一个原则，它必须同案中的其他原则相权衡。这一理论就使"唯一正确"的判决成为可能，它保证的是另一个不同层次上的法律确定性。程序的权利保证每个法律主体都有一个公平的程序之权利，因此它保证的不是结果的确定性，而是相关事实和法律的广泛明晰。这样，受其制约的人才会确信，在发布判决的程序中仅有相关的理由是起决定性作用的，因而它不是专断的东西。如果我们把现行法视为一个理想的、和谐的规范体系，那么这种基于程序的法律确定性就能满足它的整体性及倾向于原则的法律共同体的预期，因此，每个人被授予的权利都受到了保证。这样，哈氏把法理学对法的整体性的追求的寄托从德沃金所寄予厚望的赫拉克勒斯式的法官转移到司法程序的安排和原则之上，从这里哈氏找到了"正确答案"的另一种保证。他说："正如在立法领域中的民主程序一样，法律适用领域中的法律程序的规则用以补偿其缺漏性和判决的不确定性，它们根源于该事实：即假设仅仅能近似地满足合理商谈的命令性的交往前提。"[2] 因而，制度化的法律的自我反思态度从两方面促进了个人的法律保护：在个案中取得正义，在适用及更长远的法律发展中取得一致性。

诚如哈贝马斯所言，事实和规范之间固有的内在张力必将在立法和司法中反映出来，而法律的确定性原则本身就成为一个需要权衡和比较的原则之一。所以说，正确答案或确定性都是在一

---

[1] Jurgen Habermas, *Between Fact and Norm*, tran. by William Rehg, Polity Press, 1996, p. 219.

[2] Jurgen Habermas, *Between Fact and Norm*, tran. by William Rehg, Polity Press, 1996, p. 234.

定意义上而言的。离开了前提条件的限制，谈确定性本身就会成为绝对，而违背法治的精神。而且，正是法律的不确定性的一面往往可以成为推动法律发展的动力和契机。正是在这个意义上说，法律推理既是确定的，又是不确定的，分析的视角不同，强调的作用因素不同，得出结论就不同。

从一定意义上说，法律和法律推理的确定性是法治的理想之一，是权利保障的必然要求。法律存在的根本价值之一便是它从心理上满足人类对稳定性和确定性的需求，使人们的社会关系处于井然有序的状态。这里，秩序本身便成为正义的一部分。正是由于这种需求，人类设计出种种制度来保证法律的一致适用、保证它同样地对待同等的人，以最大限度地排除人的非理性因素的影响。应该说，这种制度背景下的法律问题的确有一个正确答案，法律推理也是确定的，否则我们便无法解释和说明我们允许上诉的事实，允许人们批判判决的事实。正确答案就是说该判决是所有考虑到的答案中最好的或最令人偏爱的，而在其他人看来也同样如此。同时，它也意味着做任何别的判决的话，它都将是一个错误。但即使说仅有一个答案，对于答案的范畴而言，通常在合理的或可以接受的答案之间仍有多个答案。当然，这个范畴便是法官不值得为此而受谴责的范畴。这个正确答案便是法官（尤其是理想的法官）必须做出的。

美国爱渥华大学法学教授 S. 伯顿（Burton）认为，法律推理并不像科学推理中的研究一样，法律推理主要考虑人们行动的理由，而不去考虑人们要得以确信的理由，法律的多种资源（如规则、原则或惯例等）足以使法官得出正确的结论。所以那些称法律推理不遵循因果律因而不确定的人就没有法学上的力量。法律推理不应受到法律规则无法宣示正确结果或者描述因果法则的指责；正如我们不能指责数学这种东西缺乏经验论证一样，我们也不能指责法律这种东西缺乏结果的整体确定性。我们正可以利用这种不确定性的一面来实现法律的发展和社会的正义，利用它来创造更美好的世界。[1] 所以我们应持一种现实的态度，努力地追求法律的正确答案，但又不要把其绝对化，使之成为可望不可及的目标。正如意大利法学家 G. Zaccaria 教授所说："法律确定性的真正威胁不在于承认解释的必要余地的情况，这在为大多数严格法制主义者所划定的体制内它会无所改变。但真正的威胁来自于想完全以推演的方式建立这种确定性，想在解释和判决的事实过程之外事先就魔术般地建构这种确定性。在此过程中它所要达到的不是绝对的确定性——这不可能达到——而是现实中的最大可能的确定性"。[2]

第二节 法律推理张力产生的原因

第一节的归纳和分析表明，在法律推理的过程中，推理者必将受到两方面的要求。一方面，法律推理必须具有客观性和确定性；另一方面，法律推理又必须具有合理性，从而表现出其内在的不确定性。这两极之间的要求往往伴随着法律推理的全过程。比利时当代法哲学家佩雷尔曼说："法律推理表明了由以下因素所产生的所有张力，即调和稳定性与变革的渴望，调和连续性和

---

[1] See Steven J. Burton, *An Introduction to Law and Legal Reasoning*, 2nd. ed., Little, Brown and Company, 1995, pp. 84～85.

[2] Giuseppe Zaccaria, "Analogy as Legal Reasoning: The Hermeneutic Foundation of the Analogical Procedure", in Patrick Nerhot ed., *Legal Knowledge and Analogy: Fragments of Legal Epistemology, Hermeneutics and Linguistics*, Kluwer Academic Publishers, 1991, p. 69.

变更活动的需要，调和安定性与衡平，与共同善的需要。"[1] 法律推理的张力一般可归因于以下几个方面的冲突：法律要求与道德要求之间的冲突，法律推理的结构性要求与自主性要求之间的冲突，以及事实与规范之间的冲突。正是法律思维过程中的这几对矛盾决定了法律推理的内在张力。

一、法律要求与道德要求的冲突

对法律推理者而言，法律问题的解决和处理一般可以分为四个阶段：①确认规范为法律规范的有效化阶段；②根据法律规范的文本、目的和历史确定它的一般涵义的解释性阶段；③把法律规范与事件相联，决定该规范是否应予适用的具体化阶段；以及④决定到底是用规范性权威依据还是智识性地作出选择或判断阶段。这里探讨前三个阶段中所出现的法律与道德的冲突，即决定法律规范的效力、涵义和可适用性时到底是用法律标准，还是应该用道德标准。[2]

---

[1] Chaim Perelman, *Justice, Law and Argument*, D. Reidel Publishing Company, 1980, p. 134.

[2] 当代中外不少法学家们往往是笼统地、抽象地谈论法律与道德的关系。有人对此提出质疑，主张进一步深入到法律推理的过程中探讨二者的关系，参见刘作翔："法律与道德：中国法治进程中的难解之题"，载刘海年等主编：《依法治国与精神文明建设》，中国法制出版社 1997 年版，第 271~293 页；Also see William Read, *Legal Thinking: Its Limits and Tensions*, University of Pennsylvania Press, 1986, p. 103.

(一) 法律效力的张力

我们在考虑规范的法律效力时，道德往往就会与法律形成冲突。[1] 一般说来，法律规范是明确而有效的，因为它们是按照国家的法律程序创制出来的。但另一方面，如果它们的实体规定或者产生它们的程序与社会上的传统信念（mores）、伦理或良心的义务，或者正义或公平的理想发生严重的冲突，法律规范的法律地位就有可能遭到否定。反过来说，有些规范没有明确的法律谱系和地位，但如果它们与重要的社会道德态度、义务或理想保持实质上的一致，其法律地位往往也会得到肯定。具体说来，在法律效力方面，法律与道德的紧张关系表现在以下两个方面：

1. 由于道德原因而使法律规范无效。法律的目的是为了促进人类的正义与福利。这是法律家们以及其他社会活动家们应当持有的信念。"法律是朝着正义之意志"。[2] 正因为如此，历史上多次不断地发生以道德来批判法律规范，从而促进法律的发展的事情。最为典型的事例当数第二次世界大战结束后国际军事法院和西德司法机关对战犯、为法西斯效劳的间谍、告密者的审判。被告们往往辩称，他们的所作所为都是根据当时法西斯的法律而为的，因而并不违法。在德国当时有这样一个案件：1944年被告为脱离其丈夫，向纳粹当局密告其夫曾发表诋毁希特勒和政府当局的言论。纳粹政权根据当时的法律判处其丈夫死刑。

---

[1] 一般以为法的效力即"法对其所指向的人们的强制力或约束力"。在当代西方法哲学中曾先后出现过"逻辑的效力观"、"伦理的效力观"、"事实的效力观"和"心理的效力观"等。在此，笔者无意陷入这种法哲学争论，但必须指出一点，即法律效力标准应该是内在标准和外在标准的有机统一。参见张文显：《20世纪西方法哲学思潮研究》，法律出版社1996年版，第433～446页。

[2] [德] G. 拉德布鲁赫：《五分钟法哲学》，转引自张文显：《20世纪西方法哲学思潮研究》，法律出版社1996年版，第171页。

1949年被告被指控犯有非法剥夺他人自由的罪行。被告辩称，她向当局报告其夫的行为是依法进行的，她的行为并不构成犯罪。她的丈夫是根据当时的法律被判刑的。但联邦德国的法院坚持以为，被告所依据的法令，由于违反了基本的道德原则，因而是无效的；被告并不是由于良心之义务去告发的，而纯粹是为了个人卑鄙的目的，因而被告的行为违反了一切正直的人的良知和正义感。正是因为法院基于道德原因而否定了原法律规范的法律效力，从而对被告判处刑罚。

2. 由于道德原因而使法律规范有效。对于法律上有效的规范，我们可以通过说明其实质内容及其产生方式的不道德性来否定其法律效力，从而实现它的无效化。但是，要想使一个法律上无效力的规范有效化，即把非法律的东西转变成法律的技术远远比前面法律的无效化要复杂得多。规范谱系方面的法律缺陷是不能简单地通过说明创设的程序是道德的就能得以改善的。只有通过不仅说明规范的实体和程序都与道德相协调，而且要说明有这种特殊情况出现，即鉴于它的实质道德性以及视其为有效的强烈的实践需要，这种情况能够证明忽略该规范之谱系缺陷的合理性。这些规范虽然缺乏法律谱系，但它们仍被视为法律规范。它们包括那些通过成功的革命而实现有效化的规范，包括通过官员们的谕令而实现有效化的规范，比如法官造法所创制的法律规范。[1]

革命成功之后，由于旧体制的推翻，原来的"罪犯"现在成了民族英雄，官员和旧体制的支持者则成了罪犯。这样，当成功的革命出现时，法律制度的基本规范取得了合法性，因而新的、原本并不合法的法律制度中的规范便由于道德或事实的非法律原

---

[1] William Read, *Legal Thinking: Its Limits and Tensions*, University of Pennsylvania Press, 1986, p. 109.

因而得以有效。[1] 当没有官方身份的人们通过设立新的法律制度而创设新法时，就通过革命而实现了有效化。而当有官方地位而无立法权限的人们在现行法律体制中创立新的法律时，通过官方谕令的有效化就实现了。这两种有效化方式都是诉诸于道德和政策，而不是服从原来的法律程序。然而二者在范围上有所不同。前者把治理国家的应然道德主张转化为法律规范。而相反，当法官及其他官员们订立道德时，他们则常常把某些特殊的道德规范法制化了。这些道德规范可能来自外在渊源（比如宗教学说、习俗、伦理等），也有可能来自官员们自然良好或有关正义与公平的理想。[2] 当然，这些并不是法官及其他官员们的个人偏好或者主观任性，它们应当体现或反映社会共同道德。[3]

因而，法律推理者在有关法律效力问题上必然会面临着这样的矛盾，即法律与道德的冲突。这种情况往往会导致司法中法律

---

[1] 参见［奥］凯尔森：《法与国家的一般理论》，中国大百科全书出版社1996年版，第124～128页。

[2] 关于这些渊源可以参见本文第四章第二节。比较法学家们一般在"法的非正式渊源"中论述此问题。参见［美］E. 博登海默：《法理学——法哲学及其方法》，邓正来等译，华夏出版社1987年版，第421～461页。

[3] 现代西方不少法理学家在言及法律推理时，大多提出要重视社会共同道德的作用。比如P. 德富林认为，社会不是个人的简单集合，而是观念的共同体。没有共同的政治观、道德观和伦理观，任何社会都不可能存在。如果人类社会共同的善恶观这一共同性消失，社会就要瓦解："历史表明，道德纽带的松弛常常是社会瓦解的第一步。" P. Devlin, *The Enforcement of Morality*, Oxford: Clarendon Press, 1995, p. 13; 亦见张文显：《20世纪西方法哲学思潮研究》，法律出版社1996年版，第422～423页。德沃金也重视政治道德在法律推理中的重要作用，他认为一个社会的政治道德应包括"正义"（justice）、"公平"（fairness）与"程序上正当"（procedural due process）等基本要素。参见［美］德沃金：《法律帝国》，李常青译，中国大百科全书出版社1996年版，第158～200页。亦见（台）王文宇："论德沃金的司法判决理论"，载《台大法学论丛》1995年第2期。

漏洞、疑难案件现象的出现，推理者的任务便须集中于解决这些内在的矛盾冲突，以实现司法判决的有效证成。

（二）法律涵义的张力

当法律推理者对法律规定的涵义不甚清楚，甚或发生争议时，法律与道德也往往会形成冲突。涵义问题与上述效力问题不同，它不是"是或否"的问题。尽管一般的法律制度都规定了确定法律涵义的方法，但是这些方法仍无法保证得出一清二楚的法律结论。此处我们探讨从规范之文本、目的和历史中探求其法律涵义所产生的张力问题。

1. 规范之文本。法律规范到底是什么意思，这必须首先从法律规范的文本来探求。赋予法律规范之文本以涵义的一个方法便是利用其他术语来界定它。这一界定过程中法律—道德冲突体现为，该过程是仅参考法律程序及其法律后果，还是也参考遵循法律程序的道德后果；如果法律涵义不仅要参考遵循法律程序，而且要包括对实质性道德规范的参考，那么张力就表现为：是应该仅仅依法律规定之字面涵义来理解，还是应当在法律范围之外从道德方面确定它的涵义。由于法律规范的文本往往把传统的法律语言和一般的日常语言搅在一起，人们在理解和确定法律规范的涵义时，这些张力就更加复杂了。日常语言包括道德语言和事实语言，前者表达"应当"的观念，后者表达"是"的状态。道德术语一般表达应当做什么的规范性观念。当这种术语被吸收进法律规范时便获得法律地位，取得法律效力。此时，它们在多大程度上能转化为传统的法律术语呢：从程序上说，如何决定它们的涵义？从实体上说，它们意味着什么？此类术语在法律中比较多见，比如刑法的应受惩罚性、可责难性，宪法上的正当程序和平等保护等。程序上的张力表现在，道德术语的涵义是要由法律规则决定呢，还是要由在有关实际道德状况中具体作出的判断来决定呢？在对道德规范的司法解释存在严重分歧时，就会产生道德语言的实体上的张力。比如，法官在对不合理的合同条款的界定上就往往因人而异，产生冲突。此外，事实语言方面的张力可以由哈特所举的有关"严禁车辆进入公园"的规则予以说明。"车辆"这个词到底包括哪些东西呢？因救心脏病突发的病人的救护车和儿童的电动玩具车等能包括进禁止之列吗？在这些判断中也会发生法律与道德的冲突。

2. 规范之目的。当我们追问为何创设一个法律规范时，这种考虑往往缺乏具有确定范围的特定目标，同时也把主观性认知与客观性需要相混淆。有关规范之目的张力并不是界定词语的问题，而是分析理由的问题；它不是立法者说什么的问题，而是什么东西促成立法者的立法这样一个更复杂的问题。由此，对立法目的的法律视角和道德视角之间就不可避免地产生张力。从法律角度来讲，推理者倾向于限制背离现行法律，倾向于严格解释立法目的，以确保法律的连续性和可预测性。因而，如果新的法律规范介入道德规范，它们便寻求通过把该道德规范化约为法律规则或原则来消除道德的复杂性。那些从道德角度来考虑的人则倾向于强调新的法律规范可以矫正的一面，倾向于宽泛地解释立法目的，以使法律与道德保持一致。法律视角倾向于维持法律的严格、明确和尊严，而回避现行法的巨大变革，抵制不确定性和道德模糊性的介入，强调服从法律的形式。道德视角偏好广泛的变革，力争法律与道德的同步，而不太关注法律的连续性、确定性或程式化。

3. 规范之历史。尽管我们可以通过阅读文本、探求目的而了解法律规范的涵义，但是，还应当知道，不同的事件往往会造成涵义的变化。这些新情况对涵义的影响在不同的人看来有不同后果：法律视角认为，只有当官方正式认可新的法律涵义，法律涵义才变化了；道德视角则认为，因道德涵义发生变化时，法律涵义也变化了。[1]

(三)可适用性的张力

1. 规范之具体涵义。要想把规范适用于具体的事件，我们就得更进一步地确定在具体情况下如何解释法律规范的具体涵义。前面所谈的法律涵义是从抽象涵义上说的，它是规范之文本、目的和历史的综合产物；而此处所言的具体法律涵义则是针对个案而言的，它是使抽象涵义与个案相适合的产物。在使之适合时，法律与道德之间的冲突便又产生了。这一张力体现为：如何使规范之抽象涵义具体化，以决定其与个案是否相适合；另一方面，如何挑选和解释个案的细节与背景，以决定它们与规范是否相关。把规范具体化的工作就可以产生更狭小的和更具体的法律范畴，从而删除不相关细节。

就规范对事实的适合性和事实对规范的相关性而言，法律—道德张力典型地表现为逻辑推导与道德正当之间的冲突。从理论上说，解释具体涵义的法律视角对上述两个环节仅允许进行逻辑的判断，而且该态度应对相关后果表示漠不关心和价值中立。另一方面，道德视角则要求对如何确定规范与个案的适合作出道德判断，而且要求对该"适合"本身亦作出道德评价。

2. 可适用性。即使我们在阐释了法律规范的具体涵义，解决了任何有关此过程或结果的法律—道德张力之后，如下这种矛盾仍有可能：到底是根据规范之法律上的"应当"(ought)，还是根据法律之外的道德的"应当"来确定规范对个案是否适用。有时候法律规范的涵义明了，对个案之适用清楚，这种逻辑力量使法律推理者毫无选择的余地，而只有得出其逻辑结论：该规范

---

[1] William Read, *Legal Thinking: Its Limits and Tensions*, University of Pennsylvania Press, 1986, p. 122.

应当（或不应当）适用于个案。与此同时，法律推理者可能认为，就道德考虑而言，这种结论实在是一个极大的错误。因而，明晰的法律涵义与强有力的道德命令之间时常会产生这种张力。

西方人常常用 Riggs v. Palmer 案来说明这一张力的表现。[1] 纽约州《遗嘱法》和所立遗嘱清楚、明确，而且合法有效，正如有一法官指出："如果按法律办事，杀人凶手埃尔默的确应该获得遗产"。但是法院否决了其继承权。法院论证说，任何人不得从其非法行为中获得利益，因而用这个一般的衡平原则作为其判决的正当理由；同时又宣称：相反的裁决"将是对我国法理学的一个斥责，是对公共政策的侵犯"。而在我国近年亦发生了一起类似的疑难案件，即前述张连起、张国莉诉张学珍损害赔偿纠纷案。如果法院严格按照《合同法》的契约严守的条文规定和双方所签的合同来判决，法院将判决被告不负赔偿责任。而这一逻辑结论与法院之正义观念、道德认知严重冲突。于是，法院作出相反的判决。法院认定被告行为"是违反宪法和有关劳动保护法规的，也严重违反了社会主义公德，对这种行为应认定为无效"。[2] 人类本性感知的正义感反对这种严重不公的"合同"。

上述两案例均表明了这样一个令人困惑的问题：在确定法律规范是否应适用于个案时，法院是要运用法律的字面涵义，还是在道德的基础上"造新法"呢？也就说，他们在论证判决时，是根据法律规定呢，还是根据他们的道德认知。在法律规范之是否应适用于个案的可适用性问题上，便产生了法律与道德的冲突。

---

[1] 参见［美］德沃金：《法律帝国》，中国大百科全书出版社 1996 年版，第 14～19 页；刘星：《法律是什么——20 世纪英美法理学批判阅读》，广东旅游出版社 1997 年版，第 4～8 页。

[2] 参见本书第四章第二节。

二、规范与事实的冲突

在经过前面的几个阶段之后，人们在决定是否应当受一个具有法律效力、涵义明确、可适用于个案的法律规范指导时，人们往往会发现有这种张力出现，即规范的权威性和对可能的后果及其对具体利益或价值的作用的审慎考虑之间有着内在的冲突。关于规范对个案的实际可适用性方面的规范—事实张力大多出现在我们把法律事件已用范畴加以确定和解决任何法律—道德冲突之后。在考虑是否把法律规范适用于个案时，往往会存在影响这一思维的两种作用力：人们对规范性权威的尊重与人们对明智之举的自我判断。前者往往提供人们适用规范的理由，而智识则既可以说明适用也可以说明不适用的理由。比如，驾驶员在面对道路上的急坡时，既有规范性理由又有智识性理由服从限速规则，但智识则可能鼓励其不服从时速限制规则；驾驶员实际需要的考虑（比如有重要的约会）就为其超速行驶提供了理由，这超过了对安全的考虑。

（一）规范性权威

规范的权威也就是一个规范有权利或权力去作何为正当的命令。它一般可由规范来源的合法性（合法）、其内容的道德分量（合理）以及在获得尊重和服从上的实效（有效）三个方面来加以说明。

规范的法律权威强调规范来源的合法性，即立法者按照法律程序和创设规范的方法来进行。规范可能具有法律效力，但不一定有法律权威。另外，规范可能具有无可挑剔的法律权威，但它却可能没有道德分量，也无实效：基于其来源的合法性，人们承认车速限制规则的法律权威，但可能认为它没有太大的道德分量，服从它也仅仅是因为诸如天气、散心等外在原因。如果一个规范缺乏法律效力就不会产生法律权威的问题，因为它并非一个法律规范；但一个并非根据法律授权而产生的规范可能有效，并且有道德权威和事实权威。在这里，如果有效的法律规范缺乏任何一种（法律的、道德的或事实的）权威，它便有可能为某些智识性考虑因素所取代。

规范性权威指规范的内容具有良好的道德力量，因而该规范为人们所服从。具有同样法律渊源的规范便具有同等的法律性权威，而不论其所调整事项是否琐屑或重要。比如说，有关停车场的规范和禁止杀人的规范具有相同的法律效力。两种法律的规范性权威的不同之处并不在于其谱系方面的法律性权威不同，而在于它们的内容的道德性权威的不同。对法律规范的道德性权威进行评估是法律推理中不太准确但却相当重要的一部分。它是不太准确的，因为它涉及情感以及逻辑的原因，此外，它还缺乏固定的程序和评估的人员。不过，道德性权威的情感性、不受制约的性质也正有助于其发挥作用。如果没有这种道德性权威提供支撑，法律性权威所做的仅仅只能是对智识性考虑的不太有力的抵制，智识的说服力由此发挥作用。

事实性权威指法律规范不论其来源合法与否、内容正当与否，它们获得了人们实际上的认同和服从。一个规范由于其程序上的来源而受到合法性的指责，或者由于其内容的不良而缺乏道德力量，但是，如果大众与官员仍把它视为有约束力的规范，那么它仍具有规范性权威。比如，在法国法中的侵权行为规则，尽管法律中并没有明确的规定，但法官们一般都把它视为具有普遍约束力的规则，而加以运用和遵守。[1] 相反，一个规范具有无可怀疑的法律渊源、明确的道德内容，但实际上由于社会成员普遍不把它视为有约束力的规范，因而便缺乏规范性权威。例如当

---

[1] 参见徐国栋：《民法基本原则解释》，中国政法大学出版社1992年版，第271页。

今社会的交通法规范便是这样的命运。这些例子都说明规范性权威除了规范之合法性、道德性之外,还包括事实性部分,这取决于规范的实效,即人们对它承认与遵守的程度。法律推理者在评估法律规范的规范性权威时,不仅要考虑其来源的合法性、内容的合理性,而且要考虑它是否具有命令民众服从的实际权力。如果没有,此便为具文,推理者便毫不犹疑地拒绝适用该规范。相反,如果他发现它的规范强制力无法抗拒,他就毫不犹豫地适用这个规范。否则,他便会进入智识性考虑的阶段。

(二) 智识性判断

规范性权威从未告诉人们,要他们不要适用一个本可适用的规范,它仅仅简单地要求人们适用这一规范。规范的法律性质便足以论证它的权威。但智识性问题则比较复杂,它体现人们对具体事实情况的主观判断:如何处理才算是审慎和明智的。它力陈一个可适用规范须适用(或不适用)的原因和理由。而且,在这个过程和评估中也没有事先的明确界限决定它到底可以走多远。

在人们的法律思维活动中,首先,人们须完成对案情的范畴化(conceptualize),即用概念与判断形成法律事实的过程,在此基础上人们在脑海中把规范与事实联结起来。在这个阶段,事实被动地等待着人们去发现,等待人们使之适合于规范。但是随着法律思维的进行,当人们实际运用规范时,事实就会变得主动了。它们向法律推理者力陈以某种方式行为或思考的智识性理由,而不再是规范性理由,从而它们与规范发生竞争:到底以何者为判断依据?"这些理由是作为对规范适用的后果及其对利益和价值观的影响的审慎的主观判断"。[1] 当人们对一个有效的、

---

[1] William Read, *Legal Thinking: Its Limits and Tensions*, University of Pennsylvania Press, 1986, p. 138.

明确的而又该予以适用的规则发生质疑时，推理者的头脑中便产生了这样一种内在的张力：规则的权威性与推理者对后果及其影响的主观价值判断之间的冲突。规范性权威对推理者而言是最终决定性的，但智识的主观判断尽管有时十分明确有力（比如说，适用该法律会造成巨大损失），不过通常寻求智识指导往往意味着一系列并非最终性的决定。

1. 后果。法律规范规定人们应当做或不做什么。这些规范有一种双向的关系：较高级规范赋予较低级规范法律效力，而较低级规范则使更高级规范具体化。[1] 事实却具有与此不同的一种双向关系，它是原因与结果的双向关系：从事件推知可能的结果，推理者对可能发生的事情作出预测；从后生的结果推知可能的原因，推理者推想可能曾发生的事情。当我们谈论物质后果和社会后果时，会前瞻性地预测结果，回溯性地推想原因。正是这种前瞻性的方式造成了后果考虑与规范考虑之间的竞争与冲突。在决定是否适用一规范时，我们就必须推测可能会发生的事情。这仅在一定程度上有助于决定该规范对此个案在规范性方面是否是可以适用的，或者在一定程度上预测可能的事情。法律执行人员过去的所作所为可能左右大众是否服从法律规则的决定，但它之所以如此乃是因为它有助于预测目前服从与否的未来后果。与物理学家和社会学家们专心说明事情发生的原因不同，这里的因果关系问题是：在此种情况下我适用或不适用这一规范，其后果将怎样呢？因此，这个问题并非是与物理学和社会学相对的法律与道德问题，而是与考虑实际后果相对的对规范性权威的尊重问题。法律推理者在此所面临的张力是按法律办事和进行智识性判断的矛盾。

---

[1] 这里对规范等级的划分与凯尔森所指的涵义是相同的，参见［奥］凯尔森：《法与国家的一般理论》，沈宗灵译，中国大百科全书出版社1996年版，第67~68页。

法律推理者在此往往对两种后果作出预测：一种是没有人介入的直接因果影响，比如说，如果我违反交通法规，我可能会受伤；另一种则是取决于他人做何反应的反应性影响，比如说如果我不履行合同、另一合同方则可能起诉我，法官则可能判令我履行合同、赔偿损失。直接后果比反应性后果更易于预测，因而推理者不太可能去寻求法律顾问的帮助。合同的不利方知道履行与不履行合同的直接后果，即受损或避免损失。但他常常需要律师帮助他去预测，如果他不履行合同，对方与法院将会如何做出反应。预测直接后果似乎更像因果推理中的科学实验，而预测反应性后果则常常像心理学上的猜测工作。对方对事件的反应常常决定法律机制是否会启用；法官的反应决定法律是否尽力使该规范适用于该事件；[1] 而公众的反应则不仅影响到法律推理者的名誉，而且还影响到规范和制度的权威性。

当然，对法律规范适用的后果作出预测本身并不是目的，相反，它揭开作出智识性判断的序幕：该后果对推理者的利益和价值观有何作用。

2. 利益。这里我们所谈的利益是指特定个人或集体的功利需求和便利。[2] 对后果的思考实际上就是一个不断预测的过程，而它常常便融入对利益的考虑中去。后一种考虑包括两个方面，即对后果的预测和对成本、收益的计算，通常而言，在法律专家们的帮助之下可以加强这两个过程的可靠性。不过，后果与利益

---

[1] 例如，美国大法官霍姆斯说："我们所说的法律，就是指法院事实上将做什么的预言，而绝不是什么空话。" Holmes, *The Path of the Law*, p. 173.
[2] 詹姆斯对"利益"的实用主义分析对法律事业的安排与说明极为有利，这一点为庞德所宣扬与贯彻。参见［美］威廉·詹姆斯：《实用主义》，陈羽伦等译，商务印书馆 1979 年版，第 25～45 页；［美］罗斯科·庞德：《通过法律的社会控制·法律的任务》，沈宗灵等译，商务印书馆 1984 年版，第 34～54 页。

之间仍有实质的不同，前者与个体无关，在客观的事实领域内发生，而后者则显得更为主观些，因为对个体的利益而言，利益的计算是按照对他们是否有益来进行的。

在平衡可适用规范的规范性权威与智识的事实性判断时，为了判断如何能增进其利益，法律推理者通常要预测适用与不适用该规范的后果。在进行这种判断时，推理者考虑利益人的哪一抽象利益可能受到影响，其重要性如何。这个过程相当于我们前面所谈的确定规范的一般涵义和权威性的过程。同时，推理者也得考虑这些抽象利益是怎样受到具体影响以及利益人对这些作用的反应。这个过程又相当于前面谈及的确定规范具体涵义的过程。

个人与团体的抽象利益除基本的生存权益以外，一般主要是由利益人在社会上的政治、经济、文化、宗教立场与背景所决定的，即他们的权力、财富、教育、信仰等的有无多寡。拥有这些的人比缺乏这些的人的利益更众多、更有保障。与法律有关的抽象利益主要包括金钱及其他财富、身体健康、政治自由等。当然，这些利益有多种形式。例如禁止出版"颠覆性的"和"黄色的"书刊之法律的适用与否影响到政治自由和权力、收入与财富、艺术表达与审美享受、宗教与道德信仰，甚而众人的身体健康。由于抽象利益在一定程度上可以从人们在社会上的立场与背景中推知，因而它似乎是客观的；又由于它是人类思维的产物，因而它似乎是主观的。

与此相同，在具体场合中适用与不适用法律规范的后果对抽象利益的影响也有客观方面和主观方面，前者取决于对利益人而言成本与收益的性质；后者取决于利益人对成本与收益的反应态度。一旦估计到后果对利益影响的客观性，问题则变得主观了：这些影响对利益者是否重要到足以使其决定他将怎样行动。在决定影响的重要性时，要考虑是从长期来评估呢，还是从短期来评估。

3. 价值观。价值是指人们对他们需要满足与否的评价观念。正是由于价值权衡才使得他们与法律规范的权威性发生冲突。[1] 与利益相比较而言，人们的价值关注并不在于其内容，而在于它们的序位。从性质上说，价值在很大程度上就是对利益的排序。前面所谈到的预测后果、分配利益，以及估测后果对利益的作用，都可以借助于概然性推理和效用做得或多或少客观些。就价值作用而言，如果事先把价值规定下来，那么后果对价值的影响也能加以客观的估测。但是价值本身却不能像利益那样进行客观地分配，因为人们有时会需要那些既无可能又无用处的东西。为了赋予他们的价值以客观一致的外表，价值主体往往力图揭示其价值，并使之形成价值体系（即他们意识中的价值等级体系）。这样，在以后的具体场合，他们便可以作出新的价值判断。但是，这种价值体系一般都是从价值主体的自我利益出发的，它往往不太关心别人的权利、利益或需要，因此，在决定是否适用一个本该适用的规范时，规范与价值的冲突和张力还是会出现的。有时，即使是利他的价值也仍有可能与法律规范发生冲突。此外，当我们问价值主体的行为是要受可适用规范的指导，还是要受价值的指导时，我们便会感觉到法律与价值之间的冲突和张力。当然，价值有可能指示我们服从规范，亦有可能指示我们违反它，但当价值主体倾向于不遵守规范时，这种张力就更为突出了。

三、结构性要求与自主性要求的冲突

从性质上说，法律推理是一种法律的思维活动过程。法律思维本身所具有的内在冲突决定了法律推理的张力性质。在法律的

---

[1] 有关价值判断在法律推理中的作用及其性质的分析，请参见本文第四章第三节。

思维过程中,有两个不同的部分:一个部分是比较正式的、有严格结构的部分,我们可以称之为结构性部分。在此部分中,法律制度的规范、程序以及思维者的角色、位置都预先决定了人们的思维倾向和思维惯势,甚至思维内容;而另一个部分则是非正式的、无严格结构的部分,我们可以称之为自主性部分。在此部分中,个体往往可以自己作出选择和判断,他进行自由裁量的自由似乎本身就成为了法律内容的一部分。[1] 这两个部分在法律的思维过程中同时发挥作用,从而产生相互背离的张力。法治的理想设计是,法官仅仅是法律的解释者,而不是制造者。然而,法官的这种角色定位似乎并没有制止法官"造法";事实和法律规范之间的逻辑联系常因诉诸公平或社会政策而推翻。总之,法律思维似乎是一个充满矛盾的活动:既要受规则的指导和束缚,同时又不断摆脱规则的制约,力图发挥自主性作用。

一个制度的正式结构和个体的自主抉择之间的张力并不仅仅出现于法律制度中,相反,人类文化中广泛地存在着这种结构与自由两极性要求的冲突,正是这种两极性冲突不断地推动着文化的继续发展。例如,古希腊戏剧有宇宙命运和人类意志的较量,中国古代有礼与法之争,英美司法有法律与衡平(equity)的区分。这些都反映

---

[1] 诉讼法学者往往在"诉讼的目的与构造"的题目下探讨这二者的相关关系。参见李心鉴:《刑事诉讼构造论》,中国政法大学出版社1993年版,第146~149页;宋英辉:《刑事诉讼目的论》,中国人民公安大学出版社1995年版,第11~12页。这里笔者所采用的"结构"一词含义比较广,即不仅包括诉讼程序上的结构,而且还包括人员、机构的位置性结构和规则、原则及方法等要素的规范性结构。而"自由"一词与日常用法也稍有差异。它并不是指道德的、政治的、或者经济上的自由,而是指法律留给法律思维者决定法律制度该如何运用的自由空间。它在很大程度上根源于法律的"开放性结构"(the open texture of law),参见[英]哈特:《法律的概念》,张文显等译,中国大百科全书出版社1996年版,第124~135页。

了稳定与变动、结构与自由、秩序与创新的冲突和斗争。结构性要求体现了僵化和非个人化的一面。例如,对即使是因饥饿而盗窃食物的人,法律规则亦应判处其刑罚;而自由则体现了人的自主性的一面,但它具有不确定性,更易发展为残酷的任性。因而,人类需要协调这两极,使其互补,实现有结构制约的自由,即结构性自由(structured freedom)。同样,在法律活动中,法律推理者每每要受到两个方面的要求:法律制度的结构性要求以及法律实践的自主性要求。最终,法律推理者必须以合理性(reasonability)为基本原则,实现有规制的自由,有自主性的结构,同时满足这二者的合理要求,保持二者的有机平衡。[1]

(一) 法律思维的结构性要求

"结构",来自于拉丁文 striuctura,指事物内部的构成要素之间合乎规律的一定方式的相互关系。法律思维的结构性要求是指法律工作者进行法律思维时必须加以遵循的制度和规范要求,它们具有一定的强制性。具体而言,它包括三个组成部分:①由职位、角色和职能所构成的位置性结构;②由法律规则、原则和方法所构成的规范性结构;以及③从逻辑和语言中产生、有助于确定和解释法律规则,对法律事实加以范畴化(conceptualize)的程序性结构。理解进行法律思维的这三种结构是我们理解和有效进行法律思维的必要起点。当然,这些结构并非就是我们从法学院和法学教材中学到的那些东西,相反,它们是一些深深扎根于法律体系之中的那些制度性规定。当我们确定、解释和适用法律规范处理法律问题时,它们指导着我们进行法律思维。

1. 位置性结构(positional structures)。位置性结构是指社

---

[1] See William Read, *Legal Thinking*, University of Pennsylvania Press, 1986, pp. 74~89.

会制度对社会主体进行的身份、角色和地位的确定，即对人们的制度性位置的安排和设定，它包括人们的职位、角色和职能三个方面。在社会生活当中，人们一旦取得法律制度的某一职位之后，他们往往会表现出一些并不属于他们的本来个性、而是属于该职位特有的特征。这种特征正是制度本身所作出的设定。人们担任了该角色，便相应地发挥其职能，所谓"在其位，谋其政"。

不管是立法者，还是行政官员，职位（offices）本身的限制对他们有很强的约束力。在确定法律规范是否有效，法律规范的具体含义，法律事实如何时，人们要问的第一个问题往往就是：哪个部门有权来回答和处理这一问题？立法者的职位要求他们从事立法，而不是去解释或适用他们自己制订的法律。司法者的任务便是严格地适用，而不是去制订和颁布法律。否则，他们的行为都会被宣布为违法行为。职位赋予在位者特定的抽象法律义务，这些义务独立于具体的情景变化，即不论是谁在这个职位上，他都必须履行这些义务。由此可见，社会职位早已提前设定了一种结构。[1]

社会角色（roles）往往并不是由制度来正式分派，相反，它更多的是随着具体情景的变化而变化。这一特点有别于上面所谈到的职位。社会个体、行政官员以及立法人员在法律制度中一般都有其相对确定的制度性角色，这种角色常常有效地制约着人们的思维和行动的自由。例如，社会个体不仅有服从法律的一般义务，而且还有诸如纳税和服兵役等的特殊义务。律师是法律工作者，他既有维护法律的义务，也有诚实信用地代理委托人的事务的义务。当然，角色也常常是由于事情本身的情况所形成和决

---

[1] 参见［美］帕森斯：《现代社会的结构与过程》，梁向阳译，光明日报出版社1988年版，第18页。

定的。比如在父母双亡的情况下，常常会产生"长兄如父"的家庭结构。

与前两者相比，职能（functions）则显得更不正式，更不具备结构性，从而也更加情景化。作为法律制度的参加者，他总要在其中发挥一定的功能和作用。这种功能的发挥往往有更大的随机性。如在上述父母双亡的情况下，仆人有时也会履行某些父母的职能。在一个法律制度中，由于社会情况的复杂化和专业化，某些职位和角色职能的实际履行常常要委托给一些附属机构。它们的职责是由它们的上级机关来赋予的，而不是这个制度本身所设定的。然而，不管由谁来履行这一职责，该职能都限定了它们活动的自由和范围。在现代社会中，立法、司法和行政的职能尽管都相当的宽泛，但它们并非没有界限，因为现代法治一般都设计出权力相互制衡的机制。

2. 规范性结构（normative structures）。我们可以把一个法律体系中的法律规则、原则和方法统称为法律规范，用以区别于事实情况和道德规范。在这里，我们把由法律规则、原则和方法按一定的方式所组成的相互关系称之为规范性结构。与前述位置性结构相比，规范性结构的内容更为具体，并且普遍公开，有更大的权威性和约束力。而与下面所要谈到的程序性结构相比，规范性结构则是实体性方面的制度。规范性结构直接阐明应当如何行为，而程序性结构则阐明如何理解和运用规范性结构——即行动前如何进行有序的思考。

当法律规则、原则和方法明确、完整、有效且不存在矛盾时，规范性结构便可以有效地指导和规范我们进行选择和作出决定。但是，当它们的内容与现实相互矛盾，存在明显的不合理时，我们的选择和决定就会产生冲突和矛盾。而且，当法律规范的明确性、完整性、权威性或可接受性方面存在着这样或那样的缺陷时，社会个体、法律顾问、法官以及行政官员就不可能或不愿意简单地按照法律规定来行事。这里的问题便是：他们如何发挥自由裁量的权利，自由地做他们认为合适的事情？规范性结构是他们行使自由裁量权、获得自由选择和决定的基本保证。即便是规范性结构存在着模糊、不完整等缺陷，它们也能为人们作出选择和决定提供一些标准。

3. 程序性结构（procedural structures）。程序性结构是指我们在阐述和处理法律情景并形成法律事实的过程中，所必须遵循的一些语言学和逻辑学的支配性操作规定。由于这些程序性结构限定但不消除人们的自由，所以它们与自由之间也存在着冲突和矛盾。这些程序性限制根源于人类使用语言陈述规范和事实的需要，根源于在对法律情景范畴化的过程中使用归纳和演绎推理的需要。

语义学要求的制约并非法律思维所独有，只不过法律领域更为关注语言的艺术。因为法律制度用了大量的概念和语言来创设、假定和支配法律世界。这些概念和语言就为"统一地、一致地调整和处理相同或基本相似的现象打下了基础"[1]。我们在描述法律情景、形成法律事实时，一定要遵循语言和逻辑的要求，尽可能地使这种努力符合事实本身的情况。我们可以选择多种对事实情况的描述和表达方法，但尽管我们有形成法律事实的自由和权利，但这种给予事实以法律含义的自由要受到语义学规则的限制。为了把特殊事件与普遍结构连接起来完成法律推理的任务，我们必须把法律情景范畴化，形成法律推理的小前提，并通过归纳或演绎的推理形式来实现这种连接。我们在这里考虑普遍性结构对具体事件的可适用性时，位置性结构、规范性结构和程

---

[1] [美] E. 博登海默：《法理学——法哲学及其方法》，邓正来等译，华夏出版社1987年版，第462页。

序性结构都在引导着我们的思维，从而对我们的思维进行有效的制约。在形成法律推理大小前提的反复过程中，逻辑始终发挥着重要的作用：使思维者放弃那些与法律推理无关的归纳概括工作或具体的范畴化工作，使我们把注意力始终放在进行有效的法律推理上来。

（二）法律思维的自主性要求

法律思维除了受结构的制约以外，法律思维内部还存在着大量的自由成分。但是这种自由并不是"想做什么就做什么"的自由。相反，法律思维的自由意味着，在处理法律问题的过程中，我们可以（有时是必须）进行选择、决定、解释、评价，或者进行其他不确定的主观性判断。这些自由是法律思维结构性要求所蕴涵着的，反过来这种结构又制约着法律思维的自主性要求。

在一定意义上说，法律思维的自由部分就是结构无法控制的那一部分。尤其是当结构明显无法适用，或者结构可有其他解释，甚而人们可以忽视结构的存在时，人们就是自由的。不过，除此之外，结构和自由还有更为复杂的关系。这些情况包括：

（1）由于结构无法覆盖而留下的广泛的自由空间。这主要是由于：在位置性结构中，有不在职位者不受其限制的情况；规范性术语留下了决定规范含义、可适用性及是否适用等问题的裁量决定权；法律思维的语言和逻辑不会自动地得出结论。所有这些结构性部分都只在论证结论方面有用，而不是在得出结论方面有用。

（2）由于结构的模糊性而产生的自由空间。这主要是因为法律结构中有大量的模糊性语言和标准（如合理注意、不可预见与诚实信用等），它们的适用需要人们作出进一步的解释，以达到具体化的目的。

（3）由于使用的结构太绝对，在使用时会产生荒唐和带来不正义，所以需要人们自由地作出决定，以克服这种不正义。

可见，结构经常会出现不完整、太宽泛与太严格等情况，带来适用和运作的困难。为了使结构更好地运作，我们必须对它进行必要的修理。但这一点并不影响结构本身的权威性。

法律思维的结构性部分和自由性部分的区分是人为的，其实法律思维包括这两个方面的要求。大多数法律思维与其他思维一样，往往在结构的引导和自由的发挥之间来回地摇摆。法律思维者会感受到位置、规范和语言逻辑方面的强制性约束，但同时他们又会不断地进行选择、决定、解释、评价、预测和其他个人判断。二者往往通过理性结合起来发挥自己的作用。

至此，我们已分析了法律思维与推理中的几对张力：当我们刚面对法律问题时，我们要确定法律的要求是什么，因而法律的结构与法律所允许的自我判断的自由之间的张力便出现了；即使是合法与非法之间的差别明了之后，人们想知道应该怎么办仍然是很困难的，因为法律的指向与道德的要求可能有所不同；最后，当这些张力都得以解决，弄清该怎么办后，在决定实际如何做时，仍然会有这样的问题：是尊重法律的规范性权威，还是要对利益或价值的实际后果做智识性考虑呢？法律实证主义、自然法学派和法律现实主义分别对上述问题进行了分析，从各自的角度揭示了法律推理中所关注的某一方面。笔者以为，我们不仅要注重法律推理中的这些要素，更为重要的是，我们要从整体上认识这些要素之间的张力关系，从而对这些张力作出缓解和协调。下一节将对此协调方法作详细分析。

第三节 法律推理张力的缓解和协调

前两节已分析了法律推理的张力及其产生原因，并已指出这种张力将伴随法律推理的始终,是永远无法从根本上最终加以消除的现象。但是,这并不等于说,我们对此难题就是无所作为的;相反,我们可以采取某些方法尽量地减少或缓和这种张力。这样,我们就可以在法律推理的合法性与合理性、确定性与不确定性、依法判案与政策考量之间达致某种平衡或和谐,从而最大限度地发挥法律推理之功能。本节笔者将以法律推理的和谐论模式为基础,探讨缓解和协调法律推理内在冲突的途径或方法。

一、法律推理的和谐论模式

前面对法律推理的两种基本形式作了一个详细的说明,并且初步地指出法律推理之形式推理部分适用于我们一般称之为"简易案件"的情况,而其辩证推理部分则适用于我们称之为"疑难案件"的情况。应当说,这仅仅是一种理论的分析,绝对不是现实的全部描述。因为我们知道,法律学家们进行法律推理时,的确很少去区分简易案件或疑难案件,实际上也不可能作出截然明晰的二分。这两者之间的区分标准是模糊不清的。有的人认为是简易案件的,而另外一些人则有可能认为是疑难案件。比如,对下述问题的看法就有可能会不一致:偷偷收看收费电视节目,是否可以算做是盗窃了他人的"财物"呢?妻子未经丈夫同意而擅自接受人工授精,是否可以算做是"通奸"了呢?[1]这就会带来这样的一个后果:即在一个案件中,我们到底是应该采用形式推理方法,严格执行法律的规定呢,还是应该采用辩证推理方法,谋求获得法律的公正结果呢?这个问题并不是很清楚。沈宗灵教授说:"对法律目的、精神或原则的考虑与形式逻辑的推理

---

[1]参见[日]井上茂等:《法哲学》,日本青林书院新社1982年版,第259页。

形式并不是对立的,而是相辅相成的。"[1]

法律推理的两种推理形式不是决然对立的,而是应该相互结合使用的,这种结合就是法律推理的一种和谐论模式。[2] 法律与法律推理的和谐论模式根源于西方语言哲学中的和谐论理论。所谓和谐论（coherence theory）,又可称为贯通论,是一种关于真理的理论。它的基本论点是：真理表现为一组命题之间的贯通关系或相容关系,即一个命题的真理性取决于它是否与该命题系统中的其他命题相一致。笔者认为,由于法律推理作为一种论证工具,其核心并非达于至真、至纯,因而和谐论对它有借鉴作用。瑞典伦德大学 A. Peczenik 教授还专门提出了"法律的和谐论"。他的基本假定是："如果该规范或价值体系比其他体系更和谐,那么它就比其他体系更合理、更正当"。这种推理模式的基础是法律对话交谈理论；它的核心则在于合理性论证,而其目标则在于实现推理的贯通与和谐；实现方法则在于对它用作论证结论的各种法律理由的再三权衡,其客观性保障则在于程序的合理性。也就是说,在以这种模式而为推导时,我们所关注的不是某一条绝对的因素或标准,而是权衡各种要素和考虑,以求获得一个使法律共同体进而是使整个社会都认可和接受的法律结果。在这样的方针下,起着核心作用的应该是法官或律师们对法律理由的充分展示或说明,以及在此法律对话过程中程序合理性的积极保障。前者所保障的是法律推理之内容的合理有效性,而后者则保证的是法律推理之形式的合理有效性（即合法性）。

---

[1] 沈宗灵：《现代西方法理学》,北京大学出版社 1992 年版,第 451 页。
[2] 参见涂纪亮：《英美语言哲学概论》,人民出版社 1988 年版,第 245 页；See A. Peczenik, *On Law and Reason*, Kluwer Academic Publishers, 1991, Introduction.

法律推理要想区别于主观擅断，就必须受到合理的制约，和谐论推理模式因此而须满足以下三个方面的基本条件，同时这也是一个健全的道德推理所必须遵循的：其一，由以得出结论的一系列前提必须在语言上是正确的，在逻辑上是一致的，也就是说，结论在语义上（linguistically）和逻辑上（logically）是有效的（L-合理性）；其二，结论是从一高度贯通的陈述体系中推论出来的，即指陈述（statements）的贯通体系（S-合理性）；其三，该结论不能受到任何完美对话的反驳，指对话交谈（discourse）中的合理性（D-合理性）。[1] 这三个前提有效地制约了道德推理的主观任意性，仍不等于说对后者的消除。法律推理除遵循此三个基本条件外，它还有一个重要的特点，即作为前提的法律应当具有确定性，这便要求法律推理具有更大的可预测性。正是因为法律的确定性才使法律推理比道德推理少些擅断。

法律推理的和谐论模式把法律推理的确定性、客观性建立在法律共同体间的广泛的理性接受和认可上，而不是把它们建立在抽象的普遍的法则之上。这就强调对法律推理过程本身的更大关注，而不是仅仅强调法律推理的确定不变的前提。因此理性论证便是这一和谐论模式的核心内容。这种论证是由两个方面来保证其客观性的，即法律理由的充分阐述和法律程序的理性建构。这种处理倒并没有像批判法学运动所指责的那样，是回避了法律推理的不确定性而逃往他处，[2] 也不是像哈贝马斯所指责的那样，是以理论本身的不确定取代了法律推理的不确定性。[3] 和谐论模

---

[1] See A. Peczenik, *On Law and Reason*, Kluwer Academic Publishers, 1991, p. 119.
[2] 参见朱景文主编：《对西方法律传统的挑战》，中国检察出版社1996年版，第300页。
[3] See J. Habermas, *Between Fact and Norm*, tran. by William Rehg, Polity Press, 1996, p. 219.

式根据法律本身的实践性格而探求法律的诸价值，以求实现法之安定、可预测性、正义、衡平、效果等诸价值的完美和谐。由此看来，法律推理的确定性和可预见性仅仅是其所有作用因素中一个极为重要的原则。法律家们不可一叶障目，不见森林。法律要为正义和秩序而奋斗，要为实现美好社会而作出自己的贡献。[1]

这种和谐论模式把法律推理视为一次法律对话。对话往往通过广泛的参与者的参加和交流，寻求最终可能达成的广泛共识。法律对话是实践言说的一种，它所追求的是规范性问题的正当性。[2]因而它不用去追求命题的绝对为真，而仅仅是在法律言谈共同体中所接受的意义上说，它是有效的。"法律对话框定参加者的所言所行以及他们的思想"。[3]这样，由于法律问题这一特殊的场合，就决定了这一对话中各种理由和材料的分量，即各种论据的有效性程度。美国法学家哈罗德·伯尔曼还认为法律对话可以"保存和发展整个政治—法律共同体的法律传统和价值观，保存和发展在法律职业存在的社会中的法律职业本身的传统和价值观"。[4]他认为正是这样的对话机会（在司法审判中则具体化为听审制度）才使得司法判决首先与同态复仇区别开来。

这样的对话则含有两个基本的特征。第一个性质可以称之为"程式化"，即运用精妙的仪式化的对话形式。这常常表现在正式的主张和辩护的表述中，表现在法院或其他裁决机构的正式考虑之中，表现在正式作出的判决中。这一特征有助其获得客观性，

---

[1] Steven J. Burton, *An Introduction to Law and Legal Reasoning*, 1995, p. 147.
[2] 参见（台）高宣扬：《哈伯玛斯论》，台湾远流出版公司1991年版，第432页。
[3] Steven J. Burton, *An Introduction to Law and Legal Reasoning*, 1995, p. 158.
[4] Harold Berman,"Legal Reasoning", in David Sills ed., *International Encyclopedia of the Social Sciences*, vol. 9～10, The Macmillan Company & The Free Press,1975,p. 202.

即它的公平性、内在的一致性、制约性和权威性。第二个性质则在于其他所涉人和事范畴化的倾向。范畴化有助于获得法律对话的普遍性和特殊性,同时也增强了法律程序的效率,增强法律职业的向心力,尽管相反的作用也是存在的,即它常常会使法律和法律家远离他们的社会。这两个特点奠定了法律推理和谐论模式的基本内涵。

但是,法律推理的和谐论模式是通过不断的权衡和判断过程而形成和获得的。在法律的对话中,争论或交谈各方都提出了自己的理由或主张,而这并不是一次性地完成的工作,他们的主张或理由往往还有可能要加以补充或修正,以使讨论继续下去。这种权衡是考虑所有相关因素的一种反思性平衡。罗尔斯说:"它既表达了合理的条件,又适合我们所考虑的并已及时修正和调整了的判断。这种情况我把它叫做反思的平衡。它是一种平衡,因为我们的原则和判断最后达到了和谐;它又是反思的,因为我们知道我们的判断符合什么样的原则和是在什么前提下符合的。此时可以说一切都有条有理"。[1] 瑞典法哲学家 Peczenik 教授亦说:"这种权衡的目标——而且常常是其结果——是所有考虑的一种反思性平衡。"[2] 美国大法官卡多佐强调:"不可调和的调和,矛盾的结合,对立的综合——这些就是法律的问题"。[3] 比利时语言学家佩雷尔曼认为法律推理主要是实现不同价值判断之间的"平衡"

---

[1] [美]罗尔斯:《正义论》,何怀宏等译,中国社会科学出版社1988年版,第18页。
[2] A. Peczenik, *On Law and Reason*, Kluwer Academic Publishers, 1991, p. 126.
[3] B. N. Cardozo, *The Paradoxes of Legal Science*, Columbia University Press, 1928, p. 4.

和"综合",法官的作用在于建立"法律的和平"。[1] 但是这样的和谐不是一劳永逸的,而是暂时的,它很快就会被打破。这就要求进行新的权衡、选择、判断。那么,如何认定法律推理的有效性呢?这便涉及法律推理之论证或者正当性论证问题。

二、法律论证

人类理性可以告诉我们,自从制定法出现以后,法律适用者离不开法律的解释。法律解释是法律适用的一门技术或方法,尤其是在疑难案件中,它便尤为重要了。然而法律解释就其本身而言,一个不容回避的问题便是,它在什么情况下才是有效的,换言之:"法律解释应当满足什么条件才具有真正的效力"。[2] 这是法律解释本身所无法解决的难题,因而须借助于法律的推理及其论证来加以克服:法律解释技术不可能产生出"唯一一个正确的"解释,因而这仍有待于一个权衡和选择的过程。德国法哲学家阿列克西就认为:"法学方法中谈论各种解释与补充要素的方法,可能都未击中要点。因为关键在论证,不在解释要素,何种论证才是较优的论证,这是解释要素本身所无法回答的"。[3]

何谓论证,简单地说,就是举出理由,以支持某主张或判断,即证明某种主张具有正当性。法律论证(legal argumentation)是指证明某种法律解释或推理具有正当性,即要使法律解释或推理具备符合真正法律效力的诸项条件。法律论证理论是近30年来在欧美法学界逐渐兴起并取得重要地位的一个研究领域。这种理论

---

[1] Chaim Perelman, *Justice, Law and Argument*, D. Reidel Publishing Company, 1980, p. 146.

[2] 刘星:"阿尔诺的'法律确证'理论",载《外国法评译》1993年第3期。

[3] Robert Alexy et al., "The Foundation of Legal Reasoning", A. Aarnio and N. MacCormick, *Legal Reasoning I*, Dartmouth Publishing Company, 1991, p. 235.

源于亚里士多德的一种看法,即法学的思考方式并非一种直线式的推演,而是一种对话式的讨论。它认为,法律判断的产生是通过讨论中的论证方式,而不是通过逻辑演绎的方式。虽然逻辑是思考的法则,但在逻辑法则之外,还需要研究论证的种种形式结构与运用规则,才能比较清晰地澄清法学思维的基本性质。[1]

在一个法治社会中,一般普遍地要求依据法律的规范而进行裁决,因而法官们常常被要求公开判决的理由。"其结果,是进行裁判者要承担论证自己的判断完全正当的责任和义务"。[2] 法官公开判决理由的意义有两点:其一,他获得这样一个机会,即向纠纷当事人双方、法律家集团(尤其是进行上诉审的人)或者关心该裁判的人们论证自己的判断不是随意胡乱作出的,而是依据规范作出的。反过来,了解了判决理由的人们也得以批判、反驳判决过程中的论证。其二,进行裁判者通过公开判决理由,可以弄清楚规范的含义、展示更为具体的判断基准,或者通过展开引致他作出此种判断的"法的理论",为法的思维和法学知识的系统化(如揭示新的法律结构)作出贡献。

法官在进行正当化的论证时,他所受到的影响是多方面的。一般来说,尽管在法的推理开始的时候,对如何适用法律有时法官们会感到有些困难,但他们也还是会找到那些被认为与该纷争的处理有关的成文化的规范的。那么,进行裁判者必须揭示自己的论证是由那些规范中不矛盾地引申推导出来的。这时,法律家们就要有效地运用他们所特有的各种法律解释技术。这便是法学论证中所要求的"在有效法的范围内",亦可称为是形式层面或

---

[1] 颜厥安:"法、理性与论证——Robert Alexy 的法论证理论(上)",载《政大法学评论》1994年第52期。
[2] [日] 井上茂等:《法哲学》,日本青林书院新社1982年版,第271页。

合法性要求。但是，仅仅这些是不充分的。诉讼双方当事人可以从法律职业共同体所持有的信念和价值观（它们作为论证的基准而发挥作用）中适当地选择必要的成分，用于说服他人（尤其是法官）。将各种各样的信念和价值观加以整合和系统化，建立关于纠纷处理的"法律理论"，对于处在应当考虑纠纷所有相关争点而后作出判断的人而言，系统化地赋予他判断以根据，就具有极大的意义。而且，在将该判断融入过去的先例和法的诸原则之中的责任与义务会对如何利用判决理由进行论证的方法产生巨大的影响。这时要检讨"现行有效的法律是否合理或合乎正义"。这可称之为实质层面或正当性之要求。[1]因而博登海默说："从一般与实质的意义上来讲，审判并不是一种毫无拘束的司法意志行为，而是一种要将判决基于那些被认为是审判者活动的合法工具的正式和非正式渊源资料之上的谨慎企图"。[2]

法律的论证是法律推理的基础和核心，对于这一点，美国法理学家德沃金有清楚的认识。他说："法律推理是建设性阐释的一种运用，我们的法律存在于对我们的整个法律实践的最佳论证之中，存在于对这些法律实践做出尽可能妥善的叙述之中"。[3]通过关注法律实施中的法律论证，我们便可以把法律和法律推理的确定性定基于法律裁判的可预见性和可接受性之上。法律推理的确定性就在于法律论证的合理和有效。通过这样一种途径，我们便可以从另外一种角度克服法律推理的内在冲突。

可预见性意味着法律裁判能够被人们预先所判断，人们完全

---

[1] 参见颜厥安："法、理性与论证——Robert Alexy 的法论证理论（下）"，载《政大法学评论》1995 年第 53 期。

[2] [美] E. 博登海默：《法理学——法哲学及其方法》，邓正来等译，华夏出版社 1987 年版，第 544 页。

[3] [美]德沃金：《法律帝国》，李常青译，中国大百科全书出版社 1996 年版，第 1 页。

可以依据法律和遵循理性的思维方式预见法律适用者的裁判结果，并据此安排自己的法律行为；对法律适用者来说，可预见性要求他们的行为避免主观任意性，避免非理性的行为模式。可接受性体现为法律裁判结果应当与大多数人的价值观念相一致，它是适当的又是恰当的，否则法治社会就会失却健全的机制。而实现法律和法律推理的确定性则必须具备三个条件：①裁判（或法律的解释与推理）是在法律结构之内作出的，即正如阿列克西（Alexy）所言，要求其"能在有效法秩序之范围内合理论证"；②裁判过程遵循理性的方式，即有合乎理性的程序保障；③裁判符合普遍接受的价值准则，即有能说服人们的各种法律理由。[1]

这种确定性的观点可以很好地回应诸如哈齐森（Joseph C. Hutcheson）的司法直觉论和弗兰克（Jerome N. Frank）的司法怀疑论的挑战。哈齐森说，一个法官"真的靠感觉而不是判断，靠预感而不是推论来作决定，推论仅仅在司法意见中出现。对判决的关键性推动力是对特定案件中正确与错误的东西的直觉意识；机敏的法官在作出此决定后运用他的每一种能力并开动他迟滞的头脑，不仅向他自己证明这种直觉，而且使之经受批评者的责难"。[2] 司法思维中"结论主导"倾向使他完全否定了法律的确定性，否定了法律推论的作用及其客观性。

而弗兰克则盛赞哈齐森的司法直觉论，大力强调司法判决中的主观因素及其作用。他认为，每一个人的观念和信念都可归入两类：一类以对客观资料的直接观察为基础，另一类以比如个人

---

[1] See A. Aarnio, *The Rational as Reasonable*, Kluwer Academic Publishers, 1990, p. 229.

[2] J. C. Hutcheson, "The Judgement Intuitive", in E. A. Kent ed., *Law and Philosophy: Readings in Legal Philosophy*, 1970, p. 411.

欲望和目标，即以价值观等主观因素为基础。后一类条件对法官的观念和信念的制约并不比普通人为小。因而他宣称司法判决受到偏见的感染，而司法意见书则是"合理化"的一种训练。[1]他指出，主观因素在司法判决中起作用并且是解释这种判决的实质因素，这在总体上削弱了司法客观性的可能性。"完全成熟的法官"只是意识到这种偏见的法官，但这种意识并不使他比不意识到这一点的法官更客观些。因为在任何一种情况下："结论主导"都存在，法官的合理化修正将被导向证明（至少是）由于个人所持有的价值观而选择的结论。[2]

法律论证论强调重视司法判决的论证过程。法律与法律推理的客观性和确定性就是以此为基础的。对于哈齐森和弗兰克的怀疑论，美国法学家马丁·戈尔丁反驳说："科学的客观性存在于证明领域，因为真理或可接受性的标准（实验检验、自洽、丰富性、简单性等）是不依赖于科学家的个人偏好和价值观的。类似地，对弗兰克非神秘化所作的回应将司法决定的客观性置于司法证明的领域，即法官支持自己的结论时所给出的理由对于确立结论时所给出的'合理化结果'。关键的问题在于所给出的理由对于确立结论是否合适，而不在它们是不是预感、偏见或个人价值前提的产物"。[3] 戈尔丁认为，法官用以作为司法价值判断的价值观是个人价值观，这并不意味着它就不同时被其他人所广泛持有。法官所作的法律论证不是抽象的，而是他试图向败诉一方、

---

[1] Jerome Frank, *Law and Modern Mind*, Doubleday & Company, 1963, pp. 108~120.

[2] 参见沈宗灵：《现代西方法理学》，北京大学出版社1992年版，第332页。

[3] M. P. Golding, "A Note on Discovery and Justification in Science and Law", in A. Aarnio and N. MacCormick ed., *Legal Reasoning I*, Dartmouth Publishing Company, 1992, p. 113.

向有可能受影响的其他人、也向司法共同体证明他的判决。因此,支持该结论的理由必须可让这一共同体当做合法的判决前提来接受。如果说价值介入了一种司法论证中,那它们也不是作为个人偏好而介入的。这些价值观必定对它们所适用的共同体内有某种意义。通过法律论证便可以为司法判决的客观性和确定性确立一定的基础。"一项司法判决的检验标准甚至不在于它达到的效果,而在于为证明其正当性而提出的论据的质量"。[1]

就裁判过程中的法律推理而言,实际上不仅有许多人直接地、间接地参与其中,而且国家制度和法律制度的理想状态、各种信念和价值观、政策判断、技战术判断及其许多因素都在扮演着自己的角色和产生相应的影响。[2] 那么如何才能保证法律判决的有效证成呢?如何才能获得法律推理的合理的可接受性呢?这依赖以下两个方面对法律推理的有效制约和保障:即法律理由的充分说明以及程序理性的有效保证。这两个方面的目标在于:一方面有效地保证法律推理和整个法律制度相协调,另一方面又使法律推理和整个社会对法律的期待愿望相协调。因而对法律推理之合理性的评价和衡量应该从多方面进行,而不是仅仅从某一方面(如政策、社会需要、公平等)进行评价和衡量。[3] 这就是上述法律推理和谐论模式的根本特征。这并不是说要削弱法律规则在法律推理中的作用或地位;而是说,如果不采用这一标准的话,推理者将负有说服性义务,以达到协调地作出判决的目标。

---

[1] [美]简·维特尔:"战后关于制作司法判决的美国法学",载《法学译丛》1984年第5期。
[2] 参见[日]井上茂等:《法哲学》,日本青林书院新社1982年版,第272页。
[3] 参见刘星:"阿尔诺的'法律确证'理论",载《外国法评译》1993年第3期。

三、法律理由和程序理性的制约作用

(一) 法律理由的运用及其形式

法律论证的基础是要举出理由，做到以理服人，因而法律理由就成为法律推理的出发点。我国学者陈端洪先生认为："说明决定的理由（reason-giving）是裁决过程的一个必要环节，一方面因为它证明决定的实质合理性，从而加强了决定的说服力，另一方面因为只有结论而没有理由的决定在形式上也是非理性的"。[1] 美国人把要求法官公布判决理由书看做抵御法官的刚愎和专横行为的最主要障碍，因为这样的详细撰写了判决理由的文件将受到大众的审查和批评，这样会使法官的滥用权力受到公众的最严厉的监督，从而杜绝发生这种行为的可能性。[2] 因而，这乃是法官守法的外在的限制。

在谈到法官对法律理由的说明及其意义时，季卫东博士说："判决理由是司法权合理化的最重要的指标，也是法官思维水平的最典型的表现。在学识性、合理性较强的法律体系下，判决书不阐述和论证把法律适用于具体事实的理由的事情是绝对不可想象的。判决理由是使具体的法律决定正当化、具有说服力的基本条件"。[3] 由此可见，法官利用具有说服力的法律理由而为推理和论证，便能有效地获得法律共同体和社会的认同和承认，从而实现对法律裁决的有效制约，抵制和预防主观擅断的恣意性。[4] 同时也只有使法律推理成为为法律结论提供正当理由的活动，才能

---

[1] 陈端洪："法律程序价值观"，载《中外法学》1997年第6期。
[2] 参见［美］哈罗德·伯尔曼编：《美国法律讲话》，陈若桓译，三联书店1988年版，第16页。
[3] 季卫东："法律职业的定位"，载《中国社会科学》1994年第2期。
[4] 孙笑侠教授认为，擅断的特点之一是作决定却"不讲结论的理由"。参见孙笑侠：《法的现象与观念》，群众出版社1995年版，第258页。

使裁判区别于其他解纷的方法，使其获得法治的性格。正是通过法律理由的广泛提出和讨论，并予以合理采纳和吸收，从而保证了法律推理的可接受性。从另一个角度来说，由于诉讼双方各自提出支持自己主张的法律理由，这样就使"审判为每个人提供了一条以自己创造力寻求法律保护和法律变革的道路"。[1] 其意义即在于避免社会因长期压抑和违背民意而毁于激烈的社会革命。

在一个开放的法律体系中，法律理由可能表现为多种形式，一般而言，它可以包括实质性理由、权威性理由和批判性理由这三种形式。[2]

(1)实质性理由指的是从道德的、经济的、政治的、制度的或者其他的社会因素予以考虑，从而肯定其法律论证效力的那些理由。例如,任何人都不得从其违法行为中获利,促进社会公共福利,保障公共安全等。这些考虑可以用作论证某些判决的理由。[3]

(2)权威性理由，即主要是诉诸于制定法或判例，以及其他权威性法源而形成的原由。这种理由在司法判决的制作中具有极为重要的价值，因为法律推理的最终论证都是以一个权威性命题（或规范）为前提而推演开来的，因此，法治原则要求裁判者依法作出正确的判决。正如和谐论模式所言，其强调内部和外部考虑诸因素的综合、平衡和判断；但是，在这些考虑因素中，各自

---

[1] Steven J. Burton, *An Introduction to Law and Legal Reasoning*, Little, Brown and Company, 1995, p. 71.

[2] See Robert S. Summers, "Two Types of Substantive Reasons: The Core of a Theory of Common-Law Justification", in *Cornell Law Review*, vol. 63, No. 5, 1978, pp. 707~727.

[3] 当然,这些理由在不同的判决制度中,在不同的案件中所起的作用也是不同的。但无论如何，这些考虑在任何国家中都是存在的，因为法律制度的僵化与严苛往往需要用衡平、正义等实质性理由来加以软化，这是不争之事实。参见[德]Christian Starck:"法制度的弹性",载《中兴法学》1997年第42期。

的论证力是不相同的，权威性理由在重要性程度方面应该始终是优位的。而这种观念和倾向也是法律共同体所形成而社会共同体也希望的东西。

（3）批判性理由是对上述法律理由的批判，从而获得对新的法律决策的论证效力。例如，我们对"依法判决"的理由用该法为恶法来加以反驳、批判，从而达到用新的方法或标准来裁判的目的；二战后对战犯的审判即为著名例证。此外，我们还会认为判决并不能促进公共福利、保障公共安全等，从而论证利于我们的裁决结论。所有的实质性理由和权威性理由都可以受到这样的批判，这样，批判性理由就成为新的法律之洞见进入法律推理的一个入口处。

这些理由用以进行合理性论证的结构是极为复杂的。尽管在简易案件中，司法判决往往会给人们这样一种感觉；从一个法律理由出发进行演绎式论证便得出其判决的合理性。但是，在大多数情况下，法律理由并不是这样"纯粹"的，它们往往是一起在发挥作用。美国法哲学家约翰·韦斯多姆（John Wisdom）教授曾就行动中理由的作用作了一个形象而著名的比喻，他说："理由就像一把椅子的腿，结合起来支持一个结论，而不是像一条链子的各个扣环，推导出一个结论"。[1] 美国著名法学家萨默斯教授亦言："单个的理由常常不足以论证争点的这样或那样的解决。相反，几个理由的积聚性或综合性力量才能用以做出某个具体的决定"。[2] 我国青年法学家张志铭教授把法律理由的运用形式归

---

[1] See A. Aarnio and N. MacCormick, *Legal Reasoning II*, Dartmouth Publishing Company, 1992, p. 33; J. Stone, *Legal System and Lawyers' Reasoning*, 1964, p. 327.

[2] See Robert S. Summers, "Two Types of Substantive Reasons: The Core of a Theory of Common-Law Justification", in *Cornell Law Review*, vol. 63, No. 5, 1978, p. 74.

纳为三种形式，即单一论据、累积论据和解决冲突论据，并相应地把司法判决的证明模式区分为简单归摄模式、复杂归摄模式和对话选择证明模式三种。[1]

这些分析表明，这种合力并不意味着所有的理由都蜂拥而上，这须有赖于行为人或决策者赋予其合理性，使之形成某种位阶和秩序。关于如何进行这种层次划分以便进行推理，麦考密克教授分析说："在有相互冲突的行动理由时，一个理智的行为人必须前进到第二个序列或层次的推理，以便解决第一个层次上的矛盾。有时候，第二个层次上的矛盾可能需要在第三个层次上进一步思考，如此类推，但在实践中，这似乎不会导致一种恶性的倒推理。人们只需要推理到为解决目前的一个或多个矛盾所必须的一个层次上"。[2] 只有这样，才能一步一步地解决和克服价值理由（或实体性理由）与目的理由（或目标性理由）之间的冲突或优位问题。正是通过人类的智慧、同情及正义感（即道德"直觉"的才能），我们在不断运用法律理由、追求法律判决的合理性过程中，实现了对法律推理内在张力的逐步缓和或克服。但是，这样的追问和探求是应该有一个合理的限度的。也就是说，我们应该重视合理性在法律推理中的广泛应用，但它应受到这种限度的制约："经验的判断不能超出任何可以用法律的逻辑解释的理由"。[3] 这表明对法律推理的合理性问题并不是可以无限地追寻下去的。

---

[1] 参见张志铭：《法律解释操作分析》，中国政法大学出版社1999年版，第159～163、204～207页。
[2] [英]麦考密克、[奥]魏因贝格尔：《制度法论》，周叶谦译，中国政法大学出版社1994年版，第231页。
[3] [英]麦考密克、[奥]魏因贝格尔：《制度法论》，周叶谦译，中国政法大学出版社1994年版，第248页。

(二) 程序理性的有效制约

如何能使法律理由的提出具有有序性，如何能在发生冲突的时候有序地予以协调，从而使法律的对话有效地持续下去呢？这些是理性的法律程序所要完成的使命。和谐的法律推理强调和倡导程序理性的思想。[1] 正是法律程序的有效运用，才使法律的裁判在理性的指导下进行，从而使其体现为理性的行为模式，法律结果也因而具有了可预测性。我们应当承认人们对法律实体内容的理性难以达成共识，但我们可以确信法律程序上的理性完全可以实现。

程序，也就是按照一定的顺序、方式和步骤来作出法律的决定。美国法学家 Piero Calamandrei 教授说："法律程序规则本质上无非是逻辑与常识的准则，是法庭上健全推理的技术"。[2] 这表现在法律的论证过程中，诉讼参与人都应当按照某种标准和条件来整理争论点，公平地听取各方意见，使在当事人可以理解或认可的情况下作出决定。由此可见"程序往往可以通过促进意见疏通、加强理性思考、扩大选择范围、排除外部干扰来保证决定的成立和正确性"。[3] 程序的这种作用机制有人称之为"程序合成"。利用程序的合成机制，当事人及裁判者便可以逐步地协调和解决法律理由陈述中的一系列问题，使共识成为可能。黑格尔曾说："法律程序使当事人有机会主张他们的证据方法和法律理由，并使法官得以洞悉案情。这些步骤本身就是权利"。[4] 具体

---

[1] 参见刘星："阿尔诺的'法律确证'理论"，载《外国法评译》1993年第3期。
[2] Piero Calamandrei, *Procedure and Democracy*, New York University Press, 1956, p. 10.
[3] 季卫东："法律程序的意义"，载《中国社会科学》1993年第1期，第85页。
[4] [德]黑格尔：《法哲学原理》，范扬、张企泰译，商务印书馆1961年版，第231页。

而言，这种作用机制表现为以下几个方面。[1]

1. 限制恣意。在法律的决定过程中，价值多元的社会主体往往很难达致完全的共识。各个法律主体往往会提出不同的主张和理由。对于这些，我们很难做到兼顾一切、面面俱到。这就需要通过程序来排除各种偏见、不必要的社会影响和不着边际的连环关系的作用，以获得一个平等对话、自主判断的自治领域。这样，各种法律理由的成立须要经过程序这个过滤器才能在法律论证中发挥作用。各种法律主体按照程序的规定进行，就能保证当事人之间的对话性和平等的发言机会，以使争论点能够集中、明确，使论证更加均衡、完整。程序在使参加者都有平等的表达机会和自由的选择机会的同时，也使责任范围更明确，这种归责机制也会限制恣意。

2. 保证理性选择。供以作出法律决策的理由或考虑因素往往是多元的，其中则多有轻重之别，甚或有冲突矛盾关系。那么，在法律推理的过程中理由选择便在所难免了。而用以调整这种选择或判断的主要方式便是公正而合理的程序，以获得选择结果的合理性。N. 吕曼在谈到选择与程序的关系时说："所谓程序，就是为了法律性决定的选择而预备的相互行为系统。法为了从人们脑海中浮现的具体行为的映象中解脱出来，为了具有更抽象的概念性质，需要实现内在于概念性质之中的选择作用。正是这一缘故导致了程序这样一种特有的行为秩序的发展"。[2] 法律理由的选择不是任意的、无限制的，正是程序使这一选择变得有序化、合法化。

---

[1] 参见季卫东："法律程序的意义"，载《中国社会科学》1993年第1期。
[2] [德] N. 卢曼：《法社会学》，日译本，岩波书店1977年版，第158页，转引自季卫东："法律程序的意义"，载《中国社会科学》1993年第1期。

如何能通过程序而使这一选择合理化呢？季卫东先生认为主要可以有以下几个方面：首先，程序的结构使人们倾向于选择行家们的意见，因为他们受到长期的专业训练和经验积累，其行为更为合理化、规范化。其次，程序一般是公开进行的，这使得决策过程中出现的错误容易被发现和纠正。再次，程序创造了一种根据资料进行自由对话的条件和氛围，这样可以使各种观点和方案得到充分考虑，实现优化选择。最后，通过预期结果的不确定性和实际结果的拘束力这两种因素的作用，程序参加者角色活动的积极性容易调动起来，基于利害关心而产生强烈的参预动机将促进选择的合理化。[1]

3. 确定选择结果。法律论证是在理由选择中逐步深入的，但是一经选择之后，人们的活动便随着程序的展开而越来越受到限制。"经过程序认定的事实关系和法律关系，一一被贴上封条，成为无可动摇的真正的过去，而起初预期的不确定性也逐步被吸收取消"。[2] 这样，程序的所有参加者都受自己的陈述与判断的约束，这就有利于论证所需要的共识逐步形成。前提的确立便可带来共同都须接受的结果。从另一个角度来说，人们一旦参加了程序，那么除非程序的进行明显不公正，就很难抗拒程序所带来的后果。因而，在社会演变的过程中，复杂的价值问题可以借助程序加以化解。

由上可见，一方面，法律论证通过广泛的法律理由之说明来确保法律结果的实质正义，努力寻求社会的共识，以获得法律推理的合理性；另一方面，法律论证又严格按照程序理性而进行，以求法律结果的形式正义，以获得法律推理的合法性。前者着重

---

[1] 季卫东："法律程序的意义"，载《中国社会科学》1993年第1期。
[2] 季卫东："法律程序的意义"，载《中国社会科学》1993年第1期。

于法律论证的可接受性，后者着重于理性的可预测性，二者结合以求法律论证的合乎理性的可接受性，从而克服法律推理中的张力，实现法律和法律推理中确定性与不确定性的有效平衡。

第四节 结 语

法律推理是确定的，法官必须依法办事，努力追求正确的答案；但法律推理又具有不确定性的因素，法官在运用法律理由的过程中必然会碰到一系列的价值选择的冲突。这是法律推理的内在张力。我们反对片面地、极端地强调问题的一面，完全忽视其他因素的违反辩证法的认识，而主张法律推理的确定性和不确定性是同时存在的，各有其根源，各有其作用。法律推理的内在张力根源于以下三对矛盾的冲突：法律要求与道德要求之间的冲突，结构与自由之间的冲突，以及事实与规范之间的冲突。这些是法律思维所必须面临的冲突性要求，必须通过法律推理对这些冲突予以缓和或克服。

法律推理的和谐论模式力图通过对各种法律理由的权衡和综合，实现法律推理的贯通，取得合理性论证的有效性。正是通过这种法律对话而取得反思性平衡的状态。这种模式把法律推理的客观性和确定性立基于法律共同体间的广泛认同和合理接受上，而不是法律命题的绝对为真。法律论证通过广泛的理由说明来确保法律结果的实质正义，以获得法律推理的合理性；另一方面，法律论证又严格依程序理性而进行，确保法律结果的形式正义，以获得法律推理的合法性。二者相互结合以克服或协调法律推理的内在冲突。

尾论　强化法律推理的制度条件

> 中国司法界尚未形成一种法律推理的自觉；简单的逻辑以及与之相适应的简单的司法话语都表明了现实的不尽如人意，同时也表明了这个领域的研究是何等重要和急迫。
>
> ——贺卫方

法律推理是利用法律理由论证司法决定的方法或过程。强化法律推理的运用有利于提高司法的水平，增强司法的合理性。然而，法律推理运用的方式和程度又往往受一个国家的政治制度、法律制度的影响和约束。反思我国司法判决的制度和实践，我认为在强化法律推理的制度方面，有以下几个方面的问题值得人们注意：

第一，不少学者已指出，目前，我国司法判决书写得过于简单，甚至缺乏最起码的法律推理内容。针对这种情况，我国法院应强化其判决书中对法律理由的说明，增强判决的推理论证成分。同时，我国可以组织专门的人员或机构选择具有典型意义的案例，予以发布，以作为法院判案的参考工具。与此同时，我们应当允许和吸收法学家或法律职业共同体以及新闻媒体对之进行批判和检讨。

对判决理由（或法律理由）的说明和发表，一方面，可以从一定程度上保证司法的公开，使之接受社会和民众的监督，以防止司法专横或擅断，保护公民权利免受公权的恣意侵犯或迫害，实现现代法治的要义。正如美国联邦法官中心编写的《法官写作手册》所说："书面文字连接法院和公众。除了很少的例外情况，法院是通过司法判决同当事人、律师、其他法院和整个社会联系和沟通的。……因此，判决正确还是不够的——它还必须是公正的、合理的、容易让人理解的。司法判决的任务是向整个社会解释、说明判决是根据原则作出的、好的判决，并说服整个社会，使公众满意。法院所说的以及它怎么说的同法院判决结果一样重要，尤其是对读者而言。但它对作者来讲同样也是重要的，这是因为文字的下面隐含着作者思考问题的标准"。[1] 从另一个方面来看，此种说明和发表有助于法律职业共同体之共同研习和探讨交流，以形成共同的法律范式。这可以确保法律共同体的同质性，以形成一个"解释共同体"，减少相互之间对于法律规则理解上的分歧。[2] 这些能确保法律推理的合理化。同时，法律理由的发表和说明有助于对当事人的说服疏导。一旦他们的言谈话语在社会（司法审判）中得到回应和尊重，他们便获得心理上的被尊重感，使其相信自我价值得到社会的承认。这便增加了判决的可接受性，最终使他们与社会形成良性互动。

第二，我国应当加强和发挥判例的参考作用。本文前面已经分析了法律推理的两种基本形式，即演绎的法律推理和类比的法律推理，并且认为随着现代法制的发展，法律工作者越来越认识

---

[1] 转引自宋冰编：《程序、正义与现代化——外国法学家在华演讲录》，中国政法大学出版社1999年版，第307页。
[2] 参见贺卫方："异哉，所谓检察官起立问题者"，载《法学》1997年第5期。

到这两种形式将更多地是相互结合而使用。[1] 具体到我国而言，我认为，应当吸收判例制的优点，建立我国的案例参照制度。[2] 近年以来，在以制定法为主要渊源的大陆法系国家中，法官也十分注意收集和公布判例，将它们看做是怎样适用制定法的一个助手。正如达维教授指出："普通法系国家和罗马—日耳曼法系国家在判例作用上存在差别，但它并不像50年前人们所相信的那样，……现在大家同意这些差别是被过于夸大了，而且在现代它们已变得大大缩小了。"[3] 在我国加强判例的作用有助于对制定法的补充和统一适用。近年来，我国由最高人民法院不断作出具有普遍性规范效力的司法解释体制带来了一系列的理论困惑和实践弊端，因而受到一些指责。我认为，不如用案例参照制度来代替它。这样既免于"法官立法"之嫌，又吸收判例法的优点，符合现代法制发展的趋势。尤其是随着现代信息技术的迅猛发展，法院所裁决的案件公布与交流日益及时、便捷，因而法院相互之间的经验交流和判决参考也日益方便。这就为我国的案例参照制度奠定了物质和技术基础。我们以前常常谈到的判例法中判例杂多无法管理的弊端就能够有效地克服了。

第三，我国诉讼体制中要树立和强化程序公正的司法观念。法律推理中法律理由的形成和运用是受司法程序制约的：不仅形

---

[1] Steven J. Burton, *An Introduction to Law and Legal Reasoning*, Little, Brown and Company, 1995, pp. 59～78.

[2] 沈宗灵教授主张区分判例法和判例两个词。他认为："判例法是一种法律，而判例可以在审判过程中参考，但它并不是法律，至少在中国不是。"参见沈宗灵："当代中国的判例"，载沈宗灵、王晨光编：《比较法学的新动向》，北京大学出版社1993年版，第236页。

[3] 达维主编：《法的渊源》，转引自沈宗灵："当代中国的判例"，载沈宗灵、王晨光编：《比较法学的新动向》，北京大学出版社1993年版，第236～237页。

成法律理由的过程受其制约，而且运用法律理由的顺序和形式亦受其制约。在正当的法律程序之中，控（诉）、辩双方都应当获得充分的机会或权利，以提出和发表自己的主张和论据，然后再由裁判者根据法律的标准权衡各种相互竞争甚或冲突的主张和理由，作出判决。正是程序本身的公正才能保证法律推理的前提正确、充分，以期得到客观公正的推理结果。

第四，法官在法律推理中一方面应发挥其能动性，另一方面又必须使法官之自由裁量受法律推理合理性要求的制约，但就目前而言，我们应当特别注意加强法官个体裁决案件的自主性、能动性。这是由法律推理具有逻辑推导和论证说理两方面的内容所决定的。法官的职能和角色的定位问题历来是法律推理理论探讨的核心。公允地说，法官在法律推理中的作用有两个向度：一方面，他必须受制于规则体系、法律体系，在该体系内进行逻辑推导，客观、平等地把法律规则适用于个案；另一方面，法律纷争各个不同，甚而又有法律漏洞、规则冲突等多种情形，法官必须进行价值判断，依据社会的"共识"、理性等来判决案件。为此他必须发挥他作为"理性人"的作用。正如博登海默所说："资深的法官们往往会使用一些判断的标准，而这些标准并不是那种毫无控制的意志或主观偏爱的产物，而是以整个法律与社会秩序和提供给法官的原始资料为基础的，这些原始资料渊源于传统、社会习俗和时代的一般精神。而在对判案过程中的意志要素起着限制作用的客观因素中，主要是那些业经牢固确立的文化价值规范、贯串于法律制度中的原则、显而易见的情势必要性以及占支配地位的公共政策方针"。[1] 所以，问题不在于法官是受逻辑的

---

[1] 参见［美］E. 博登海默：《法理学——法哲学及其方法》，邓正来等译，华夏出版社1987年版，第484页。

影响和制约，还是受经验的影响和制约，而在于法官如何更好地完成逻辑的推导，如何更好地实现价值判断的客观化。

目前，在我们的司法制度的设计中，法官个体进行法律推理和裁决案件的自由一般都受到人民法院审判委员会的严格制约，尤其是在比较重大的案件中。从深层次的认识论来看，这一制度设计反映了我们法律思维的价值取向：法官个体的自主性思维必须服从于审判委员会的整体性思维。整体性思维是中华民族较之西方民族的特色，即是以整体性为出发点，强调、崇尚整体、集体，忽视、消解个体、个人，认为整体高于个体、集体高于个人、社会价值高于个人价值等。这种整体性思维并不是建立在分析、综合具体问题之上的整体思维。相反，它们表面上是全面地把握，实际上局限于对所争议的问题只作定性而无定量分析，只下定论而不作推理论证。[1] 审判委员会的制度设计把案件的裁判权赋予了一个整体，相应地责任也由大家来承担，从而形成了一种所谓的集体责任制模式。这种缺乏精细分析和缜密论证的整体性思维完全忽略法官个体自主性思维的作用，也从根本上违法了法官独立的基本法治要求。因而，我们主张尽快废除人民法院中的审判委员会制度，发挥法官个体的法律推理职能，这一举措将有力地提高司法裁判的合理性，有力地促成我国司法思维方式的现代化，最终为司法改革奠定坚实的理论基础。

---

[1] 参见盖世梅、李明和："反思思维方式"，载《南方周末》1999年4月23日，第5版。

主要参考文献

1. 郑文辉:《欧美逻辑学说史》,中山大学出版社1994年版。
2. 杨士毅:《逻辑与人生——语言与谬误》,台北书林出版有限公司1987版。
3. 朱德生等:《西方认识论史纲》,江苏人民出版社1983年版。
4. 郏枕生主编:《现代西方哲学主要流派》,中国人民大学出版社1988年版。
5. 冯平:《评价论》,东方出版社1995年版。
6. 涂纪亮:《英美语言哲学概论》,人民出版社1988年版。
7. 苏国勋:《理性化及其限制》,上海人民出版社1988年版。
8. 刘军宁等编:《市场社会与公共秩序》,三联书店1996年版。
9. 张汝伦:《意义的探究》,辽宁人民出版社1987年版。
10. 王治河:《扑朔迷离的游戏——后现代哲学思潮研究》,社会科学文献出版社1993年版。
11. 李步云:《法制·民主·自由》,四川人民出版社1986年版。
12. 李步云:《走向法治》,湖南人民出版社1998年版。
13. 吕世伦主编:《西方法律思潮源流论》,中国人民公安大学出版社1993年版。
14. 沈宗灵:《现代西方法理学》,北京大学出版社1992年版。
15. 沈宗灵主编:《法理学》,高等教育出版社1994年版。
16. 沈宗灵、王晨光主编:《比较法学的新动向》,北京大学出版社1993年版。
17. 张文显:《20世纪西方法哲学思潮》,法律出版社1996年版。
18. 张志铭:《法律解释操作分析》,中国政法大学出版社1999年版。
19. 贺卫方:《司法的理念与制度》,中国政法大学出版社1999年版。
20. 宋冰编:《程序、正义与现代化》,中国政法大学出版社1999年版。
21. 朱景文:《比较法导论》,中国检察出版社1992年版。

22. 朱景文主编:《对西方法律传统的挑战》,中国检察出版社1994年版。
23. 孙笑侠:《法的现象与观念》,群众出版社1995年版。
24. 刘星:《法律是什么》,广东旅游出版社1997年版。
25. 苏力:《法治及其本土资源》,中国政法大学出版社1996年版。
26. 刁荣华主编:《中西法律思想论集》,台湾汉林出版社1984年版。
27. 上海社会科学院法学研究所编译:《法学流派与法学家》,知识出版社1981年版。
28. 吴家麟主编:《法律逻辑学》,群众出版社1983年版。
29. 最高人民法院经济庭编:《最高人民法院审理的二审再审经济纠纷案例选编》,人民法院出版社1994年版。
30. 柴发邦主编:《体制改革与完善诉讼制度》,中国人民公安大学出版社1991年版。
31. 最高人民法院中国应用法学研究所编:《人民法院案例选》(总第19期),人民法院出版社1997年版。
32. 蔡墩铭:《审判心理学》,台湾水牛出版社1980年版。
33. 梁慧星:《民法学说判例与立法研究》,中国政法大学出版社1993年版。
34. 梁慧星:《民法解释学》,中国政法大学出版社1995年版。
35. 徐国栋:《民法基本原则解释》,中国政法大学出版社1992年版。
36. 王利民:《侵权行为法归责原则研究》,中国政法大学出版社1992年版。
37. 陈瑞华:《刑事审判原理论》,北京大学出版社1997年版。
38. 李心鉴:《刑事诉讼构造论》,中国政法大学出版社1992年版。
39. 宋英辉:《刑事诉讼目的论》,中国人民公安大学出版社1995年版。
40. 李步云:"现代法的精神论纲",载《法学》1997年第6期。
41. 李步云:"法的内容与形式",载《法律科学》1997年第3期。
42. 沈宗灵:"法律推理与法律适用",载《法学》1988年第5期。
43. 王鸿貌:"论当代西方法学中的法律推理",载《法律科学》1995年第5期。
44. 德全英、解兴权:"法律推理论纲",载《新疆大学学报》(哲社版)1998年第3期。
45. 解兴权:"法律推理的涵义、性质及其特征",载《法律科学》1998年第6期。
46. 陈程、金承光:"论法律推理",载《法学探索》1995年第4期。

47. 郝铁川:"论逻辑思维与法律思维",载《现代法学》1997年第3期。
48. 雍琦:"关于法律逻辑的性质及走向的思考",载《现代法学》1997年第5期。
49. 季卫东:"法律程序的意义",载《中国社会科学》1993年第1期。
50. 夏建武:"法律推理:大前提的空缺与补救",载《法律科学》1995年第6期。
51. 信春鹰:"20世纪西方法哲学基本问题",载《法学研究》1993年第4期。
52. 解兴权:"在传统和现代之间寻找共生点——论现代法意识",载刘海年等编:《依法治国与精神文明建设》,中国法制出版社1997年版。
53. 颜厥安:"法、理性与论证——Robert Alexy 的法论证理论"(上、下),载《政大法学评论》1995年第52、53期。
54. 刘星:"阿尔诺的'法律确证'理论",载《外国法评译》1993年第3期。
55. 贺卫方:"异哉所谓检察官起立问题者",载《法学》1997年第5期。
56. 苏力:"后现代思潮与中国法学和法制",载《法学》1997年第3期。
57. 苏力:"解释的难题:对几种法律文本解释方法的追问",载《中国社会科学》1997年第6期。
58. (台)吕荣海:《法律的客观性》,台湾蔚理法律出版公司1987年版。
59. (台)张文显主编:《马克思主义法理学——理论与方法》,吉林大学出版社1993年版。
60. (台)李肇伟:《法理学》,台北东亚照相制版厂1979年版。
61. (台)黄建辉:《法律漏洞·类推适用》,台湾蔚理法律出版社1988年版。
62. (台)黄茂荣:《法学方法与现代民法》,台大法学论从1982年版。
63. (台)杨仁寿:《法学方法论》,三民书局1994年版。
64. (台)黄维幸:《法律与社会理论的批判》,时报文化出版企业有限公司1991年版。
65. (台)王泽鉴:《民法学说与判例研究》第1、2册。
66. (台)王文宇:"论德沃金的司法判决理论",载《台大法学论丛》1995年第2期。
67. [法]勒内·达维德:《当代主要法律体系》,漆竹生译,上海译文出版社1984年版。
68. [日]棚濑孝雄:《纠纷的解决与审判制度》,王亚新译,中国政法大学出版社1994年版。

69. [日]川岛武宜:《现代化与法》,申政武等译,中国政法大学出版社1994年版。
70. 日本法哲学会编:《法的推论》,法哲学年报(1971)。
71. [日]井上茂等:《法哲学》,日本青林书院新社1982年版。
72. [日]井上茂:《法规范的分析》,有斐阁1967年版。
73. [意]贝卡里亚:《论犯罪与刑罚》,黄风译,中国大百科全书出版社1993年版。
74. [前苏联]阿列克谢耶夫:《法的一般理论》(下册),法律出版社1991年版。
75. [波兰]齐姆宾斯基:《法律应用逻辑》,刘圣思等译,群众出版社1988年版。
76. [古希腊]亚里士多德:《修辞学》,罗念生译,生活·读书·新知三联书店1991年版。
77. [德]文德尔班:《哲学史教程》(下卷),罗达仁译,商务印书馆1993年版。
78. [德]马克斯·韦伯:《经济与社会》(下卷),林荣远译,商务印书馆1997年版。
79. [德]恩斯特·卡西尔:《人论》,甘阳译,上海译文出版社1985年版。
80. [德]黑格尔:《法哲学原理》,范扬、张企泰译,商务印书馆1961年版。
81. [德]茨威格特等:《比较法总论》,潘汉典等译,贵州人民出版社1992年版。
82. [德]Christian Starck:"法制度的弹性",载《中兴法学》1997年第42期。
83. [奥]维特根斯坦:《哲学研究》,汤潮、范光棣译,商务印书馆1992年版。
84. [奥]凯尔森:《法与国家的一般理论》,沈宗灵译,中国大百科全书出版社1996年版。
85. [英]威廉·涅尔等:《逻辑学的发展》,商务印书馆1985年版。
86. [英]霍布斯:《利维坦》,黎思复等译,商务印书馆1985年版。
87. [英]休谟:《人类理解研究》,关文运译,商务印书馆1957年版。
88. [英]格雷厄姆·沃拉斯:《政治中的人性》,朱曾汶译,商务印书馆1995年版。
89. [英]梅因:《古代法》,沈景一译,商务印书馆1959年版。
90. [英]哈特:《法律的概念》,张文显等译,中国大百科全书出版社1996年版。
91. [英]麦考密克等:《制度法论》,周叶谦译,中国政法大学出版社1994年版。
92. [英]丹宁勋爵:《法律的训诫》,杨百揆等译,群众出版社1985年版。

93. [英]哈特:"法律推理问题",载《法学译丛》1991年第5期。
94. [美]成中英:《论中西哲学精神》,东方出版中心1991年版。
95. [美]威廉·詹姆斯:《实用主义》,陈羽伦等译,商务印书馆1979年版。
96. [美]罗尔斯:《正义论》,何怀宏等译,中国社会科学出版社1988年版。
97. [美]哈罗德·伯尔曼:《法律与革命——西方法律传统的形成》,贺卫方等译,中国大百科全书出版社1996年版。
98. [美]詹姆斯·安修:《美国宪法解释与判例》,黎建飞译,中国政法大学出版社1994年版。
99. [美]梅利曼:《大陆法系》,顾培东等译,知识出版社1984年版。
100. [美]M. Friedman:《法律与社会》,吴锡堂、杨满郁译,台湾巨流图书公司1991年版。
101. [美]德沃金:《法律帝国》,李常青译,中国大百科全书出版社1996年版。
102. [美]波斯纳:《法理学问题》,苏力译,中国政法大学出版社1994年版。
103. [美]E. 博登海默:《法理学——法哲学及其方法》,邓正来等译,华夏出版社1987年版。
104. [美]罗斯科·庞德:《法律史解释》,曹玉堂等译,华夏出版社1989年版。
105. [美]格伦顿等:《比较法律传统》,米健等译,中国政法大学出版社1993年版。
106. [美]彼德·斯坦等:《西方社会的法律价值》,王献平译,中国人民公安大学出版社1990年版。
107. [美]埃尔曼:《比较法律文化》,贺卫方等译,三联书店1990年版。
108. [美]史蒂文·J. 伯顿:《法律和法律推理导论》,张志铭、解兴权译,中国政法大学出版社1999年版。
109. [美]凯尔瑞斯:"法律推论",王晨光译,载《中外法学》1990年第2期。
110. [美]简·维特尔:"战后关于制作司法判决的美国法学",载《法学译丛》1984年第5期。
111. [美]艾德华·麦克威利:"法典法与普通法的比较",梁慧星译,载《法学译丛》1989年第5期。
112. A. Aarnio, *On Legal Reasoning* (1977).
113. A. Aarnio and N. MacCormick, *Legal Reasoning I* (1992).

114. A. Aarnio and N. MacCormick, *Legal Reasoning* II (1992).
115. B. Anderson *Discovery in Legal Decision-Making* (1996).
116. Z. Bankowski ed. , *Informatics and the Foundations of Legal Reasoning* (1995).
117. Steven J. Burton, *An Introduction to Law and Legal Reasoning* (2nd ed. ,1995).
118. Steven J. Burton, *Judging in Good Faith* (1992).
119. P. Devlin, *The Enforcement of Morality* (1995).
120. R. Dickerson, *The Interpretation and Application of Statutes* (1994).
121. R. Dworkin, *Freedom's Law: The Moral Reading of the American Constitution* (1996).
122. J. H. Farrar and A. M. Dugdale, *Introduction to Legal Method* (2nd ed. , 1984).
123. J. Frank, *Law and Modern Mind* (1963).
124. M. D. A. Freeman, *Lloyd's Introduction to Jurisprudence* (1984).
125. W. Friedmann, *Legal Theory* (5th ed. ,1967).
126. M. Golding, *Legal Reasoning* (1984).
127. A. Guest, ed. , *Oxford Essays in Jurisprudence* (1961).
128. O. Holmes, *The Common Law* (Howe ed. ,1963).
129. J. Habermas, *Between Fact and Norm* (1996).
130. J. W. Harris, *Legal Philosophies* (1980).
131. H. Hart &. A. Sacks, *The Legal Process* (1994).
132. D. Kairys ed. , *The Politics of Law: A Progressive Critique* (1982).
133. E. A. Kent ed. , *Law and Philosophy* (1970).
134. E. H. Levi, *An Introduction of Legal Reasoning* (1948).
135. D. Luban, *Legal Modernism* (1994).
136. N. MacCormick, *Legal Reasoning and Legal Theory* (1978).
137. P. Nerhot ed. , *Legal Knowledge and Analogy* (1991).
138. C. Perelman, *Justice, Law and Argument* (1980).
139. C. Perelman, *The Idea of Justice and the Problem of Argument* (1970).

140. G. Paton, *A Textbook of Jurisprudence* (1972).
141. A. Peczenik, *On Law and Reason* (1989).
142. A. Peczenik et al. eds., *Theory of Legal Science* (1984).
143. Thomas D. Perry, *Moral Reasoning and Truth* (1976).
144. W. Read, *Legal Thinking: Its Limits and Tensions* (1986).
145. G. Samuel, *The Foundations of Legal Reasoning* (1994).
146. F. Schauer and W. Sinnoff-Armstrong, *The Philosophy of Law* (1996).
147. David A. Schultz ed., *Law and Politics: Unanswered Questions* (1996).
148. J. Stone, *Legal System and Lawyers' Reasoning* (1964).
149. K. J. Vandevelde, *Thinking Like a Lawyer: An Introduction to Legal Reasoning* (1996).
150. R. A. Wasserstrom, *The Judicial Decision* (1961).
151. H. J. Berman, "Legal Reasoning", in David L. Sills ed., *International Encyclopedia of the Social Sciences* (1975).
152. E. Bodenheimer, "A Neglected Theory of Legal Reasoning", 21 *Journal of Legal Education* 373 (1969).
153. S. Brewer, "Exemplary Reasoning: Semantics, Pragmatics, and the Rational Force of Legal Argument by Analogy", 109 *Harv. L. Rev.* 923 (1996).
154. R. Dworkin, "No Right Answer?", 53 *New York University Law Review* 1 (1978).
155. Eskridge & Frickey, "Statutory Interpretation as Practical Reasoning", 42 *Stan. L. Rev.* 321 (1993).
156. Fisch, "Retroactivity and Legal Change: An Equilibrium Approach", 110 *Harv. L. Rev.* 1055 (1997).
157. Fiss, "Objectivity and Interpretation", 34 *Stan. L. Rev.* 739 (1982).
158. L. L. Fuller, "The Forms and Limits of Adjudication", 92 *Harv. L. Rev.* 353 (1978).
159. Gordley, "Legal Reasoning: An Introduction", 72 *Cal. L. Rev.* 138 (1984).

160. Grey,"Langdell's Orthodoxy",45 *U. Pitt. L. Rev.* 1(1983).
161. Holmes,"The Path of the Law",110 *Harv. L. Rev.* 991(1997).
162. Kennedy, "A Semiotics of Legal Argument", 42 *Syracuse L. Rev.* 75 (1991).
163. Levi,"The Nature of Judicial Reasoning",in Philip Shuchman ed. ,*Cohen and Cohen's Readings in Jurisprudence and Legal Philosophy*(1979).
164. Levine, Linda and Kurt M. Saunders, "Thinking Like a Rhetor", 43 *Journal of Legal Education* 108(1993).
165. N. Luhmann,"Legal Argumentation: An Analysis of Its Form",58 *Modern Law Review* 285(1995).
166. G. Martinez,"The new Wittgensteinians and the end of jurisprudence", 29 *Loyola of Angeles Law Review*(545).
167. Peller, "The Metaphysics of American Law", 73 *Cal. L. Rev.* 1152 (1985).
168. Schauck,"Understanding Postmodern Thought and Its Implications for Statutory Interpretation",65 *S. Cal. L. Rev.* 2505(1992).
169. Schauer,"Formalism",97 *Yale Law Journal* 509(1989).
170. Singer,"The Player and the Cards: Nihilism and Legal Theory",94 *Yale L. J.* 1(1984).
171. R. S. Summers,"Two Types of Substantive Reason: the Core of a Theory of Common-Law Justification",63 *Cor. L. Rev.* 707(1978).
172. S. Urbina, "Legal Reasoning and Formal Criteria of Recognition", 15 *Law and Philosophy* 1(1996).
173. Walt,"Practical Reason and the Ontology of Statutes",15 *Law and Philosophy* 227(1996).
174. Wellman,"Practical Reasoning and Judicial Justification: Toward an Adequate Theory",157 *U. Colo. L. Rev.* 45(1985).

后　　记

　　法律推理问题在国外（尤指欧美）法学界是颇受重视的一个法理学课题，但我国法学界对此则颇为生疏，对相关问题的研究和探讨近乎空白。然而，随着我国法治理论与实践的发展，尤其是司法改革的不断深入，司法层面的科学（理论）与技术（艺术）逐渐引起我国法律工作者越来越广泛的关注。正是在这种背景下，三年前笔者便决定以此作为博士论文的选题，开始了对法律推理方法论的漫长思考和探索。这本书正是在我的博士论文的基础上几经修改而成的。

　　法律推理是联结法官与规则的桥梁和手段，是司法借助于社会正义的工具，因而它免不了对具体司法技术的分析与列举。但需要作出说明的是，笔者的这一研究是以法哲学之抽象和概括为基础的，这一研究方法使笔者的分析、说明以及模式建构都不可避免地具有理想化（ideal）的色彩。究其因，吾以为二十余载的学院式教育早已使我形成了理想化的人生观：对生活、人生、社会，我都始终抱有一个理想而乐观的信念！由于时间和资金的限制，笔者不得不放弃对我国司法实践之法律推理现状的社会学调查和研究，这是令我最为心痛的阿基里斯之踵（Achilles'Heel）！然而，由于目前我国司法实践在这一方面的不尽如人意，理想化的模式建构和理论分析似乎显得比前者更加紧迫。我不敢也不应让读者完全接受本书的观点和结论，但有一点我深信不疑：法律推理的专业化、职业化、合理化应当是我国司法改革目前的重点和未来的方向。事情，往往是在我们刚刚明白该怎么做的时候，就匆匆结束！此时，我正是这样一种无奈的心情。

　　这里我要向那些给予我关心和帮助的师长和朋友们表示深深的谢意。首先，我要感谢给予我无私关怀和教导的导师李步云教授，我的每一点进步、每一份收获都浸透着恩师的大量心血，本书的写作更得到了恩师大量而细致的指导。"真理无价当奋身，道义千钧担铁肩"，恩师的教诲与嘱托将是我继续前行的航标和动力。其次，我要感谢刘翰教授和韩延龙教授，我在博士论文的写作过程中曾得到二位老师的大量帮助和指导。还要感谢信春鹰教授、陈世荣教授、夏勇博士，他们在本文写作之初对大纲所提出的修改意见使我受益匪浅。也要感谢贺卫方教授和朱苏力教授，他们对本文的评阅意见使我有可能最大限度地发现和避免了文章的缺误。此外，我还要特别感谢我的师兄张志铭教授，几年以来他对我的帮助及于学术和生活的方方面面，他淡泊名利、追求真理的精神情操、学者风范一直激励着我。同时还要感谢张志越、李道军等学友，在与他们的交流中我总能得到有益的启迪。最后，我要感谢多年来支持我不断求学的父母、妻子、亲人及朋友们。谢谢您们，所有提到的或未提到的友善而高尚的人们！

解兴权
1999年5月